LA TRADITION
DANS
L'ÉGLISE

LA TRADITION

DANS

L'ÉGLISE

HENRI HOLSTEIN, s. j.

LA TRADITION
DANS
L'ÉGLISE

BERNARD GRASSET ÉDITEUR
61, RUE DES SAINTS-PÈRES, VIe
PARIS

IL A ÉTÉ TIRÉ DE CET OUVRAGE, LE TREIZIÈME DE LA COLLECTION, « ÉGLISE ET TEMPS PRÉSENT », DIRIGÉE PAR GAÉTAN BERNOVILLE, VINGT-SIX EXEMPLAIRES SUR ALFA MOUSSE DES PAPETERIES NAVARRE, NUMÉROTÉS 1 A 12 ET I A XIV, CONSTITUANT L'ÉDITION ORIGINALE.

Nihil obstat :
Paris, le 28 mai 1960,
E. PILLAIN, s. j.

Imprimatur :
Paris, le 31 mai 1960,
J. HOTTOT, v. g.

AVANT-PROPOS

Dans la torpeur résignée d'une classe de catéchisme, le professeur parle de la tradition. Avec une vigueur polémique, qui eût peut-être converti une assemblée huguenote, à moins qu'elle n'eût obtenu à l'apologiste la palme du martyre, mais qui laissait assez froids les bons catholiques, fort peu troublés par rapport à la tradition, que nous étions, le professeur s'acharnait à nous démontrer qu'il y a, pour notre foi, une autre source que l'Ecriture sainte, et que se refuser à l'admettre rendait passible de toutes sortes de châtiments éternels. Nous en étions bien d'accord, et aurions volontiers consenti à moins d'éloquence. Cependant, quelque malignité écolière suscitant une inconsciente précocité théologique, l'un des garçons leva la main : « Mais, cette tradition, quelles vérités inconnues par ailleurs nous apprend-elle ? quels dogmes inconnus de la Bible ? » L'objection, sans doute formulée avec moins de précision, sembla prendre le bon prêtre au dépourvu, réussissant de surcroît à réveiller la classe. D'un geste péremptoire, l'impertinent fut prié de se taire, et de ne point parler de ce qu'il ne connaissait pas. Et la classe s'acheva dans la torpeur initiale.

Ce lointain souvenir d'une question apparemment pertinente demeurée sans réponse est peut-être à l'origine d'un intérêt pour la tradition, retrouvé au cours d'études théologiques, et, depuis lors, jamais oublié. Et ce livre, que d'amicales instances ont finalement obtenu, voudrait simplement dire ce que la tradition catholique représente dans l'Église, et laisser cette tradition parler d'elle-même. Il y a un problème de la tradition, dont l'importance théologique et œcuménique est assez manifeste : il vaut la peine d'essayer de le bien poser au seuil de ce travail.

L'Église ne serait pas ce qu'elle est, si elle n'avait pas sa tradition. La tradition, c'est cette continuité de vingt siècles, cette présence parmi nous des générations antérieures, ce souvenir vivant des apôtres, des docteurs et des saints qui donnent au christianisme son visage. Le christianisme serait une secte, un mouvement, une nouveauté, s'il n'avait pas sa tradition.

Mais cette tradition, dont on ne peut mettre en doute l'existence, il est difficile, dès qu'on y réfléchit et qu'on cherche à l'isoler, de discerner les traits singuliers qui la distinguent. Elle existe, sans doute, mais le problème est de déterminer sa situation et son contenu.

Situation de la tradition. Une approximation commode, qui prétend, à tort, exprimer la pensée du concile de Trente, la place à côté de l'Écriture, comme source distincte de la révélation. Mais, à vrai dire, cette position du problème, qui permet d'affirmer l'existence d'une Tradition soigneusement distinguée de l'Écriture, se défend malaisément dès que l'on envisage l'unicité de la révélation divine, et le mode unique de sa transmission à l'Église, par les apôtres de Jésus. Aussi bien, en face des protestants qui la résorbent dans l'Écriture, et, allant jusqu'au terme de leurs principes, nient purement et simplement toute prétention de la tra-

dition à être autre chose qu'une institution humaine, radicalement incapable de porter la révélation, la théologie catholique de la « Contre-Réforme » a-t-elle tendance à résorber la tradition dans l'enseignement du Magistère : « La tradition, au sens principal, écrivait le P. Ranft, est la prédication infaillible de la foi, exercée par le Magistère. » Et M. Michel, au terme de son enquête. exhaustive dans le Dictionnaire de théologie catholique, lui fait écho : « La tradition se confond formellement avec la prédication actuelle de l'Eglise, c'est-à-dire avec son Magistère infaillible. »

Et si, avec d'autres théologiens dont le plus marquant est Moehler, on voit dans la tradition la conscience vivante de l'Eglise, on n'échappe pas totalement à la difficulté de « localiser » la tradition. Qu'on la situe ici ou là, dans l'Ecriture comme le commentaire vivant de la Parole divine confiée à l'Eglise, dans le Magistère, comme son expression autorisée et son indiscutable proclamation, dans la conscience de l'Eglise, comme une présence du passé dans l'actuel, de l'esprit des apôtres et des Pères dans le « sens chrétien » de l'Eglise d'aujourd'hui, il reste que la tradition, partout présente, n'est nulle part parfaitement isolable. C'est là, nous le verrons, un aspect nécessaire de son mystère. Encore est-il que, pour le bien comprendre, il faut d'abord en percevoir l'apparente étrangeté, et, pour ainsi dire, saisir ce fait déconcertant d'une Tradition qui semble constamment échapper à nos prises.

Contenu de la tradition. Les mêmes questions se posent, dès que l'on reconnaît la difficulté d'assigner à la tradition un message propre, qui permette de la caractériser et de la distinguer. Les Gnostiques que combat saint Irénée avaient trouvé une solution originale, qui sera reprise, à divers moments de l'histoire de l'Eglise, par des sectes aberrantes : il y a des secrets,

qu'ignore le « chrétien moyen » et que les
apôtres ont confiés à quelques initiés ; ceux-ci, en
marge de l'enseignement officiel et public, les
transmettent en chuchotements qu'on ne peut
divulguer, à des disciples soigneusement sélec-
tionnés : telle serait la véritable tradition. Mais la
grande Eglise a toujours refusé cette hypothèse :
elle affirme que tout ce que les apôtres ont
entendu, ils l'ont confié à leurs successeurs, les
évêques des églises par eux fondées, et que
ceux-ci enseignent publiquement la tradition
apostolique. Il n'y a pas, dans l'Eglise, de doctrine secrète et de « traditions » ésotériques.

Dès lors, que nous apporte la tradition doctrinale, que nous ne sachions par ailleurs ? Elle
ne possède rien en propre, et ne saurait donc se
prévaloir, quoi qu'on en ait dit, de porter « une
part » du message apostolique, que l'on puisse,
avec certitude, circonscrire et délimiter. Sans
doute, la tradition se concrétise en des cérémonies, des usages, des coutumes. Mais celles-ci,
pour respectables qu'elles soient, ne suffisent
pas à représenter la richesse continue de la tradition apostolique. Le Concile de Trente, sans
les rejeter le moins du monde, en se refusant à
manifester à leur endroit dédain ou mésestime,
admet qu'elles n'entrent pas directement dans
la définition même qu'il donne de la tradition :
« La parole du Christ, transmise jusqu'à nous,
depuis les apôtres, comme de main en main. »
Au reste, la diversité légitime de ces traditions
liturgiques, cérémonielles et coutumières, les
changements qui les ont affectées au cours de
l'histoire, leur caractère contingent ou empirique ne sauraient leur valoir l'honneur d'être
cette tradition « une et identique », qui, par
toute la terre, conserve l'héritage des apôtres.
Dans le beau texte de la IVe session du Concile
de Trente, seul document du Magistère univer-
sel relatif à la tradition, il n'est question que de
tradition doctrinale.

Telles sont, en première approximation, les questions assez déconcertantes que pose la tradition catholique au théologien et au fidèle qui s'interroge à son endroit. Déjà saint Irénée, le grand docteur de la tradition, celui auquel, croyons-nous, il faut toujours revenir pour la comprendre, en a eu conscience lucide, et a montré dans quelle direction il faut marcher pour en trouver une solution satisfaisante. Au cours des siècles, ces problèmes ont été repris, et la perspective irénéenne a toujours apporté, par sa tranquille hardiesse, la vraie lumière.

La première partie de notre travail évoquera les temps forts de la réflexion théologique au sujet de la tradition. Nous ne prétendons point écrire une histoire complète de cette théologie de la tradition. D'autres l'ont fait avant nous, de main de maître, avec qui nous n'avons pas l'intention de rivaliser[1]. *Simplement, dans les limites restreintes d'un ouvrage destiné au grand public, nous essaierons de marquer, à partir de l'Ecriture, les étapes majeures de la réflexion catholique sur la tradition dans l'Eglise.*

La seconde partie, de façon plus structurée, dessinera les grandes lignes de la théologie de la tradition. Tradition des apôtres, conservée, approfondie, vécue et organisée par ceux que nous appelons les Pères de l'Eglise, la tradition catholique est le bien commun de toute l'Eglise. Elle s'exprime par l'enseignement de son Magistère, qui la reconnaît, la définit et l'enseigne en vertu de son autorité doctrinale, en sorte que le critère de la fidélité à la tradition se trouve dans la docilité catholique aux successeurs des apôtres. Elle anime et inspire la foi des fidèles, s'inscrit dans leur symbole, se manifeste dans la prière liturgique du Corps mystique tout entier.

1. Voir spécialement l'article Tradition du D.T.C., XV, col. 1252-1350, écrit par M. l'abbé A. Michel.

Un dernier chapitre étudiera le délicat problème des rapports de la Tradition et de l'Ecriture, retrouvant sans peine, sur une question envenimée et douloureuse depuis la Réforme, la position « traditionnelle » des siècles anciens, qui se refusaient à lire l'Ecriture en dehors de l'Eglise, et reconnaissaient au sens ecclésial instauré par la prédication des apôtres l'unique compétence pour comprendre l'Ecriture.

La tradition, dans l'Eglise Corps du Christ, ne demeure vivante et stimulante que parce qu'elle manifeste en elle la constante présence de l'Esprit Saint. Don généreux de l'Esprit et signe de son action toujours actuelle, la tradition est dans l'Eglise un facteur d'incessant rajeunissement.

« Nous conservons l'enseignement que nous avons reçu de l'Eglise, écrivait saint Irénée. C'est comme un dépôt précieux conservé dans un vase excellent. L'Esprit le rajeunit sans cesse et communique sa jeunesse au vase qui le contient. C'est le don de Dieu confié à l'Eglise ; il donne l'Esprit à la créature de Dieu, de sorte que tous ceux qui y participent reçoivent le don de la vie... » [1].

---

1. Adv. Haer., III, 24, 1. Nous devons rendre un hommage de gratitude à tous ceux qui nous ont aidé à mieux comprendre ce qu'est la tradition catholique. Qu'on nous permette de nommer au moins, parmi nos maîtres, les RR. PP. Fontoynont et de Lubac, et de les remercier. Sans l'affectueuse insistance de M. G. Bernoville, fondateur de la collection *Eglise et Temps présent*, ce livre n'aurait pas été composé ; à la veille de sa mort, il nous écrivait encore et nous exhortait à tenir nos promesses. Notre prière voudrait reconnaître cette dette.

PREMIÈRE PARTIE

A TRAVERS L'HISTOIRE

Chapitre I

LA TRADITION DANS L'ANCIEN TESTAMENT

> O Dieu, nous avons entendu de nos oreilles,
> nos pères nous ont raconté
> l'œuvre que tu as accomplie de leur temps,
> aux jours anciens [1].

Au sens précis, et technique, où l'emploie la théologie, le mot *Tradition* ne 'se rencontre pas dans l'Ancien Testament. Il n'y est même pas question de ces commentaires rabbiniques, que l'on recevait d'un maître illustre, que l'on conservait et transmettait fidèlement dans l'école qui se réclamait de son autorité et de son nom : ce fait sociologique, dont l'Evangile et saint Paul feront état, n'est pas attesté dans l'Ancien Testament. Et le verbe qui désignera cette transmission d'opinions et d'interprétations de la Loi, le verbe que les LXX traduisent par *paradidonai,* et la Vulgate par *tradere,* y signifie simplement l'action de livrer, de transmettre ou d'abandonner une personne ou un objet.

Est-ce à dire que l'idée de *Tradition* soit étrangère à l'Ancien Testament ? Nous ne le pensons pas. Il semble même que ce soit une idée essentielle, une donnée de base sans laquelle

---

1. Ps. 44, 2.

les livres inspirés et canoniques qui constituent
« la Loi et les Prophètes » ne sauraient être bien
compris. Ne sont-ils pas, à leur manière, des
témoignages, et parfois des procès-verbaux, de la
transmission d'un message qui court, pour ainsi
dire, de génération en génération, conservé, précisé, amplifié, depuis les origines jusqu'à Jésus-
Christ ?

Deux faits méritent, dès l'abord, de retenir
l'attention.

D'une part l'importance accordée à l'expérience religieuse des anciens, objet de référence
constante. C'est en fonction de la religion ancestrale que se situent les relations actuelles du
peuple élu, ou de ses prophètes, avec Dieu. A
l'Horeb, Moïse entend ces paroles : « Je suis le
Dieu de ton père, le Dieu d'Abraham, le Dieu
d'Isaac et le Dieu de Jacob » [1]. Il devra
annoncer aux enfants d'Israël : « Le Dieu de vos
pères m'a envoyé vers vous » [2]. Au retour
d'exil, la grande cérémonie expiatoire qui
marque la reprise du culte et de l'observance
commence par le rappel de toute l'histoire d'Israël : l'énumération des gestes de Yahvé envers
Abraham, Moïse, que tout le peuple acclame en
cette reprise de la vie religieuse d'Israël [3].
Pareil rappel de l'expérience des « pères » au
seuil de la prédication de Jérémie [4] ; trame
de la prière des exilés telle que la rapporte
Baruch [5], de la prière d'Esther [6], ou de l'apostrophe de Judith à ses compatriotes [7], cette
évocation de la religion des pères inspire fréquemment les Psaumes.

D'autre part, l'attente de l'accomplissement

1. Exode, 3, 6.
2. Exode, 3, 13.
3. Néhémie, ch. 9.
4. Jérémie, 2, 5 suiv.
5. Baruch, 2, 11-35.
6. Esther, ch. 4.
7. Judith, 8, 25 suiv.

des promesses faites jadis : Yahvé est constamment sollicité de « se souvenir » et de manifester sa fidélité. Moïse l'adjure de ne pas oublier ses engagements envers Abraham, Isaac et Jacob. Et Salomon, inaugurant le temple, dit à Yahvé : « Maintenant, Yahvé, Dieu d'Israël, tiens à ton serviteur David, mon père, la promesse que tu lui as faite... » [1]. Les prophètes rappellent les promesses et annoncent que le Seigneur « conclura l'alliance éternelle promise à David » [2]. Au terme de l'Ancien Testament, le cantique de la Vierge célébrera la fidélité de Dieu qui « s'est souvenu de sa miséricorde, ainsi qu'il l'avait promis à nos pères, en faveur d'Abraham et de sa descendance » [3].

Ainsi l'Ancien Testament témoigne d'une religion en constante tension entre le souvenir et l'attente, le souvenir de l'expérience ancestrale et l'attente des promesses dont elle était porteuse. C'est cette tension entre un passé et un avenir, un passé actualisé dans la prière et un avenir déjà possédé en espérance, qui se communique par la tradition religieuse. Souvenir et espérance sont les deux dimensions de l'Ancien Testament ; ils rythment sa tradition.

Nous la reconnaîtrons d'abord au plan littéraire des livres inspirés, puis au plan spirituel de la permanence du thème de l'Alliance ; nous verrons enfin la direction paradoxale de cette tradition, qui se tend vers un avenir où elle trouvera seulement sa pleine intelligibilité.

Au plan littéraire de la composition des livres sacrés de l'Ancien Testament, il est clair que nous nous trouvons en présence d'une condensation et d'une fixation, pour ainsi dire, de tra-

1. Rois, 8, 25.
2. Isaïe, 55, 4 b.
3. Luc, 1, 54-55.

ditions orales. Traditions remontant très loin
dans le passé, et qui, à l'époque de la monarchie,
principalement, furent fixées par écrit, grâce à la
diligence des scribes royaux. Traditions multiformes, les unes plus anecdotiques cherchant à
fixer des moments d'histoire, et à conserver le
souvenir, plus ou moins stylisé et avantagé, de
tel grand personnage ; les autres « plus sou-
cieuses d'expliquer le comment et le pourquoi
des coutumes actuelles, des noms de lieu, de
l'état des tribus, ou encore tendant à donner
des règles de conduite, soit en véhiculant un
matériel juridique, soit en insinuant des règles
de conduite morale et religieuse à propos de
l'histoire des héros d'autrefois ». Ces traditions
« qui renferment pratiquement tout le bagage
de la culture nationale avant la création d'une
littérature écrite » [1] sont à l'origine de celle-
ci et s'y retrouvent, à l'état de matériaux déjà
élaborés, combinés parfois en cycles, et présentant, en certains cas, une réelle maturité littéraire : « On aurait tort de considérer les traditions comme des matériaux informes, pré-litté-
raires ou infra-littéraires. Au moment où elles
vont être recueillies, les traditions constituent
déjà une vraie littérature, dont les genres pré-
ludent à ceux de la littérature écrite » [2]. Il
semble d'ailleurs qu'assez longtemps, comme il
est normal, textes écrits et récitatifs oraux exis-
tèrent parallèlement, et vécurent en symbiose.

Ces traditions orales sont un reflet de la vie
du peuple où elles sont conservées : de très lointains souvenirs des temps pré-palestiniens,
comme des échos de la structure évoluée du
Royaume, puis des deux Royaumes du nord et

1. P. Grelot, *Introduction à la Bible*, Desclée et Cie, tome I,
1957, p. 790.
2. P. Grelot, *op. cit.*, p. 791. Dans la recherche des
« Sources du Pentateuque, on semble avoir tendance, aujour-
d'hui, à parler plus volontiers de « traditions » que de
« documents ».

du sud, s'y retrouvent, sans qu'on puisse d'ordinaire leur assigner une date précise d'émergence. Car traditions et cadres sociaux s'engendrent l'un l'autre, dans une sorte de mouvement continu. On peut du moins fixer certains repères : par exemple les efforts de centralisation du culte après la chute du Royaume du Nord, autour du temple de Jérusalem, semblent bien être en relations avec une première compilation, qui, reprise au temps de l'exil, sous l'influence d'Ezéchiel, aboutira à notre *Deutéronome* : aboutissement littéraire de traditions dont l'origine assignable demeure la législation mosaïque

Par l'intégration des traditions du peuple d'Israël, la Bible apparaît comme le livre de ce peuple. En un sens, elle en procède, elle est comme une émanation du peuple élu. Car en elle s'exprime une réalité complexe, qu'on peut formuler ainsi : Dieu conduit le peuple qu'il a choisi. Les traditions particulières et démultipliées, qui convergent dans la tradition d'Israël, conservent en même temps et la parole adressée par Yahvé à son peuple, et les attitudes de ce peuple interpellé et mené par le Seigneur : message et histoire, indissociablement constitutifs de la vie du peuple élu. Comme il y aura la tradition de l'Eglise apostolique, il y a déjà, en Israël, la tradition qui rappelle la présence constante de Yahvé parmi les siens :

> Le lot de Yahvé, ce fut son peuple,
> Jacob sa part d'héritage.
> Tel un vautour qui veille sur son nid,
> plane au-dessus de ses petits,
> Il déploie ses ailes et le prend,
> il le soutient sur son pennage [1].

Une des manifestations frappantes de cette tradition, au plan littéraire, c'est la reprise constante des mêmes thèmes, des mêmes formules.

1. Cantique de Moïse : Deut., 32, 9-11.

Il y a tout un « matériel » littéraire qui se
retrouve au long de la Bible : comparaisons et
métaphores, empruntées à l'univers sidéral, à la
vie agricole, au monde végétal ou animal.
Compte tenu de l'évolution des civilisations, ces
thèmes sont constamment repris : les cieux
représentés comme une tente, à laquelle sont
suspendus le soleil, la lune, les étoiles. Hâtive-
ment « roulés » dans l'effervescence du jour de
Yahvé, ils laissent tomber, tels des globes lumineux qu'on n'a pas pris le temps de décrocher,
ces astres sur la terre. Yahvé est le vigneron, et
Israël sa vigne : métaphores de civilisation
agraire, auxquelles correspond la métaphore
pastorale du berger, qui conduit ses brebis aux
prairies verdoyantes, aux gras pâturages, aux
sources fraîches. L'Evangile reprendra la plupart de ces métaphores traditionnelles.

Plusieurs thèmes sont visiblement empruntés au
folklore des civilisations où vécut le peuple élu.
Mais avec des transpositions et des correctifs significatifs : les monstrueux « chérubins » assyro-
babyloniens deviennent l'escorte impression-
nante de Yahvé : il suffit de penser à la vision
inaugurale de la prophétie d'Isaïe, et au premier chapitre d'Ezéchiel. Dépossédés de leur
puissance mythologique, ils sont transformés en
gardes du corps. Le serpent, « auquel les anciens
sémites attribuaient volontiers des pouvoirs
magiques ou à qui ils prêtaient un rôle néfaste
dans les aventures des héros primitifs » signifie
« la puissance hostile qui va tenter l'homme, et
que le livre de la Sagesse nommera le diable » [1].
Continuité et rupture des traditions juives,
qui prolongent en les retournant, pour ainsi
dire, les traditions des peuples parmi lesquels
Yahvé fait vivre, en le préservant de leur
influence délétère par de rigoureux interdits,

---

1. A M. Dubarle, *Les sages d'Israël*, coll. *lectio divina*, Ed.
du Cerf, p. 10, citant Sagesse 2, 24.

son peuple — ce peuple qui lui appartient et
dont il poursuit patiemment la lente éducation.

Le thème du *shéol* représente un autre aspect
de la tradition littéraire de la Bible. Il semble
qu'il soit reçu, sous bénéfice d'inventaire, du
milieu ambiant : évocation commode, sur laquelle on ne se prononce d'abord pas, de l'état
consécutif à la mort. Longtemps cette représentation attristante et vide de l'au-delà est admise
comme un fait : « Dans la mort, nul souvenir
de toi ; dans le shéol, qui te louerait ? »[1]. Ce
n'est que peu à peu, sous le contre-coup de con-
ceptions plus évoluées de l'état après la mort, que
cette image traditionnelle du *shéol* s'effacera devant l'espérance de rétributions d'outre-tombe[2].

Ces quelques remarques nous permettent d'affirmer l'existence de traditions littéraires que se
transmettent, pour ainsi dire, les écrivains
bibliques. Elles sont l'expression d'une tradition
spirituelle, la *tradition* de l'Alliance.

L'objet essentiel de la tradition en Israël, son
contenu spécifique, c'est *l'Alliance* de Yahvé
avec son peuple. Sans cesse la transmission de
cette « bonne nouvelle » est mentionnée, comme
le devoir à la fois impérieux et joyeux d'une
fidélité qui ne saurait admettre de défaillances.
« Quand vous serez entrés dans le pays que
Yahvé vous donnera selon sa promesse, vous
retiendrez ce rite. Et quand vos fils vous deman-
deront : Que signifie pour vous ce rite, vous
leur répondrez : C'est le sacrifice de la Pâque
en l'honneur de Yahvé, qui a passé devant les
maisons des fils d'Israël, en Egypte, lorsqu'il a
frappé l'Egypte, tandis qu'il épargnait nos maisons... »[3]. Au seuil de l'entrée dans la terre

1. Ps. 6, 6.
2. A.-M. Dubarle, *op. cit.*, pp. 140-145.
3. Exode, 12, 25-27.

promise, Josué rappelle solennellement à Israël
sa vocation, la sortie d'Egypte, et cette merveilleuse alliance qui va trouver sa réalisation dans
la terre que Yahvé destine à son peuple. Et
Israël, dans un élan décisif, *choisit* Yahvé pour
son Dieu : « C'est Yahvé notre Dieu que nous
voulons servir, c'est à sa voix que nous voulons
obéir » [1].

La prière de Salomon, à l'inauguration du
temple, est une imploration où se conjuguent le
souvenir des fidélités de Yahvé et l'espérance de
l'accomplissement de ses promesses. Son action
de grâces est un souhait que se réalise la promesse — la descendance annoncée à David [2].

Les Psaumes, en allusions rapides, en longues
évocations, redisent la réalisation de la Promesse, chaînons dans cette chaîne sans fin qui
remet sans cesse dans la mémoire et sur les
lèvres les « merveilles que Dieu a faites pour
son peuple » :

Nous l'avons entendu et connu,
  nos pères nous l'ont raconté,
  nous ne le tairons pas à nos enfants,
  nous le raconterons à la génération qui vient [3].

Etienne, encore, devant le Sanhédrin [4], Paul
à la synagogue d'Antioche de Pisidie [5], repren-
dront ce rappel des grandes œuvres de Dieu,
que jamais ne se lassait d'entendre un auditoire
juif, inscrivant dans le Nouveau Testament la
tradition de l'Ancien.

Tradition qui n'est pas tant communication
d'une chose que révélation de Quelqu'un. Le
thème de l'Alliance redit au peuple quel est son
Dieu, ce Dieu qu'il est fier d'avoir bien à lui, ce

1. Josué, 24, 24.
2. I Rois, 8, 22-30.
3. Ps. 78, 3-4 : ce psaume, on le sait, rappelle à la reconnaissance du peuple élu les grandes heures de son histoire.
4. Actes, ch. 7.
5. Actes, 13, 16-25.

Dieu qui est le *saint d'Israël*. Un autre peuple pourrait-il lui comparer ses dieux, mettre en parallèle ces figures de bois et de pierre, sourdes, aveugles et muettes [1], avec le Dieu vivant qui a choisi Israël et passé alliance avec Lui ?

Si Yahvé s'est attaché à vous et vous a choisis, ce n'est pas que vous soyez les plus nombreux de tous les peuples : car vous êtes les moins nombreux d'entre tous les peuples. Mais c'est par amour pour vous et pour garder le serment juré à vos pères que Yahvé vous a fait sortir à main forte et t'a délivré de la maison de servitude, du pouvoir de Pharaon, roi d'Egypte. Tu sauras donc que Yahvé, ton Dieu, est le vrai Dieu, le Dieu fidèle qui garde son alliance... [2].

« Dieu de l'Alliance » tel est, si l'on ose dire, l'indice signalétique de ce Dieu que la « tradition des pères » fait connaître aux enfants comme le vrai Dieu, leur Dieu. Il est significatif de relever la succession des métaphores qui, au travers de l'évolution culturelle, marquent ce trait distinctif de l'Alliance, et en ponctuent la tradition.

Yahvé apparaît d'abord comme le Dieu de la vie, celui qui conserve la vie : l'alliance noachique est conclue entre Dieu et « tous les êtres animés » : c'est à « toute chair » qu'est promise la bienveillance divine :

Voici que je conclus mon alliance avec vous
et avec vos descendants après vous,
et avec tous les êtres animés qui sont avec vous [3].

Au nomade qu'est Abraham, la tradition est transmise, déjà ; l'alliance que Dieu contractera avec « le père de notre foi » sera une rénovation, et non pas quelque chose d'absolument nouveau. Il est d'autant plus remarquable que l'alliance abrahamique apporte, comme pro-

1. Ps. 114.
2. Deut. 7, 7-9.
3. Gen. 9, 8-17.

messe spécifique, celle d'une terre, où pourra se
stabiliser l'existence errante du patriarche : « A
toi et à ta race, après toi, je donnerai le pays
où tu séjournes, tout le pays de Canaan, en possession à perpétuité, et je serai votre Dieu » [1].

Dieu de la vie, Dieu de la terre, Yahvé va se
manifester bientôt comme le Dieu de la fécondité, celui qui fait tomber sa pluie sur le sol que
cultive son peuple :

> Si vous vous conduisez selon mes lois, si vous
> gardez mes commandements, et les mettez en pra-
> tique, je vous donnerai en leur saison les pluies
> qu'il vous faut, la terre donnera ses produits et
> l'arbre de la campagne ses fruits. Vous battrez jus-
> qu'aux vendanges et vous vendangerez jusqu'aux
> semailles. Vous mangerez votre pain à satiété et
> vous habiterez dans votre pays en sécurité [2].

> Le pays où vous allez passer pour en prendre
> possession est un pays de montagnes et de vallées
> arrosées de la pluie du ciel. De ce pays, Yahvé
> ton Dieu prend soin, sur lui les yeux de Yahvé ton
> Dieu restent fixés depuis le début de l'année jus-
> qu'à sa fin. Assurément, si vous obéissez vraiment
> à mes commandements que je vous prescris
> aujourd'hui, aimant Yahvé de tout votre cœur et
> de toute votre âme, je donnerai à votre pays la
> pluie au temps opportun, pluie d'automne et pluie
> de printemps, et tu pourras récolter ton froment,
> ton vin et ton huile ; je donnerai à ton bétail de
> l'herbe dans la campagne, et tu mangeras et te
> rassasieras [3].

Dieu de la pluie, mais aussi Seigneur de
l'orage, « représentation qui rappelle l'événement du Sinaï » [4] : le psaume 18 évoque
Yahvé marchant sur les cieux, tandis que chan-
celle la terre, que tonne le tonnerre ; et le Seigneur plane sur les ailes du vent [5]. Images

1. Gen. 17, 8.
2. Lévitique, 26, 3-5.
3. Deut., 11, 11-15.
4. G. Pidoux, *Le Dieu qui vient.* Cahiers théologiques de
l'actualité protestante, Nº 17. Delachaux et Niestlé, 1947, p. 16.
5. Ps. 18, 8-15.

qui seront reprises comme le décor quasi indispensable de l'évocation du jugement [1]. Tem-
pête, tremblement de terre accompagnent l'apparition de Yahvé guerrier, combattant avec les
siens [2], menant les armées eschatologiques,
ou bien utilisant les forces ennemies pour tirer
vengeance de son peuple infidèle [3]. Visage
terrible du Dieu vengeur, dont la tradition se
retrouvera dans les Apocalypses...

Mais la tradition biblique connaît aussi des
images plus douces. Une autre métaphore,
reprise par la tradition prophétique [4], et que
Jésus à son tour fera sienne, se disant « le bon
berger » [5] est la métaphore du pasteur. Elle
interfère avec les précédentes, puisque c'est à de
grasses prairies que le pasteur conduit son troupeau, fertilisées par « une pluie de bénédic-
tion » [6] :

> Sur des prés d'herbe verte, il me parque,
> vers les eaux du repos il me mène,
> Il y refait mon âme [7],

Celui qui

> « drape les cieux de nuées,
> qui prépare la pluie à la terre,
> qui fait germer l'herbe sur les monts...
> qui dispense au bétail sa pâture... [8].

Sous les traits familiers du dispensateur des
biens précieux d'une civilisation agraire et pastorale, c'est constamment le Dieu de l'Alliance
qui est l'objet de la tradition biblique. Une métaphore, à partir d'Osée, va relayer, sans les supprimer, les expressions antérieures : elle mettra

---

1. NAHUM, 1, 2-6.
2. JOSUÉ, 3, 10 ; 10, 10-11 ; 42 ; 13, 6.
3. JÉRÉMIE, 4, 23-26.
4. Cf. EZÉCHIEL, ch. 34 ; JÉRÉMIE, 23, 1-6 ; ZACHARIE, 11, 4-17.
5. JEAN, ch. 10.
6. EZÉCHIEL, 34, 26.
7. Ps. 23, 2-3.
8. Ps. 147, 8-9.

en lumière l'amour personnel, l'affection délicate à la fois, et terriblement « jalouse », que le
Dieu de l'Alliance porte à son peuple : la métaphore de l'Epoux, du fiancé d'Israël :

> Je te fiancerai à moi pour toujours,
> je te fiancerai dans la justice et dans le droit,
> dans la tendresse et dans l'amour ;
> je te fiancerai à moi dans la fidélité,
> et tu connaîtras Yahvé [1].

La tradition trouve ainsi son accomplissement dans l'évocation d'une affection réciproque.
Le thème de la fidélité du Seigneur est repris,
mais au niveau de relations inter-personnelles.
Israël n'est plus seulement bénéficiaire de bon-
tés divines qui lui apportent les biens terrestres,
mais il est appelé à donner une réponse d'amour
total. Les cieux et la terre engagent le dialogue [2] : l'homme ne se contente plus de recevoir
des biens venus d'en-haut, il doit donner à son
tour, donner cette fidélité attendue et exigée des
« fils du Dieu vivant » [3]. Et déjà il devient
concevable, dans la ligne même de ce qui est
demandé, de cette relation d'amour nuptial où
s'exprime désormais l'affection que Yahvé porte
à son peuple, qu'un mystérieux « abaissement »
permette à Dieu de prendre contact avec les
siens, de « planter sa tente » au milieu d'eux,
et d'apparaître comme « le fils » de ce peuple
dont il est le Roi :

> Car un enfant nous est né,
> un fils nous est donné,
> il a reçu l'empire sur les épaules :
> on lui donne ce nom :
> conseiller merveilleux, Dieu fort,
> Père éternel, prince de la paix [4].

1. Osée, 2, 21-22.
2. Osée, 2, 23.
3. Osée, 2, 1.
4. Isaïe, 9, 15.

★

La tradition de l'Alliance est donc le lien qui
unit, par des rappels constants et des reprises
effectives, les divers moments de l'histoire d'Israël et assure leur continuité. Nous l'avons dit,
elle vient de plus loin que le moment où elle se
manifeste, et elle porte le regard dans la direction d'un futur où elle se réalisera. A l'Exode,
la tradition de l'Alliance rend présents Abraham
et les Patriarches au milieu de leurs descendants délivrés d'Egypte, et elle annonce ce pays
fertile et cette terre heureuse que Dieu avait
promise à Abraham. A partir de l'entrée en
Canaan, c'est la tradition de l'Exode qui devient
le tremplin de la confiance et l'exigence de la
fidélité. Moins regard en arrière que présence
de l'événement décisif — la sortie d'Egypte —
dont on vit toutes les implications : celles que
Dieu accorde — triomphe sur les ennemis, possession du sol, fertilité et richesse temporelle — ;
et celles qu'il attend de son peuple — obéissance et fidélité à cette loi qui marque, parmi
tous les peuples au milieu desquels il s'établit
non sans difficultés, la physionomie propre du
« peuple de Dieu ». Mais, en même temps, la
présence de cet événement donne l'espérance de
jours meilleurs, la certitude que tout tournera
à bien et que l'aventure de ce petit peuple
s'achèvera en un succès retentissant. Le souvenir de l'événement de l'Exode est une force qui
pousse en avant, qui, non seulement, soutient le
courage actuel, mais encore maintient un climat
d'espérance et une assurance inconfusible pour
un avenir, humainement assez aléatoire et
menacé.

D'où les diverses expressions « thématiques »
de cette tradition, qui correspondent, en gros,
aux étapes majeures de la vie du peuple de
Dieu.

Après la conquête et l'installation en Canaan, c'est le thème royal qui exprime la tradition de l'Alliance. La royauté, c'est David, héritier des promesses, et chef d'une famille où s'accompliront, de manière imprévisible et merveilleuse, ces promesses. Si David, en effet, concentre, en quelque manière, sur sa personne les promesses de l'Alliance, elles n'obtiendront tout leur effet, elles n'atteindront leur plein accomplissement, qu'en l'un de ses descendants. Salomon le confesse, dans sa belle prière à l'inauguration du temple :

> Tu as tenu à ton serviteur David, mon père, la promesse que tu lui avais faite, et ce que tu avais dit de ta bouche, tu l'as accompli aujourd'hui de ta main. Et maintenant, Yahvé, Dieu d'Israël, tiens à ton serviteur David, mon père, la promesse que tu lui as faite, quand tu as dit : Tu ne seras jamais dépourvu d'un descendant qui soit devant moi assis sur le trône d'Israël, à condition que tes fils veillent à leur conduite et suivent ma loi comme tu as fait toi-même. Maintenant donc Yahvé, Dieu d'Israël, que se vérifie la parole que tu as dite à ton serviteur David [1].

L'instant où Salomon fait cette prière est sans doute une grande heure de l'histoire d'Israël. Mais il est clair — et le proche avenir en sera la preuve — que la promesse dont fait état le fils de David le dépasse lui aussi, et dépasse ce temple qu'il inaugure. Portée par les rois, descendants de David, la promesse vise un avenir à la fois plus lointain et plus riche, avenir mystérieux, auquel s'attache de toute sa force une espérance sans cesse renaissante, au milieu même des difficultés : le paradoxe du peuple élu n'est-il pas d'attendre constamment un royaume qui se dérobe, un roi choisi et consacré par Dieu, un « fils de David » en qui s'accomplisse toute la promesse faite à son père, et qui n'est jamais

---

1. II Chroniques, 6, 15-17.

le roi qui actuellement gouverne Israël ? Où
s'enracine cette espérance, humainement insen-
sée, où trouve-t-elle l'énergie de renaître constamment et de ne jamais accepter d'être défini-
vement détruite, sinon dans cette tradition de
l'Alliance, qui continue de se transmettre et de
faire attendre que demain comble les attentes
déçues par aujourd'hui ?

Réalisée d'une manière précaire et vite instable, par la Royauté, la Promesse, rappelée par
les Prophètes, se colore d'une nuance eschatologique qui s'accentue au fur et à mesure que
l'actualité s'assombrit. Le message des prophètes s'inscrit dans les « bouleversements de
l'histoire et dans un climat catastrophique » [1].
D'où la projection de l'espérance, par delà
le cours des événements, dans l'attente du
« jugement de Yahvé » :

> L'orgueil humain baissera les yeux,
> l'arrogance des hommes sera humiliée,
> Yahvé sera exalté, lui seul,
> en ce jour-là.
> Oui, ce sera le jour de Yahvé Sabaot,
> contre tout orgueil et toute arrogance,
> contre toute grandeur, pour l'abattre... [2].

Restauration de la royauté davidique, recon-
quête du pays perdu, triomphe de Yahvé sur les
nations : tel sera le « jour de Yahvé » [3],
accomplissement dans un futur imprévisible
d'une Promesse dont la réalisation hâtive, dans
un passé sans lendemain, permet déjà de mesu-
rer la consistance, d'éprouver la certitude. Alors
que les Prophètes du VIIIe siècle n'envisagent
qu'Israël et ses voisins immédiats, leurs successeurs étendent au monde entier le jugement du
jour de Yahvé : « Je vais tout supprimer de la

---

1. A. Gelin, *Introduction à la Bible*, I, p. 471.
2. Isaie, 2, 11-12.
3. Amos, 6, 18-20 ; 10, 11-12.

face de la terre, oracle de Yahvé » [1]. Le combat eschatologique affronte à Yahvé toute la
terre, et le jugement divin consacrera le
triomphe de Jérusalem sur toutes les nations :
« tous les survivants de toutes les nations qui
auront marché contre Jérusalem monteront
d'année en année se prosterner devant le roi
Yahvé Sabaot et célébrer la fête des Tentes... » [2].

Débordant le cadre d'une chronologie détermi-
nable, comme celui d'une aire géographique précise, l'espérance qui s'exprime en ces dernières
prophéties demeure cependant traditionnelle. A
tel point que volontiers l'on recourt à l'ancienne
imagerie — celle de l'Eden, notamment, qui
continue à fournir un cadre de représentations
— pour exprimer cette apocalypse. Le regard
des prophètes du jour de Yahvé est, pour ainsi
dire, à la fois tourné vers le passé et vers l'avenir : le passé donne le confiant désir de cet
avenir où se manifestera, sans conteste et de
manière définitive, la fidélité du Seigneur.

Le phénomène le plus remarquable est peut-
être l'introduction de l'expression de « nouvelle
Alliance » par Jérémie et par Ezéchiel [3]. Cette
Alliance est « nouvelle » ; elle fait suite à une
purification sévère, à une conversion du « petit
reste », qui possède maintenant un « cœur nouveau ». C'est une fraîche aurore au lendemain
d'un cataclysme, comme après le Déluge [4] :
alliance éternelle, qui semble bien rendre
caduque l'alliance précédente. Et, pourtant,
celle-ci continue ; pas de rupture, ni de renie-
ment : Dieu est fidèle, immanquablement. Cette
alliance nouvelle est la même qu'auparavant, et
cependant elle est autre. Elle s'inscrit dans le
cœur, non dans la chair ; elle réalise la Promesse, et donc tire sa signification de la plus

1. SOPHONIE, 1, 2.
2. ZACHARIE, 14, 16. Cf. ISAIE, ch. 60.
3. JÉRÉMIE, 31, 31-34. EZÉCHIEL, ch. 36.
4. ISAIE, 54, 9-10.

constante tradition ; mais elle rajeunit cette tradition, au point de l'ouvrir à d'imprévisibles
attentes... [1].

Au retour d'exil, l'espérance eschatologique
demeure un des traits marquants de la religion
juive : elle a accompagné les déportés dans leur
souffrance, ils la rapportent à Jérusalem qui se
rebâtit. Jusqu'au terme de ce que nous appelons
l'Ancien Testament, jusqu'au temps de Jésus,
elle s'exprimera dans ce genre littéraire curieux
et foisonnant des apocalypses, parmi lesquelles
il faut faire une place marquante au livre inspiré de Daniel. L'attente messianique, avec ses
résonances complexes dans la conscience populaire, rejoint cette imagerie : Le Messie apparaît
volontiers comme le roi de la fin des temps, et
l'on pense que sa venue coïncidera, plus ou
moins, avec le grand jugement qui fera éclater
la bienveillance de Yahvé envers son peuple
enfin rétabli dans la situation glorieuse dont il
est bien déchu. A cette forme dernière prise par
la tradition de l'Alliance, s'ajoutent le culte
minutieusement fervent et l'observance rigide de
la Loi, codifiée par les écoles rabbiniques des
derniers siècles. Et l'on commence, à ce propos,
à employer l'expression, attestée par les Evangiles et les Actes des Apôtres [2], de *traditions des
anciens* — ces traditions dont saint Paul avoue
qu'il fut un zélateur farouche [3]. La formule
désigne « l'ensemble des explications de la Loi
et des prescriptions relatives aux cas non prévus

---

1. Par leur lutte contre le formalisme de rites que Yahvé
abomine (cf. Amos, 5, 21 suiv. ; Isaïe, 1, 10-20 ; 29, 13-14 ;
Jérémie, 14, 10-12), les prophètes peuvent faire figure d'op-
posants à la tradition. En fait, ils défendent la tradition véritable contre des traditions de sclérose et d'hypocrisie. Ils
annoncent Jésus refusant les « traditions des anciens » dans
la mesure où elles sont une infidélité à la Loi de Dieu
(Mt., 15, 1-9).

2. Marc, 7, 1-13. Matthieu, 15, 1-9. Actes, 21, 21-28 ;
25, 8, etc.

3. Galates, 1, 14.

par la Loi transmises de maître à maître, auxquelles les pharisiens reconnaissaient la même
valeur contraignante qu'à la Loi elle-même » [1].
Jurisprudence autoritaire, dont il faut bien
voir qu'elle n'est pas quelque chose de nouveau, une floraison tardive subitement éclose,
mais l'aboutissement d'une longue fidélité. Ce
que, de génération en génération, les pères
transmettaient à leurs enfants, c'est encore ce
que les rabbins, à leur manière casuistique,
enseignent à leurs « fils » et inscrivent dans
leur manière de vivre. Les rituels et les cata-
logues d'observance de Qumrân sont les signes
derniers, dans leur rigueur et leur sectarisme,
d'une très longue tradition. Le mot est récent,
sans doute, la chose est aussi ancienne que le
peuple de Dieu.

Car il s'agit de la même espérance qui, depuis
les origines, permet à ce peuple ballotté et
contredit, de vivre et de croire en l'avenir. Ce
n'est pas par hasard que, à Qumrân précisément, nous constatons la conjonction du rabbi-
nisme le plus légaliste et de l'attente eschatologique la plus vive : l'observance implacable est
simplement la traduction de l'espérance indéra-
cinable en la fidélité d'une Promesse qui ne peut
pas ne pas s'accomplir, en faveur du peuple élu.
Depuis le retour d'exil, les prêtres et les docteurs de la Loi ont pris la relève des prophètes,
et ceux-ci ont commencé de parler au nom du
Seigneur lorsque la royauté, infidèle à sa charge
et compromise par ses fautes, s'était, pour ainsi
dire, avérée incapable de continuer David. A travers cette « nuée de témoins », c'est une même
tradition qui passe et se transmet, vivante, indestructible — la tradition de l'Alliance.

> J'ai fait une alliance avec mon élu,
> j'ai juré à David mon serviteur.

1. Ph. Menoud, *Vocabulaire biblique*, Delachaux et Niestlé,
p. 295.

A tout jamais j'ai fondé ta lignée
je te bâtis d'âge en âge un trône...
Heureux le peuple qui sait l'acclamation :
Yahvé, à la clarté de ta face ils iront :
en ton nom ils jubilent tout le jour,
en ta justice ils s'exaltent...
Ma fidélité et mon amour avec lui,
par mon nom s'exaltera sa corne...
Il m'appellera : Toi, mon père,
mon Dieu et le rocher de mon salut,
si bien que j'en ferai l'aîné,
le Très-Haut sur les rois de la terre
A jamais je lui garde mon amour,
mon alliance lui reste fidèle... [1].

La tradition de l'Ancien Testament a ceci de
particulier qu'elle va, pour ainsi dire, d'un mouvement rétrograde. Elle prend sa signification
par son terme, elle trouve sa source à son
embouchure. Son élan procède moins d'une
impulsion initiale que d'une attraction terminale. Sans doute, au départ, il y a la Promesse
divine : l'Alliance conduit la tradition, et sa présence est pour elle un principe de confiance
audacieuse, d'inconfusible espérance. Mais l'espérance est de ce qu'on ne voit pas encore, de
ce qu'on attend avec certitude. La tension de la
tradition de l'Ancien Testament est celle de
l'espérance et de l'attente — vers un avenir où
se manifestera la fidélité de Dieu. La bonne nouvelle que se transmettent les générations, depuis
les patriarches jusqu'aux contemporains du
Christ, c'est la certitude d'un accomplissement
qui sera véritablement le terme. Dans la marche
au désert, la colonne lumineuse qui, de nuit,
guidait le peuple, était en tête : elle marquait la
direction et entraînait la caravane dans son sillage, vers ce but que, la première, elle attein-
drait. Image du mouvement de la tradition

1. Ps. 88.

paléo-testamentaire, qui ne trouve sa plénière
intelligibilité que dans le Nouveau Testament,
d'où, pour ainsi dire, elle reflue jusqu'aux premiers âges. L'Exode, David, le temple, la nouvelle Alliance, autant de figures et de thèmes
qui ne prennent tout leur sens que dans le
Christ Jésus. Et Jésus lui-même a pu nous dire
que la grande joie d'Abraham fut « de voir son
jour » [1].

Tous les thèmes que nous avons rencontrés
comme expressions de la tradition se retrouvent
en Jésus-Christ, et celui-ci le souligne volontiers
en se déclarant « la vraie vigne, le pain descendu
du ciel, le Pasteur, le Fils de l'Homme ». Double
mouvement d'accomplissement et de convergence : sans doute, ces thèmes avaient leur
signification propre, dans l'histoire du peuple de
Dieu, et ils marquaient, nous l'avons dit, comme
des présences actuelles de la fidélité de Yahvé
et de son alliance indestructible. Cependant, c'est
dans le Christ que chacun trouve son accomplissement, et pour ainsi dire, son dépassement en
une réalisation dont on ne pouvait, avant lui,
prévoir toute la complexe richesse. Il suffit de
songer à ce titre de *Messie*, que Jésus revendique de façon si originale, si déconcertante en
regard de l'attente de ses apôtres : Jésus, s'il
refuse d'être messie au sens politique, étroitement nationaliste, d'une certaine espérance
contemporaine, s'affirme Messie, Fils de
l'Homme et Serviteur souffrant pour son peuple : c'est toute la mission d'Israël qu'il assume
devant le sanhédrin [2]. Et, précisément, Jésus
réunit en lui ces éléments divers que nous avons
rencontrés dans l'Ancien Testament ; il les fait
aboutir, par convergence en sa personne. Il
reprend les lignes éparses d'une tradition en

---

1. JEAN, 8, 56.
2. Cf. O. Cullmann, *Christologie du Nouveau Testament*,
Delachaux et Niestlé, p. 109.

quête, pour ainsi dire, de sa totale signification,
et il lui confère ce sens définitif et pleinement
lumineux qui l'éclaire jusqu'en ses premières
démarches. Jésus se dit à la fois « la vraie
vigne » et « le bon pasteur » : il est le peuple
élu, dans toute l'ampleur de sa vocation, et il est
celui qui conduit le peuple à l'accomplissement
de sa destinée filiale. Fils de David et fils de
l'homme, serviteur et Messie, il rassemble en sa
personne tous ces titres, levant les imprécisions
et les approximations dont ils s'entouraient
encore dans la tradition de l'Ancien Testament.
S'il y a, dans l'Ancien Testament, une tradition
incontestable et indestructible, c'est parce que
l'Ancien Testament, tout entier, prépare et
annonce Jésus-Christ. Et Jésus-Christ éclaire, à
la fin, l'histoire de son peuple, car elle n'a de
sens que par lui et pour lui. La tradition de
l'Alliance est comme un cheminement dont on
ne découvre qu'au terme toute la raison d'être,
lorsque Jésus, reprenant l'expression de Jérémie
et d'Ezéchiel déclare, à la Cène, établir « la nouvelle alliance en son sang » [1].

Cette tradition, cependant, comme toute tradition, suppose un point de départ, un *événement* religieux, dont elle transmet le souvenir,
dont elle assure la présence à toutes les générations qui la reçoivent et la transmettent. La tradition de l'Ancien Testament possède ce fondement : son événement initial, c'est la communication du *nom divin* à l'Horeb : « La croyance
en Dieu, écrit l'exégète Eichrodt, est à considérer comme le terrain sur lequel s'est développée l'audacieuse attente qu'Israël avait de
l'avenir. » Et M. Pidoux, qui cite ce texte, poursuit : « Il apparaît à tout lecteur de l'Ancien
Testament que, de la sortie d'Egypte à l'entrée
en Canaan, et jusqu'à l'exil, le nom de Yahvé
intervient comme s'il contenait la plus riche des

---

1. Luc, 22, 20.

promesses. L'israélite attend tout de Yahvé. Il
est le créateur d'Israël, son Rocher, son salut.
Il est le bouclier, l'épée, la lumière d'Israël, la
vie, le sauveur, le fort... C'est Yahvé lui-même
qui constitue la cause la plus profonde de l'attente placée en lui. » [1].

Mais Yahvé, perpétuellement présent, demeure
cependant enfermé dans son invisibilité. « Nul
ne peut voir Dieu sans mourir. » Et Moïse lui-
même, qui est entré dans la nuée sillonnée
d'éclairs du Sinaï, ne peut voir la face de Dieu [2].
Ce n'est qu'au terme qu'apparaîtra, éclairant
par reflux toute l'histoire qui s'achève en cet
accomplissement, « la bonté et l'humanité de
notre Dieu sauveur » [3].

« Nul n'a jamais vu Dieu. Le Fils unique, qui
est dans le sein du Père, lui, l'a fait connaître » [4].

1. G. Pidoux, *Le Dieu qui vient.* Cahiers théoiogiques de
l'actualité protestante, N° 17. Delachaux et Niestlé. p. 51.
2. Exode, 33, 18-23.
3. Tite, 3, 4.
4. Jean, 1, 18.

Chapitre II

LA TRADITION
DANS LE NOUVEAU TESTAMENT

N'allez pas croire que je sois venu abolir la Loi ou les Prophètes : je ne suis pas venu abolir, mais accomplir [1].

La parole de Jésus indique l'attitude qu'il prend à l'égard de la tradition de l'Ancien Testament : elle inscrit la révélation du Nouveau Testament dans le sillage et le prolongement de cette « tradition de l'Alliance » dont nous avons montré la place capitale dans la conscience juive et dans le développement religieux du peuple élu. Et, en même temps, elle marque qu'avec Jésus un seuil décisif est franchi, à partir duquel aucun recul n'est possible. La Loi et les Prophètes sont une économie de préparation, une marche en avant qui trouvera sa plénitude de sens quand le terme sera atteint, une attente qui maintient les esprits et les cœurs vigilants jusqu'à ce que vienne cet « ébranlement du ciel et de la terre, cet ébranlement de toutes les nations » qu'annonçait le prophète Aggée [2].

1. MATTHIEU, 6, 17.
2. AGGÉE, 2, 6-7.

Jésus vient apporter cet « accomplissement »
qui seul peut donner à la Loi et aux Prophètes
leur vraie valeur. Accomplissement qui est, à la
fois, un achèvement et une rupture : le fruit
réalise les promesses de la fleur, en la détruisant ; mais, cette destruction même est la promotion de la fleur, *sa vérité*.

C'est dans cette perspective qu'il convient,
pensons-nous, d'étudier les textes du Nouveau
Testament relatifs à la tradition. Leur enseignement est celui d'une permanence et d'une
coupure, à la fois. La tradition de l'Alliance
s'accomplissant avec le Christ continue dans le
Nouveau Testament, mais en « nouvelle Alliance » dans le sang rédempteur.

On comprend donc que Jésus lui-même
dégage, en quelque sorte, la véritable tradition,
à laquelle il donne accomplissement, de traditions parasitaires qui gênent son élan, et lui
interdisent de parvenir à son terme, lequel
précisément est Jésus : non pas refus de
toute tradition, mais de traditions purement
humaines : refus d'une fidélité littérale qui s'oppose à la fidélité vraie, capable de reconnaître
dans le Christ la réalisation de la tradition de
l'Alliance.

Les Apôtres, à leur tour, transmettent la tradition qui est véritablement celle de Jésus,
c'est-à-dire qui s'origine en lui, et qui, du coup,
s'inscrit dans la tradition juive accomplie en
Jésus. Ils la transmettent à la fois en rendant
témoignage au Seigneur, en redisant ses paroles,
en accomplissant, par la fondation et l'implanta-
tion des églises, la mission qu'il leur a confiée,
en prenant, au plan de la liturgie, des comport-
tements, des usages, bref au plan de la vie
concrète des communautés, toutes les dispositions et ordonnances que cette mission les habilite à instaurer.

★

Mathieu et Marc nous rapportent une prise de position catégorique de Jésus au sujet de la « tradition des anciens » [1]. La similitude des textes laisse deviner le *logion,* qui nous est conservé dans toute sa verdeur.

Des Pharisiens et des scribes ont remarqué que les disciples de Jésus mangent leur pain « avec des mains impures », c'est-à-dire, prend soin d'expliquer Marc, « sans se laver les mains » : ils négligent ces ablutions légales avant les repas, si chères (nous le savons par les règlements de Qumrân) aux juifs « observants ». D'où la critique des Pharisiens, visant, par delà les disciples en faute, leur Maître qui tolère pareilles infractions : « Pourquoi tes disciples ne se comportent-ils pas selon la tradition des anciens, mais prennent-ils leur repas avec des mains impures ? »

La réponse de Jésus qui cite Isaïe [2], s'inscrit dans la ligne des prophètes, reprochant à leurs contemporains un littéralisme qui ne saurait plaire à Yahvé, dont celui-ci a horreur. « Car ce peuple m'honore des lèvres, mais leur cœur est loin de moi. Vain est le culte qu'ils me rendent, les doctrines qu'ils enseignent ne sont que préceptes humains ». Et Jésus continue, donnant des exemples : « Vous mettez de côté le commandement de Dieu pour vous attacher à la tradition des hommes... Vous annulez bel et bien le commandement de Dieu pour observer votre tradition » [3].

Ces paroles ne sont-elles pas une condamnation radicale de *toute* tradition ? Telle est d'ordinaire l'interprétation protestante de cette péricope, la seule dans les Evangiles où il soit

1. MARC, 7, 1-13 ; MATTHIEU, 15, 1-9.
2. ISAIE, 29, 13.
3. MARC, 7, 8-9.

question de la tradition. O. Cullmann parle, sans
y insister, de « la façon radicale avec laquelle
Jésus a rejeté en bloc la « paradosis des juifs » [1],
et Ph. Menoud écrit :

> Jésus s'oppose en principe à l'attitude des pha-
> risiens. Il ne reconnaît valable que la Loi de Dieu
> et n'accorde aucune valeur à la tradition, qui n'est
> pas de Dieu mais « des hommes ». C'est dire
> qu'aux yeux de Jésus, les hommes ne sont pas
> capables de compléter la Loi divine. Lorsque,
> néanmoins, ils veulent s'y employer, ils ne réus-
> sissent qu'à détruire la Loi, comme le prouve
> l'exemple du *corban*... La tradition pharisienne est
> bien une tradition humaine qui, sous prétexte de
> compléter la Loi de Moïse, la détruit. Jésus, au
> contraire, ne reconnaît en la matière que l'auto-
> rité de Moïse, et, par la manière souveraine dont il
> écarte l'interprétation pharisienne, il substitue à la
> tradition son jugement de seul interprète autorisé
> de Moïse... [2].

Cette intéressante exégèse paraît révélatrice,
par son ambiguïté même, de l'équivoque où se
maintient volontiers l'interprétation protestante
de cette péricope, sous l'influence de ce qu'il
faut bien appeler une « phobie traditionnelle de
la tradition ».

« La tradition des anciens » est-elle une addition à l'Ecriture, ou bien une interprétation de
l'Ecriture ? On nous dit tantôt que les pharisiens prétendent « compléter la loi », tantôt
qu'ils prétendent « l'interpréter » : les deux
choses ne sont pas identiques. Si la tradition est
un « complément » humain ajouté à la Loi, on
accepte que Jésus, condamnant la « tradition
des anciens », entende condamner toute tradition, comme une addition humaine irrecevable :
la Loi de Dieu ne saurait accepter des codicilles
écrits de la main des hommes. Dans ce cas, il

---

1. *La tradition*. Cahiers théologiques de l'actualité protestante, Nº 33. Delachaux et Niestlé, 1953, p. 11.
2. *Vocabulaire biblique*, Delachaux et Niestlé, 1956, p. 295.

faut entendre la parole de Jésus comme une fin
de non-recevoir de la tradition. Mais si la « tradition » est une *interprétation* de la Loi, qui,
sans y rien changer, sans y rien ajouter à proprement parler, s'efforce d'en traduire les préceptes en prescriptions concrètes, il est clair que
le refus de tel genre d'interprétation n'est pas la
condamnation de *toute* tradition : simplement le
refus d'une ligne d'interprétation, celle des
rabbins, dont le littéralisme n'évite pas l'écueil
d'une infidélité foncière.

En bref, il semble clair que Jésus ne vise
qu'un abus, facile à situer, dans sa vigoureuse
réponse aux pharisiens. Cet abus que, bien avant
lui, les prophètes, dont, par la citation qu'il fait
d'Isaïe, il reconnaît prolonger la voix, avaient
dénoncé : un littéralisme infidèle au « commandement de Dieu », une observance qui trahit
l'intention du Législateur divin, une forme de
traditions qui écartent de la véritable tradition.
Car c'est au nom de la tradition authentique,
qui est celle de l'Alliance, et qui maintient
chaque génération dans l'attitude religieuse
demandée par Dieu à son peuple, que Jésus,
comme les prophètes, s'insurge contre les traditions dont le matérialisme ou la casuistique
conduisent à une véritable infidélité. Loin d'être
un refus de toute tradition, la réplique de Jésus
souligne seulement que l'on peut présenter
comme traditions respectables, et imposer au
nom des « anciens », des manières d'interpréter
la tradition qui sont de véritables contresens :
les exemples qu'il donne, singulièrement celui
du *corban*, sont assez significatifs. *La* tradition,
en effet, doit s'exprimer et se manifester par *des*
traditions ; mais celles-ci sont constamment
tentées de dégradation, de glissement, de dévia-
tion. Leur pesanteur les incline à devenir des
observances matérielles, des pratiques scléro-
santes, dont une casuistique opportune, et
maniée avec subtilité rabbinique, peut seule

amortir le poids insupportable. Paul, qui fut
« partisan acharné des traditions de ses
pères » [1], a suffisamment dénoncé le danger de
ces traditions, danger de substituer une interprétation alourdissante, et de s'en glorifier, à la libé-
ration de la tradition véritable de la Promesse,
pour que ce point ne souffre pas de discussion.

La seule ambiguïté possible serait la suivante : ce qui est condamné c'est une tradition
humaine. Or, toute tradition est humaine ; elle
tombe donc sous le coup du refus opposé par le
Seigneur aux « traditions des anciens ». Une
réflexion assez élémentaire lève cette ambiguïté :
il suffit, en effet, de remarquer, d'une part, que
la Parole et la Loi de Dieu sont confiées à des
hommes, et ne peuvent nous parvenir que par
l'intermédiaire d'hommes envoyés de Dieu :
Moïse est bien un homme, et cependant il
demeure le porte-parole authentique de Dieu.
D'autre part, que l'interprétation des hommes
ne saurait porter que sur la Loi de Dieu. Les
rabbins contemporains de Jésus, comme ces
prêtres auxquels s'opposaient les prophètes, ne
prétendaient pas faire autre chose que de transmettre, à leur manière, et d'interpréter, en raison même de leur science et de leur autorité en
Israël, la parole de Dieu. Ainsi, tout, en un sens,
est de l'homme, et tout est de Dieu : impossible
d'établir une ligne de démarcation entre Dieu
seul et l'homme livré à ses propres forces. Jésus
refuse si peu la tradition humaine, qu'il parle
lui-même comme prophète, c'est-à-dire comme
« homme de Dieu » et qu'en un sens il substitue
sa propre tradition (c'est-à-dire son intelligence
religieuse du commandement divin) à la tradition rabbinique. Nouveau Moïse, il s'inscrit dans
la ligne du Législateur qui a reçu, au Sinaï, la
loi divine : il reprend, il corrige, il achève et
accomplit l'œuvre de Moïse. La vérité de la

1. Gal., 1, 14.

nature humaine de Jésus, et de son enseignement comme prophète [1] nous interdisent de
voir en lui le contempteur de toute tradition
humaine ; Jésus est seulement le restaurateur,
comme le furent avant lui les prophètes, d'une
norme d'interprétation qui s'oppose, sans ména-
gements, à celle des rabbins et des écoles phari-
saïques, pour retrouver la pure *tradition* de
l'Ecriture.

Vous scrutez les Ecritures, dans lesquelles vous
pensez avoir la vie éternelle : or ce sont elles qui
me rendent témoignage...

Ne pensez pas que c'est moi qui vous accuserai
auprès du Père. Votre accusateur sera Moïse, en
qui vous mettez votre espoir. Car si vous croyiez
Moïse, vous me croiriez aussi : car c'est de moi
qu'il a écrit [2].

M. Cullmann a bien vu que la tradition du
Nouveau Testament ne pouvait être envisagée
sans référence à celle de l'Ancien Testament :

L'analogie que nous offre la tradition juive pose
le problème de savoir si toutes ces traditions sur
le Christ (Kerygma, logia de Jésus et récits) ne
doivent pas être considérées comme formant la
seule véritable interprétation de la Loi de l'Ancien
Testament. C'est en tout cas ce que paraissent
indiquer, dans la formule de la Tradition (1 Cor.,
15, 3 sq.) les mots *kata tas graphas*. Aussi on peut
se demander si Jésus-Christ le Seigneur ne prend
pas, en tant qu'il représente l'accomplissement de
la Loi, la place de toute la *paradosis* juive [3].

1. Cf. Luc, 7, 16-17 ; Marc, 1, 27.
2. Jean, 5, 39-46.
3. *Op. cit.*, p. 18. Il est remarquable que le reproche fait par
les témoins qui accusent Etienne devant le sanhédrin soit rendu
par la Vulgate : « Audivimus eum dicentem : quoniam Iesus
Nazarenus... mutabit *traditiones*, quas *tradidit nobis Moyses* »
(Actes, 6, 14.) En fait le mot traduit par *traditiones* est *ethê*,
qui signifie : usages (Dupont, dans *Bible de Jérusalem*), institutions (Osty). Mais le verbe *paredôken*, correctement traduit
par *tradidit*, figure dans le texte grec. Dans sa première
Epître (1, 18), Pierre écrit : « Ce n'est par rien de corrup-

Non par une substitution pure et simple, mais parce qu'en accomplissant l'Ancien Testament, Jésus rend caduque toute ligne d'interprétation et d'intelligence des Ecritures qui ne passe pas par lui. A ce titre, Jésus instaure une nouvelle tradition. Et c'est de cette « tradition », issue du Seigneur, que nous trouvons le témoignage dans les écrits apostoliques, notamment dans les Epîtres de saint Paul.

★

Quand nous relisons les Epîtres de Paul du point de vue de la tradition, un fait ne peut manquer de retenir notre attention, qui se remarque dans les mots mêmes.

Les discours et les lettres de Paul montrent qu'il est tributaire d'un corps de doctrines professé par tous les prédicateurs, une *paradosis* à laquelle il tient absolument à se conformer, sous peine de « courir pour rien » (Gal. 2, 2 ; cf. I Cor., 11, 23 ; 15, 11). Sa puissante originalité n'a pas fait de lui un novateur : nul n'est plus soucieux d'une inviolable fidélité à la pensée du Maître unique qui s'exprimait dans la foi commune, foi que tous les prédicateurs ont l'impérieuse obligation et la ferme volonté de transmettre dans toute sa pureté, comme un dépôt sacré qui doit être défendu de toute altération [1].

Ce souci d'annoncer la foi commune s'exprime dans un vocabulaire que Paul, selon les remarques de M. Cullmann, emprunte au judaïsme :

Dans toutes les épîtres pauliniennes, nous retrouvons toute la terminologie juive relative à la *paradosis*. Cependant, pour saint Paul, elle n'a nulle-

tible que vous avez été affranchis de la vaine conduite que vous ont transmise (*paradotou*) vos pères, mais par un sang précieux, comme d'un Agneau sans reproche et sans tache, le Christ... »

1. F. Amiot, *Les idées maîtresses de saint Paul*, coll. lectio divina, Editions du Cerf, 1959, p. 35.

ment un sens péjoratif [1], mais au contraire, elle fait l'objet de ses exhortations : « Maintenez les traditions », écrit-il aux Thessaloniciens (II Thess., 2, 15). De même, nous retrouvons, pour ainsi dire, comme termes techniques, les autres expressions qui se rapportent à la tradition : le synonyme pour *kratein : katekhein* (I Cor., 11, 2 ; 15, 2) « se tenir dans la tradition » : *stekete* (I Cor., 15, 1 ; II Thess., 2, 15) et surtout « recevoir » et « transmettre » (*paralambanein, paradidonai :* (I Cor., 11, 2, 23 ; 15, 3 ; I Thess., 2, 13 ; II Thess., 2, 15 ; 3, 6 ; Rom., 6, 17 ; Gal., 1, 9, 12 ; Phil. 4, 9 ; Col. 2, 6, 8).

C'est commettre une erreur que de vouloir chercher l'origine de ces termes dans le langage des religions hellénistiques de mystères, comme le fait E. Norden. Il est évident, au contraire, que toute cette terminologie provient du judaïsme. Le verbe *paralambanein* est la traduction de l'hébreu *qibbel min*, *paradidonai* de l'hébreu *masar le*. Il ne saurait y avoir de doute qu'il s'agit là de formules toutes faites [2].

Les textes pauliniens relatifs à la tradition posent bien des problèmes, tant d'objet ou de contenu, que d'origine : sans doute Paul a-t-il conscience de transmettre à ses églises la tradition qu'il tient en dernière analyse du Seigneur lui-même, mais elle lui est parvenue par des intermédiaires ; quels sont-ils, et que fut leur rôle ?

Pour essayer de résoudre ces problèmes, il convient avec Mgr Cerfaux, de classer les textes pauliniens où il est question de la tradition [3]. Le professeur de Louvain les répartit en trois groupes :

Dans un premier groupe [4], la tradition est

1. Excepté dans Gal., 1, 14, où Paul fait allusion aux « traditions des pères » pour qui il rivalisait d'observance avec les plus zélés, au temps de sa ferveur pharisienne.
2. *Op. cit.*, p. 15.
3. *La tradition selon saint Paul*, Vie spirituelle, Supplément, N° 25, 15 mai 1953, pp. 176-188. Repris dans Recueil Lucien Cerfaux, II, pp. 253-263.
4. I Thess., 2, 13 ; I Cor., 15, 1-11 ; Gal., 1, 1-12 ; Col. 2, 6-8.

identifiée au message apostolique, à l' « Evangile » de Paul. Si, en effet, nous considérons dans ces textes l'objet reçu et transmis, nous constatons qu'il s'agit de la bonne nouvelle du salut, et que cette tradition est la joyeuse annonce, accueillie par la foi des communautés chrétiennes, de la résurrection du Christ Sauveur :

Ayant reçu par notre intermédiaire le message de
[Dieu,
Vous l'avez accueilli non comme parole humaine,
mais, selon ce qu'il est vraiment, comme parole
[divine
qui, pour cela même, opère efficacement en vous,
[les croyants (I Thess. 2, 13).
Je vous rappelle, frères,
que l'Evangile annoncé par moi
n'est pas de source humaine :
je ne l'ai pas *reçu*, ni appris de la part d'un
[homme
mais par la révélation de Jésus-Christ (Gal. 1, 11-12).
Je vous rappelle, frères, l'Evangile que je vous ai
[annoncé
que vous avez *reçu*...
Je vous ai *transmis* premièrement
ce que j'ai *reçu* moi-même,
à savoir que le Christ est mort pour nos péchés...
qu'il est ressuscité le troisième jour selon les Ecri-
[tures... (I Cor. 15, 1-4).

« La tradition, comme l'Evangile, c'est la parole de Dieu, qui agit dans les croyants en tant que Parole de Dieu, puissance dans l'efficacité du salut. Elle est le « Christ Jésus » [1], c'est-à-dire le mystère de Dieu concrétisé dans l'économie de la Sagesse de Dieu, celle-ci identifiée avec l'œuvre du Christ et de sa Personne » [2].

S'il en est ainsi, le point de départ de cette tradition ne peut être que l'initiative divine, révélée et manifestée dans le Christ ressuscité :

1. COL. 2, 6.
2. Art. cit., p. 178.

aussi bien saint Paul peut-il affirmer qu'il n'a
pas reçu la tradition qu'il a transmise aux
Galates d'un homme : elle lui vient de la révélation de Jésus-Christ [1].

Mais si nous considérons, comme nous y
invite, jusque dans sa forme littéraire de récitatif, le texte de I Cor. 15, 1-11, le mode concret
de transmission, il faut reconnaître que cette
transmission s'est faite par des formules, que
Paul a reçues de l'Eglise de Jérusalem, et qu'il
a soigneusement transmises, dans leur littéra-
lité et leur rythme, aux chrétiens de Corinthe.

Paul a donc reçu son message directement de
Dieu, comme les autres apôtres ; et ce message
ne vient pas des hommes. Mais il l'a reçu, lui
qui ne faisait pas partie du groupe primitif des
témoins ayant vécu avec Jésus, dans une formulation, « qui fait partie de l'équipement
apostolique » [2] et que ses prédécesseurs lui
ont confiée.

Nous pouvons conclure avec Mgr Cerfaux :

Le point de départ réel de la tradition apostolique du message et de l'Evangile est donc l'acte par
lequel Dieu révèle aux apôtres la résurrection du
Christ et les envoie en les constituant témoins
chargés de promulguer dans la force de l'Esprit
le fait de la Résurrection.

A partir de ce *moment* plus ou moins virtuel se
développera une véritable « tradition » formulée
en propositions humaines ordinaires qui sera
livrée et reçue comme toute tradition, mais qui, en
même temps, transmettra la volonté et la force de
Dieu pour sauver ceux qui la recevront dans la
foi. L'Esprit Saint accompagnera le travail apostolique de la promulgation du message, aidant les
apôtres, « réalisant » le salut, et le Christ ressuscité veillera sur le développement de son Eglise ;
mais la « tradition » remonte *plus haut* que cette
protection, et surtout elle ne s'identifie pas avec elle.

1. Gal., 1, 12.
2. Art. cit., p. 180.

Pour ce qui regarde le message de la résurrection, Paul reproduit les formules de l'Eglise de Jérusalem. Mais il ne les a pas reçues comme tradition humaine. Il les a reçues comme paroles de Dieu, formule du message divin, dans l'initiative divine qui le constituait apôtre.

Tous les chrétiens les reçoivent comme parole de Dieu de leurs apôtres ; les apôtres, au titre d'apôtres, l'ont reçue directement de Dieu. M. Cullmann a vu juste en disant que le message apostolique est commun à tous les apôtres et appartient au groupe comme tel. Il faut ajouter : le groupe comme tel, idéalement constitué par tous les apôtres (Paul en fait partie) l'a reçu de Dieu en même temps que son mandat.

Ainsi donc, parce qu'il appartient au groupe apostolique, Paul peut dire qu'il reçoit directement de Dieu — qu'il a reçu directement de Dieu, dans la vision de Damas qui l'habilitait comme apôtre — tout ce que le groupe apostolique possède de droit et d'autorité pour annoncer le message unique, celui de la mort et de la résurrection du Christ [1].

Un second groupe de textes emploie le vocabulaire de la tradition pour signifier des coutumes et des comportements religieux qui se sont imposés dans les églises et que Paul estime devoir être adoptés ou conservés. Il s'agit soit d'observances que Paul ne crée pas, mais dont il recommande qu'elles soient observées : par exemple ce qui concerne la tenue et l'attitude des femmes dans l'assemblée chrétienne (I Cor. 11, 2) ou encore le comportement « paisible et laborieux » des chrétiens (II Thes. 2, 15 ; 3, 10); soit des prescriptions édictées par Paul lui-même dans les Eglises par lui fondées : dans ce cas, il fait appel, tantôt au « commandement du Seigneur » (I Cor. 7, 10 ; 9, 14) tantôt à son autorité d'apôtre envoyé par le Seigneur (I Cor. 7, 12 ; 25).

1. Art. cit., pp. 180-181.

Ces traditions, que nous pourrions nommer déjà « liturgiques et disciplinaires », remontent au Seigneur, mais en tant que fondateur de l'Eglise, ayant confié à ses apôtres le soin « d'apprendre à observer tout ce qu'il a prescrit » [1]. Elles traduisent l'interprétation que les apôtres assistés par l'Esprit donnent légitimement et imposent avec autorité, de la « pensée du Seigneur » : n'ont-ils pas « l'Esprit de Dieu » ? [2]. Le chapitre 7 de la première Epître aux Corinthiens montre qu'en certains cas (par exemple quand il s'agit de l'indissolubilité du mariage : v. 10) Paul transmet simplement le commandement du Seigneur ; mais, pour résoudre des problèmes sur lesquels on ne rapportait pas de *logion* de Jésus, Paul n'hésite pas à faire état de son autorité d'apôtre : « Pour ce qui est des vierges, je n'ai pas d'ordre du Seigneur, mais je donne un avis en homme qui, par la miséricorde du Seigneur, est digne de confiance » (v. 25) : *traditio constitutiva*, diront les théologiens : Paul instaure une tradition, en vertu de sa mission apostolique de fondateur d'églises.

Il ne s'agit plus là du message salvifique, mais des indispensables dispositions que demande le bon ordre. Ces traditions disciplinaires ont pour but, en effet, non seulement de structurer une communauté chrétienne, mais également d'assurer l'union entre les églises. D'où le souci de Paul de faire respecter, autant que possible, les usages communs, par exemple pour la tenue des femmes dans l'assemblée. Mais cette préoccupation ne saurait devenir tyrannique, au point de gêner un plus grand bien ; et l'on sait avec quelle vigueur Paul préserva ses communautés issues de la gentilité de la tyrannie des observances « judaïsantes ». L'unité des commu-

1. Matthieu, 28, 20.
2. I Cor., 7, 40.

nautés ne saurait, en aucune façon, se dégrader
en uniformité. Pas plus qu'il n'accepte d'imposer sans discrétion les usages des églises composées en majorité de juifs convertis, Paul ne se
refuse à innover, quand le besoin se fait sentir :
il le montre en résolvant, pour ses Corinthiens,
le délicat problème des idolothytes [1]. Déjà la
tradition s'exprime et se précise en des traditions, qui traduiront en comportements souples
l'unité de la Bonne Nouvelle reçue du Seigneur.

Il faut enfin considérer à part le texte où Paul
rapporte, selon la tradition qu'il a reçue et
transmise, l'institution de la Sainte Eucharistie :

J'ai reçu, moi, du Seigneur ce que je vous ai
[transmis :
le Seigneur Jésus, la nuit où il fut livré, prit du
[pain...
et dit : Ceci est mon corps, pour vous ;
faites ceci en mémoire de moi.
De même le calice après le souper, disant :
Ce calice, c'est la nouvelle alliance en mon sang ;
faites ceci, chaque fois que vous le buvez, en
mémoire de moi [2].

Ce texte, envisagé du point de vue de la tradition, est complexe. L'occasion qui le fit écrire
— nécessité de réprimer des abus qui s'étaient
introduits dans la célébration de l'eucharistie à
Corinthe — lui confère un caractère disciplinaire et liturgique : Paul doit restaurer, à
Corinthe, l'authentique repas du Seigneur, que
l'individualisme et le sans-gêne tendaient à
dégrader : « lorsque vous vous réunissez en
commun, il n'est pas question de prendre le
repas du Seigneur. Chacun prend son propre
repas, et l'un a faim, tandis que l'autre est
ivre... » Mais les observations que requiert
pareil désordre évoquent immédiatement à l'esprit de l'Apôtre l'acte d'institution du sacrement

1. I Cor., ch. 8-9.
2. I Cor., 11, 23-25 : trad. Cerfaux, art. cit., p. 183.

et la tradition qui en rappelle le souvenir : tradition doctrinale et tradition sacramentelle à la fois, puisque c'est par les paroles mêmes du Seigneur que sa passion et son sacrifice sont rendus présents à la communauté réunie.

Avec Mgr Cerfaux, nous pouvons donc distinguer, dans cette péricope, un triple aspect de la tradition : d'abord la mission apostolique, conférant aux apôtres le pouvoir de rendre présent, sacramentellement, son sacrifice : « Faites ceci en mémoire de moi. » Mission dont l'origine est l'acte même du Seigneur, donnant l'ordre à ses apôtres de faire ce qu'il a accompli à la Cène. Ensuite la « tradition-règle », qui, en exécution de cet ordre, régit, dans l'Eglise, la célébration de la Cène du Seigneur. Et cette règle de célébrer l'eucharistie remonte, pour l'essentiel, au Seigneur, même si, comme il est vraisemblable, les détails d'exécution ont été déterminés par les apôtres. Quand Paul réglemente la célébration de la sainte Cène, il se réfère à l'ordre précis que le Seigneur a donné à ses apôtres de « faire ceci », ordre qui le concerne, lui aussi, puisqu'il est apôtre. Enfin, la « tradition-formule » : expression dans les textes déjà fixés, dans ce récitatif que Paul a reçu et qu'il a transmis à ses églises, du mystère eucharistique. Récitatif qui non seulement raconte, mais accomplit ce qu'il évoque. Fixé sans doute à Jérusalem, et communiqué à Paul par ses « prédécesseurs » dans l'apostolat [1], il représente le type même de ces formules qu'à partir de leurs souvenirs les apôtres ont arrêtées comme textes fondamentaux de la liturgie. Paul, dernier venu, les a apprises. Mais non à la manière d'un simple prédicateur. Car il est apôtre, par vocation personnelle, et c'est avec l'autorité d'un apôtre qu'il enseigne et transmet ce qu'il a pourtant lui-même appris et reçu.

---

1. GAL., 1, 17.

Ces analyses permettent de conclure, du triple point de vue de la forme, de l'origine et du contenu des traditions pauliniennes, à la nécessité d'une distinction entre la « tradition-message » et la « tradition-règle ». Non pour les opposer radicalement, car non seulement la « tradition-règle » (ordonnance disciplinaire et formule liturgique) est l'expression du message, et constitue le cadre où il sera vécu, mais elle le traduit en rites, en gestes de communion, en participation active au mystère salvifique : cas privilégié sans doute, mais exemplaire, de l'eucharistie.

Cependant, la « tradition-message » demeure cette annonce du Christ resuscité, dont les discours des Actes nous ont conservé la joyeuse spontanéité et la courageuse franchise. Combinant l'usage de l'Ecriture et le témoignage direct, elle s'adapte aux auditoires à qui elle dit la Bonne Nouvelle du Salut. Son origine est la mission que le Christ confie à ses apôtres (Paul compris) « de promulguer la charte de l'économie nouvelle, la mort et la résurrection du Christ » [1].

La « tradition-règle », par contre, est l'ensemble des actes par lesquels les apôtres, en vertu de cette mission, instituent leurs églises, déterminent les règles de vie des chrétiens, instaurent la liturgie. Il s'agit de préceptes, de défenses, de prescriptions cultuelles. Même lorsque le Christ a lui-même donné l'ordre précis (par exemple pour la Cène eucharistique), les modalités de célébration sont déterminées par les apôtres, les récitatifs fixés en formules précises « qui constituent une tradition concrète » [2], reçue et transmise de proche en proche.

« Paul et les autres apôtres forment un groupe possédant le droit et le devoir de promulguer

1. L. Cerfaux, art. cit., p. 185.
2. *Ibid.*

le message et les règles » [1]. Ils s'en acquit-
tent, à la fois, par la formulation du message,
par l'institution de règles générales, dont l'ob-
servation commune sera un facteur important
de l'unité entre les églises [2], et par les initiatives permises à chaque apôtre, en vue de
résoudre les problèmes qui se posent aux chrétientés dont il est fondateur. Ceci, semble-t-il,
vaut spécialement dans le cas de Paul, apôtre
des Gentils, et, à ce titre, affronté à des difficultés inédites. Il les résout hardiment, confiant
en sa vocation et en l'Esprit qui l'inspire.

Selon une juste remarque de M. Amiot, le
chapitre XI de la première Epître aux Corinthiens nous donne « la pensée des premières
communautés chrétiennes en même temps que
celle de l'apôtre » [3]. Quand saint Paul parle
de la tradition, il dit à la fois ce qu'elle représente et ce qu'elle apporte. Tradition des apôtres,
témoins du Christ et envoyés par lui pour
« faire des disciples en toutes nations », elle
communique l'enseignement des fondateurs ;
elle est le lieu de leur magistère et de leur pouvoir de gouvernement. Mais la tradition représente, dans les premières communautés, à travers l'apôtre qui les a fondées, ce lien vivant
avec les « Douze », et, par eux, avec le Christ.

De cette tradition vivante, et comme chargée
de souvenirs très proches, sortent, par lente élaboration et organisation littéraire, nos Evangiles. Il est banal de le rappeler. Et, cependant,
nous risquons de prendre le change et d'oublier
que le Nouveau Testament, Ecriture inspirée et
revêtue de l'autorité de la parole de Dieu, a
son point de départ dans la tradition parlée,

1. *Ibid.*
2. Cf. ACTES, ch. 15.
3. *Les idées maîtresses de saint Paul*, p. 170, note 1.

pour y chercher seulement des attestations et des preuves en faveur de la tradition.

Effectivement, dit M. Cullmann, la tradition orale des apôtres précède les premiers écrits apostoliques ; la tradition orale antérieure aux premiers écrits était certainement quantitativement plus riche que la tradition écrite [1].

Plus riche... Non pas seulement de péricopes déjà organisées, de récits plus nombreux ou plus circonstanciés, de *logia* qui n'ont pas été insérés dans les Evangiles : cet appauvrissement indéniable est déjà un fait second, et qui se place au moment où se sont constitués les « documents » que l'on s'efforce de retrouver à l'origine de nos synoptiques [2]. Mais d'abord plus riche de souvenirs directs, d'émotions et de confidences proches d'un contact inoubliable. N'imaginons pas les apôtres débitant, dès le jour de la Pentecôte, un discours déjà parfaitement au point : il faut faire la part du travail rédactionnel postérieur dans ces discours que nous rapportent les onze premiers chapitres des Actes ; il faut surtout deviner à travers une argumentation déjà patinée, le ton des premières confidences : « Et nous, nous sommes témoins de tout ce qu'il a fait dans le pays des juifs et à Jérusalem. Lui qu'ils sont allés jusqu'à faire mourir en le suspendant au gibet... Nous qui avons mangé et bu avec lui, après sa résurrection d'entre les morts... » [3].

Quand on a fréquenté longuement un maître aimé, on ne retient pas seulement ses idées, dans leur enchaînement abstrait. On a encore « dans l'oreille » le son de sa voix, l'articulation de certaines formules, ses expressions caractéristiques. On retrouve sa conviction, son autorité. C'est

---

1. *Op. cit.*, p. 42.
2. Cf. L. Vaganay, *Le problème synoptique*, Desclée et Cie. 1954.
3. ACTES, 10, 39-41.

toute la personnalité qui s'impose, et pas seulement une doctrine désincarnée. Tous les étu-
diants le savent bien qui reconnaissent leurs pro-
fesseurs bien plus à leur ton et à leurs formules
(cibles faciles et inusables des « revues ») qu'aux
résumés scolaires que donnent les manuels de
leurs doctrines ou de leurs découvertes [1].

Pourrions-nous imaginer que les apôtres
n'aient pas conservé le souvenir sensoriel, si
l'on peut dire, de Jésus ? « Nous avons vu de
nos yeux, touché de nos mains... » Sa parole
demeurait présente à leur souvenir, et ils l'auraient reconnu, comme ceux d'Emmaüs, à ses
gestes familiers. Ses formules paradoxales et
déroutantes — souvent incomprises, sur le
moment, par ceux qui nous les ont conservées —
étaient inscrites dans la mémoire de ces Orientaux, moins déformés que nous par la civilisation de l'imprimé, et capables de redire sans
faute des poèmes entiers [2].

1. « ... Je puis dire l'endroit où s'asseyait le bienheureux
Polycarpe pour parler, comment il entrait et sortait, sa façon
de vivre, son aspect physique, les entretiens qu'il tenait
devant la foule, comment il rapportait ses relations avec Jean
et avec les autres qui avaient vu le Seigneur, comment il
rappelait leurs paroles et les choses qu'il avait entendu dire
au sujet du Seigneur, de ses miracles, de son enseignement...
Ces choses, je les ai écoutées avec soin et je les ai notées, non
pas sur du papier, mais dans mon cœur, et toujours par la
grâce de Dieu, je les ai ruminées avec fidélité... » (saint
Irénée, *lettre à Florin* : Eusèbe, *Histoire ecclésiastique*, V, 20.
Trad. G. Bardy, Sources chrétiennes, Nº 41, p. 62).
  « ... Entre les pages (de l'*Action*) et comme en filigrane, je
devinais le visage, le regard, les gestes de Blondel, en particulier ceux de ses mains longuement enveloppantes ; et, en
sourdine comme à la cantonade, j'entendais sa voix ardente,
inflexible, insistante. Et lorsque je ne comprenais pas très
bien, je fermais le livre pour évoquer l'homme... L'œuvre
d'un philosophe ne peut se séparer de son caractère et de sa
figure, des nuances mêmes de cette physionomie. Dans mon
souvenir, ce visage, ce geste, le son et le ton de cette voix
sont étrangement vivants et murmurants » (Jean Guitton,
Journal. Etudes et rencontres. Le club du livre chrétien, 1959,
p. 216).
2. Cf. M. Jousse, *Le style oral et mnémotechnique chez les
verbo-moteurs*, Beauchesne, 1925.

La tradition, c'est d'abord, dans des conversations sans prétention, dans de longs récits prolongés le soir, après le travail [1], dans ces échanges qui créaient entre apôtres et néophytes cette intimité qui donne leur cordialité aux salutations des lettres pauliniennes, le souvenir vivant des apôtres sur Jésus de Nazareth. Ce que Jésus leur avait dit, ils le redisaient avec ses mots, à lui, son accent, et ce ton d'autorité douce et irrésistible avec lequel il parlait aux malades et aux foules. D'où ces formules, si proches des sémitismes originaux, à travers la transcription grecque, ces mots araméens qui sont parvenus jusqu'à nous : *Talitha koum* [2] ; *Rabbouni* [3], *Eloï, Eloï, lama sabachtani* [4], les rabbinismes qui défilent dans l'apostrophe aux Pharisiens [5]. Les *logia* de Jésus, enseignements, réponses et boutades, s'enchâssent dans un récit familier, fait « à la manière des gens simples, quand ils ont le don de voir les choses » [6]. L'Evangile de Marc nous a conservé cette manière de raconter, qui dut être celle de Pierre : les traits pittoresques ne manquent pas, sans souci de composition artistique : les détails viennent quand ils peuvent, au fil des souvenirs, et il faut attendre la fin de l'histoire de la résurrection de la fille de Jaïre pour apprendre qu'il s'agit d'une enfant de douze ans [7].

On comprend que les localisations et datations précises n'aient pas été la préoccupation majeure des narrateurs. « Dans la transmission de la doctrine de Jésus, l'essentiel n'était point, en beaucoup de cas, de savoir où et quand Jésus avait parlé, mais de savoir ce qu'il avait dit.

1. Cf. ACTES, 20, 7-12.
2. MARC, 5, 41.
3. MARC, 10, 51.
4. MARC, 15, 34.
5. MATTHIEU, 22, 16 suivants.
6. J. Huby, *L'Evangile et les évangiles*, Beauchesne, 1959, p. 133.
7. MARC, 5, 32.

Que telle parole ait été prononcée dans la plaine
ou sur une montagne, sur le chemin ou dans
une maison, la chose était de peu d'importance,
d'autant plus que Jésus avait pu répéter les
mêmes paroles en plusieurs circonstances différentes... Ce groupement de sentences dans un
cadre chronologique assez large avait l'avantage
de faciliter la tâche du prédicateur de l'Evangile, en simplifiant le travail de la mémoire. Des
séries de sentences, que rapprochait la similitude ou l'analogie des sujets, étaient plus faciles
à retenir que des *logia* égarés comme des perles
sans fil, et le groupement des enseignements de
Jésus sur un même point était aussi de nature
à faire plus d'impression sur l'auditoire » [1].

De ces groupements spontanés d'abord, puis
élaborés progressivement, naquirent ce qu'on
pourrait appeler des recueils, sous l'influence
conjuguée des nécessités de la prédication et des
requêtes de la liturgie. Par un mouvement sans
doute plus instinctif que calculé, les *logia* se
réunirent d'un côté, les récits de miracles, cou-
lés dans un moule assez uniforme, constituèrent
ces péricopes que nous lisons, bout à bout, dans
les parties narratives de l'évangile de saint
Matthieu.

Des ensembles se stabilisèrent, entre lesquels
estime M. Vaganay, « il n'y avait pas que des
ressemblances. On s'explique qu'il y ait eu parfois des points de contact très étroits, car ils
contenaient des souvenirs qui devaient être
communiqués d'une Eglise à l'autre avec une
piété fervente. Mais on ne saurait oublier que
ces collections ne se sont pas formées d'un seul
coup. Elles se sont enrichies progressivement et
d'une manière variable selon les pays » [2].
Selon une remarque du P. Léon-Dufour, l'état
actuel des recherches nous suggère de parler de

1. J. Huby, *op. cit.*, pp. 38-39.
2. *Le problème synoptique*, pp. 132-133.

« documentation » plutôt que de documents [1]
pour caractériser cette élaboration multiforme,
et reconstituée de façon encore partiellement
conjecturale, de la tradition évangélique.

★

Dans les trente premières années de la vie de
l'Eglise, il n'y eut que la tradition. Et c'est normal, si nous consentons, avec Irénée, à nommer
tradition le témoignage et l'enseignement des
apôtres. Tradition qui est tout ensemble le
dépôt de la foi que les apôtres communiquent
et laissent à leurs églises, et les actes de gouvernement et d'institution liturgique des fondateurs
de ces églises. Inutile de lui chercher une place,
de déterminer ce qu'elle conserve ou ce dont elle
est responsable. La tradition à l'âge apostolique,
est, pour ainsi dire, l'acte par lequel les apôtres
accomplissent la mission que Jésus leur a laissée : « Allez par le monde entier ; proclamez la
Bonne Nouvelle à toute la création » [2].

Cette tradition a son origine en Jésus, qui, en
lui-même concentre et accomplit la tradition de
l'Ancien Testament. Comme il est le Royaume,
la Promesse et l'Alliance, Jésus est la tradition.
En sa personne se nouent la tradition de l'espérance, qui court à travers toute l'histoire du
peuple élu, et la tradition de la nouvelle Alliance,
qui portera jusqu'à la Parousie la Bonne Nouvelle du salut en Jésus-Christ. L'unique objet de
cette tradition c'est Jésus, dont les apôtres sont
les témoins et les messagers, incapables de parler d'autre chose que de leur Seigneur, et disant
tout en prononçant son seul nom. Sa transmission, c'est la démarche apostolique qui accomplit la mission universelle d'annoncer Jésus res-

---

1. *Recherches de science religieuse*, octobre-décembre 1954,
p. 572.
2. Marc, 16, 15.

suscité et sauveur du monde entier, et de constituer le peuple nouveau à partir de toutes les
« familles des nations ». Son développement,
c'est l'extension progressive de l'Eglise à travers
le monde connu d'alors. Bref, la tradition est
apostolique, non seulement parce qu'elle est
confiée aux apôtres et par eux transmise, mais
encore parce qu'elle s'identifie pratiquement
avec l'œuvre apostolique.

Et l'on comprend qu'un des derniers avertis-
sements de Paul à Thimotée soit pour lui recommander la fidélité à la tradition que Paul lui a
transmise et qu'il doit à son tour transmettre :

« O Timothée, garde le dépôt... » [1].

1. I Tim., 6, 20.

Chapitre III

LA TRADITION
CHEZ IRÉNÉE ET TERTULLIEN

ÉTUDIANT l'évolution des mots *paradosis* et *paradidonai* depuis les lettres de saint Paul jusqu'à l'*Adversus Haereses*, dom Reynders remarque que, « après une histoire assez morne et par une évolution plutôt brusquée, ils obtiennent chez saint Irénée le sens technique qu'ils garderont désormais »[1]. Et il constate que cet incontestable progrès semble être en relation avec la polémique antignostique : « C'est dans la seconde moitié du IIe siècle et dans les milieux antignostiques que se dessine, en traits fermes chez les écrivains orthodoxes, l'idée d'apostolicité »[2]. Il ne suffit pas, en effet, de rappeler ce fait banal que la théologie de la tradition prend son essor — et, pensons-nous, sa vraie dimension — avec saint Irénée. Il importe, pour comprendre l'attitude prise par saint Irénée, de situer sa théologie de la tradition dans sa lutte contre la « gnose mensongère ».

---

1. Paradosis : Le progrès de l'idée de tradition jusqu'à saint Irénée, *Recherches de théologie ancienne et médiévale*, V (1933), p. 155.
2. *Ibid.*, p. 172.

Non seulement les gnostiques valentiniens que combat Irénée, après avoir exposé leurs doctrines multiformes, connaissent une « tradition apostolique », mais elle semble bien avoir été un axe majeur de références pour leurs enseignements ésotériques. A la fin de l'*Epître à Flora*, Ptolémée promet à sa correspondante, anxieuse de connaître le mystère des choses, « des éclaircissements plus précis sur leur principe et leur naissance, quand vous aurez été jugée digne de connaître *la tradition des apôtres*, tradition que, nous aussi, nous avons *reçue* par voie de succession » [1].

Il est frappant que saint Irénée accepte la terminologie gnostique, en connaissance de cause : « Il a lu les ouvrages de Ptolémée, il connaît le principe énoncé dans la lettre à Flore, il sait quelle surprenante exégèse en facilite l'explication ; il expose d'après eux l'origine et la genèse des choses, il connaît leur tradition et l'autorité qu'ils lui donnent. Irénée emploie la même terminologie, une terminologie neuve... Pourquoi s'en sert-il ? » [2].

Une autre constatation vient rendre plus ardu ce problème : cette tradition secrète, qu'ils nommaient « apostolique » et qui n'était communiquée qu'aux initiés « jugés dignes » d'en être instruits, n'était pas seulement pour les valentiniens une source d'information, une transmission différente de l'enseignement accessible au vulgaire. Mais sa connaissance réalisait, selon leur terminologie, « *la rédemption* » : « La parfaite rédemption, disaient-ils, c'est la connaissance de l'indicible grandeur... Il faut que la rédemption soit spirituelle : c'est par la gnose que l'homme intérieur spirituel est racheté, et il suffit qu'il possède la connaissance

---

1. Ptolémée, *Lettre à Flora*, 7, 9. Trad. Quispel, Sources chrétiennes, Nº 24, Editions du Cerf, p. 69.
2. Reynders, art. cit., p. 173.

de toutes choses : telle est la vraie rédemption [1].

En clair : aux seuls « pneumatiques » est réservée cette « tradition » qui leur donne la « gnose universelle », et c'est elle qui leur apporte la véritable rédemption. La tradition est donc, non pas seulement le mode de communication de connaissances secrètes, mais encore, par ces connaissances, le moyen d'accès à ce que les valentiniens nomment la « rédemption », l'entrée dans la vie véritable. On comprend qu'ils la nomment « la mère des choses insaisissables et invisibles » [2].

N'est-il pas étrange, à première vue, de constater qu'Irénée fasse siennes une formule et une donnée aussi peu rassurantes ? Mais, si nous sommes attentifs à sa méthode essentiellement constructive, nous devrons reconnaître que l'évêque de Lyon, enlevant à la gnose une vérité qu'elle travestit et pervertit, rend à la tradition des apôtres sa véritable signification : c'est elle, en effet, qui nous apporte le « salut », si nous savons la chercher où elle se trouve, dans les églises apostoliques et non pas dans des propos ésotériques d'initiés.

On présente parfois l'argumentation d'Irénée, au début du livre III de l'*Adversus Haereses*, d'une manière simpliste, et inexacte. On lui prête un raisonnement de ce genre : impossible de convaincre les gnostiques, ni même de les réfuter de façon décisive, par l'Ecriture. Car, ou bien ils ruinent, par des subtilités exégétiques, votre interprétation, ou bien ils déclarent cor-

---

1. *Adv. Haer.*, 1, 21, 4. Cf. H. Cornélis et A. Léonard. *La gnose éternelle*, Coll. Je sais — je crois, N° 146, A. Fayard, 1959, pp. 54-57.
2. *Ibid.*, 1, 21, 1.

rompu, ou interpolé, le passage allégué. Il faut
donc faire appel à la tradition. Telle est la signification, ajoute-t-on volontiers, des chapitres
1 à 4 par quoi débute le livre III ; cette question
de source étant réglée, Irénée, à partir du chapitre 5, par un retour assez illogique, au reste,
en reviendrait à son argumentation scripturaire,
garantie, à ses yeux, par l'accord des églises
apostoliques.

Une telle présentation fausse doublement,
nous semble-t-il, la perspective d'Irénée. D'abord
en lui prêtant une ignorance de la « tradition »
gnostique, que nous connaissons par lui ;
ensuite, en oubliant que le thème essentiel des
trois derniers livres de son œuvre, c'est l'interprétation de l'Ecriture selon la correcte tradition
des apôtres, opposée, trait pour trait, à la mensongère « tradition apostolique » des gnostiques. Il oppose tradition à tradition ; plus exactement, acceptant la formule *traditio apostolica*
de ses adversaires, il revendique les droits et la
valeur sotériologique de l'unique tradition apostolique, conservée et enseignée unanimement, en
plein jour, dans les églises fondées par les
apôtres, à la différence des traditions secrètes
que les gnostiques attribuent aux apôtres. En
manière d'introduction, dans les premiers chapitres du livre III, Irénée défend les droits de
l'authentique tradition, montrant à la fois son
unicité et sa publicité, par contraste avec le
caractère multiple, contradictoire et secret, des
traditions de ses adversaires. La véritable tradition apostolique, dit-il en substance, ce sont les
églises chrétiennes, et elles seules, qui la détien-
nent, et la communiquent à toute âme de bonne
volonté. Cette question préjudicielle étant réglée,
Irénée s'appuiera sur cette tradition pour « lire »
l'Ecriture et en dégager cette « règle de vérité »
qui apparaît dans toute l'Ecriture, message de
vérité facile à découvrir dans l'Ancien Testament lui-même, si on l'interprète correctement,

selon la « tradition des apôtres » à la lumière
du Nouveau [1].

Aux traditions gnostiques, secrètes et diverses,
Irénée oppose donc l'unique et publique tradition catholique. C'est elle, et elle seule, qui est la
« tradition des apôtres ». C'est donc selon la
tradition des églises qu'il faut lire l'Ecriture, et
non pas selon les bizarres et inconciliables systèmes qu'ils prétendent tenir de *leurs* traditions,
capables de faire dire à l'Ecriture, du reste soigneusement corrigée et émondée, les pires insa-
nités. Irénée ne conteste pas que la tradition
véritable apporte le salut et l'authentique « rédemption » : mais la tradition apostolique
conservée dans les églises chrétiennes, et non
pas le fatras inconsistant et compliqué que les
Gnostiques désignent par le nom de traditions.
C'est à tort qu'ils prétendent fonder leurs doctrines en Ecriture : « Hors de l'Eglise, les Ecritures sont incompréhensibles et scandaleuses » [2].

Toute la force de l'argumentation d'Irénée
vient de ce qu'il a l'audace d'accepter la formule
gnostique : *traditio apostolica*, et de lier en faisceau inséparable les deux sens de l'expression :
tradition qui vient des apôtres, et tradition qui
est l'enseignement des apôtres : *traditio quae
est ab apostolis* [3].

Il en conclut immédiatement que cette tradition doit se trouver conservée dans les églises
fondées par les apôtres : « La tradition qui nous
vient des apôtres est gardée dans les églises par
les successions des presbytres » [4]. Aussi bien,

Tous ceux qui veulent voir la vérité peuvent
contempler en toute église la tradition des apôtres
manifestée dans le monde entier. Et nous pouvons

1. Au livre Ier, Irénée fait suivre l'exposé de la « tradition
de la rédemption gnostique » (ch. 21) de celui de la « règle
de foi » qui est l'authentique tradition chrétienne (ch. 22).
2. *Ibid.* IV, 26, 1.
3. *Ibid.* III, 5, 1.
4. *Ibid.* III, 2, 2.

énumérer ceux que les apôtres ont institués comme évêques dans les églises et leurs successions jusqu'à nous. Ils n'ont rien enseigné, rien connu qui ressemble au délire de ces gens-là.

En effet, si les apôtres avaient connu des mystères secrets qu'ils auraient enseignés aux parfaits, à part, à l'insu des autres, c'est bien avant tout à ceux à qui ils confiaient leurs églises mêmes qu'ils auraient transmis leurs mystères. Ils voulaient en effet que ceux qu'ils laissaient pour leur succéder et à qui ils confiaient le pouvoir d'enseigner à leur propre place fussent absolument parfaits et en tous points irréprochables : leur parfaite conduite serait un bien immense, leur chute, au contraire, la plus grande calamité [1].

Les Gnostiques prétendaient en appeler à un enseignement ésotérique des apôtres, connu des seuls « parfaits » et transmis par eux seuls. Empruntant leur vocabulaire, Irénée leur rétorque que, parmi ces « parfaits », doivent se compter, en première position, les successeurs des apôtres, ceux à qui ils ont confié leurs églises. Or, ces « presbytres » ne connaissent rien de la prétendue « tradition apostolique » secrète dont font état ses adversaires. Il lie ainsi, de façon indiscutable, la succession apostolique et la possession de la tradition des apôtres. Et, pour être précis, il fait appel aux grandes églises, où il est facile de reconstituer les listes des successeurs des apôtres, de retrouver leur souvenir et leurs messages : Rome d'abord [2], où « la tradition qu'elle tient des apôtres et la foi qu'elle a annoncée aux hommes sont parvenues jusqu'à nous par des successions d'évêques » dont Irénée transcrit la liste, jusqu'à Eleuthère, « à qui maintenant est échu l'épiscopat, en douzième lieu à partir des apôtres » ; Smyrne, dont Irénée

1. *Ibid.* III, 3, 1, trad. Sagnard, Sources chrétiennes, N° 34, pp. 101-103.
2. *Ibid.* III, 3, 2-3 : sur la littérature suscitée par ce fameux passage, cf. Sagnard, Sources chrétiennes, N° 34, app. 3, pp. 414-423.

a connu l'évêque Polycarpe, « institué par les apôtres », et « qui a toujours enseigné ce qu'il avait appris des apôtres, cette doctrine que l'Eglise transmet et qui est la seule vraie ». Et il ajoute : « Toutes les églises qui sont en Asie l'attestent, et tous ceux qui jusqu'à ce jour ont succédé à Polycarpe. Un tel homme est un témoin de la vérité autrement sûr et digne de foi que Valentin, Marcion et tous les autres qui pensent de travers »[1] ; Ephèse enfin, « fondée par Paul et où Jean est demeuré jusqu'à l'époque de Trajan, témoin authentique de la tradition des apôtres »[2].

Irénée assigne ainsi à la tradition apostolique une localisation géographique : c'est aux points de cristallisation de la prédication des apôtres qu'elle demeure, pour ainsi dire, fixée de manière exemplaire, c'est là qu'il faut la saisir. Au « culte de la personne » que professent les gnostiques, il oppose le témoignage des églises, insistant moins sur la personnalité de ceux qui y continuent l'œuvre apostolique, que sur cette permanence même de l'enseignement des fondateurs.

Eh quoi ? S'il arrivait qu'une simple question de détail provoquât une dispute, n'est-ce pas aux plus antiques des églises, celles où les apôtres ont vécu, qu'il faudrait recourir pour recevoir d'elles sur la question en cause ce qui est sûr et bien clair ? Et si les apôtres eux-mêmes ne nous avaient laissé aucune Ecriture, ne faudrait-il pas alors suivre l'ordre de la tradition qu'ils ont transmise à ceux à qui ils confiaient leurs églises ?[3]

Dans ces églises, on rencontre sans doute des évêques, des presbytres... Mais aussi ces pauvres gens « qui, sans encre ni papier, ont l'Esprit Saint dans leurs cœurs »[4], et qui, dans leur

1. *Ibid.* III, 3, 4.
2. *Ibid.* III, 3, 4.
3. *Ibid.* III, 4, 1 : trad. Sagnard, *op. cit.*, pp. 115-117.
4. *Ibid.* III, 4, 2.

barbarie même, sont plus sages que les « parfaits », car ils conservent « l'antique tradition
des apôtres » : ne se rattachent-ils pas au grand
courant de l'ancienne tradition, ne possèdent-ils
pas le « Salut » ?

C'est là sans doute la raison qui fait qu'Irénée
manifeste tant de confiance aux dires des « anciens » qu'il a connus jadis, et dont il rapporte
complaisamment les propos, parfois bien naïfs,
dans le livre V de l'*Adversus Haereses*. « En
général, remarque le P. Van den Eynde, Irénée
ne fait pas mention de la dignité épiscopale des
anciens. Il les cite en raison de leur qualité de
témoins oculaires de quelque apôtre ou disciple
des apôtres. Intermédiaires entre l'âge apostolique, et l'Eglise actuelle, les « anciens » jouis-
sent d'une autorité d'autant plus grande qu'ils
se rapprochent davantage des origines » [1].

E,t par contre, il reproche aux Gnostiques de
ne pas posséder de « doctrine *instituée* » (*doctrina instituta*). Le sens de cette expression
semble être le suivant : il y a normalement un
lien, et un lien nécessaire, entre la doctrine et
l'institution : c'est l'institution qui transmet la
doctrine, en la conservant, et qui assure sa permanence par le jeu de son enchaînement chronologique, géographique et structurel. Aussi
bien, dit Irénée, « les évêques reçoivent, avec la
succession apostolique, le charisme de la vérité » [2]. Expression vivante de l'apostolicité
de l'Eglise, ils sont aussi (Irénée n'oublie pas
qu'il a charge spirituelle de « barbares » habitant sans doute aux confins de la province
romaine qui avait son centre à Lyon) les responsables de sa « catholicité », de son expansion missionnaire. Lien entre les générations,
continuité temporelle depuis les apôtres, la tra-

---

1. D. Van den Eynde, *Les normes de l'enseignement chrétien*, p. 164.
2. *Adv. Haer.* IV, 26, 2.

dition est aussi le principe d'unité géographique entre les églises « dispersées à travers la terre » : et cela de façon statutaire, non par l'instabilité empirique d'un prosélytisme de rencontres, comme semble avoir été, dans la vallée du Rhône, la propagande gnostique [1], mais par l'effet d'un apostolat organisé et rayonnant, à partir des églises apostoliques. C'est cette « unité de la tradition » qu'Irénée célèbre dans un texte célèbre, où il oppose à la diversité mensongère des doctrines gnostiques la « ferme vérité de l'enseignement de l'Eglise » :

L'Eglise, bien qu'elle soit répandue dans tout l'univers jusqu'aux extrémités de la terre, a reçu des apôtres et de leurs disciples la foi en un seul Dieu, Père tout-puissant, qui a fait le ciel et la terre et tout ce qui s'y trouve, et en un seul Jésus-Christ, le Fils de Dieu, qui s'est incarné pour notre salut, et en un Esprit Saint... C'est cette prédication que l'Eglise a reçue, c'est cette foi, comme nous l'avons dit ; et, bien qu'elle soit dispersée dans le monde entier, elle la garde soigneusement comme si elle habitait une seule maison, et elle y croit unanimement comme si elle n'avait qu'une âme et qu'un cœur ; et, d'un accord parfait, elle la prêche, elle l'enseigne, elle la transmet comme si elle n'avait qu'une seule bouche. Sans doute, les langues, sur la surface du monde, sont différentes, mais la *force de la tradition* est une et identique. Les églises fondées dans les Germanies n'ont pas une autre foi, ni *une autre tradition ;* ni les églises fondées chez les Ibères, ni chez les Celtes, ni en Orient, ni en Egypte, ni en Libye, ni au centre du monde ; mais, de même que le soleil, cette créature de Dieu, est dans tout le monde un et identique, ainsi la *prédication de la vérité* brille partout et éclaire tous les hommes qui veulent parvenir à la connaissance de la vérité. Et ni le plus puissant en paroles des chefs des églises n'enseignera une autre doctrine — car personne n'est au-dessus du maître — ni le plus infime en paroles n'amoin-

1. Cf. I, 13, 5-7.

drira cette *tradition*. Car la foi étant une et identique, elle n'est ni enrichie par celui qui peut
beaucoup parler, ni appauvrie par celui qui ne
peut parler que peu [1].

On remarque, dans le texte que nous venons
de transcrire, l'équivalence qu'établit Irénée
entre *tradition* et *prédication de la vérité*. Ce
n'est pas là quelque chose de fortuit. A la suite
de dom Reynders [2], qui a eu le mérite d'étudier méthodiquement les formules de l'*Adversus
Haereses*, et en élargissant son enquête, nous
avons pu montrer que, pour l'évêque de Lyon,
le contenu de la tradition [3], c'était précisément l'enseignement des apôtres continué par
les chefs des églises. « Il faut identifier le
contenu de la *tradition* irénéenne avec le
kêrygma apostolique. C'est l'enseignement reçu
des apôtres que l'Eglise, par le magistère de ses
chefs, successeurs des apôtres, garde fidèlement,
enseigne sans défaillance, et, à son tour, transmet à ses enfants » [4].

Arrêtons-nous un instant sur le mot *kêrygma*,
qui, chez Irénée, désigne cet enseignement apostolique conservé, enseigné et transmis par les
églises. « L'objet et le contenu du *kêrygma* sont
volontiers désignés par l'emploi de la formule :
prédication de la vérité [5]: les apôtres et l'Eglise

1. I, 10, 1-2 : trad. G. Bardy, *La théologie de l'Eglise, de
Clément de Rome à saint Irénée*, Coll. Unam sanctam, Nº 13,
pp. 185-186.

2. Art. cit., p. 180 sq.

3. « Le terme *paradosis* désigne directement l'objet transmis et non l'organe transmetteur » : D. Van den Eynde,
op. cit, p. 158, cf. B. Reynders, art. cit. p. 156 ; P. Smulders.
Recherches de science religieuse, 40 : Mélanges Lebreton II,
p. 43.

4. H. Holstein, *La tradition des apôtres chez saint Irénée*,
Recherches de science religieuse, XXXVI, avril-juin 1949,
p. 268.

5. I, 10, 2 ; 25, 3. III, 3 ; 3-4 ; 13, 1-2. Cf. Van den Eynde,
op. cit., pp. 287-289.

témoignent, par leur prédication, de la vérité
qui est le Christ, et cette vérité seule est la
règle de la foi et de l'attitude chrétienne. Pour
Irénée, la vérité n'est pas dans un système, si
bien agencé et si séduisant qu'il soit — le croire
est l'erreur qu'il reproche justement aux Gnostiques — elle est dans la personne même de
Jésus-Christ... Nous croyons demeurer fidèle à sa
pensée profonde en donnant à l'expression : *prédication de la vérité* le sens : prédication du Christ...
Le mot *kêrygma* désigne donc dans la langue
d'Irénée la prédication apostolique et ecclésiale
de la Vérité, c'est-à-dire du message évangélique. Pour lui, le *kêrygma* est à la fois un fait
et un droit : ces « transmetteurs » privilégiés,
médiateurs entre le Christ dont ils sont témoins
et nous qu'ils enseignent, prêchent la Bonne
Nouvelle, et eux seuls ont le droit de la prêcher.
Il nous faut les écouter et acquiescer à leur
enseignement. Si *paradosis* et *kêrygma* sont
étroitement liés, on voit que, pour Irénée, la tradition n'est autre chose que l'enseignement des
apôtres, et que la fidélité à la tradition sera une
fidélité à cet enseignement » [1].

Mais quel est l'objet de cet enseignement ?
Le lien qui unit le début du IIIe livre, consacré
à la tradition, et la suite de l'ouvrage nous permet d'affirmer que cet enseignement, c'est « la
prédication du plan salvifique de Dieu réalisé
dans une histoire qui aboutit au Christ et n'a
de sens que par lui et pour lui (ce qu'Irénée,
d'un mot qui deviendra classique, et qu'il
emprunte, d'ailleurs, à saint Paul, nomme l'*oiko-
nomia*). Le *kêrygma* des apôtres est l'annonce
de cette « économie », de la révélation du Dieu
Trinité par ses gestes sauveurs... » [2]. Le
kêrygma des apôtres est donc une catéchèse
biblique. On comprend que dans l'exposé ample

1. Holstein, art. cit. pp. 249-250.
2. *Ibid.*, p. 269.

que donnent, du dessein de la bienveillance
divine les trois derniers livres de l'*Adversus
Haereses,* et que résume la *Démonstration de la
prédication évangélique,* l'Ancien Testament occupe si large place. À la suite de Justin, qui fut
peut-être son maître, Irénée, notamment dans le
livre IV, insiste sur l'annonce du Christ par les
paroles et les faits de l'Ancien Testament, et sur
l'accomplissement, par le Christ, de toutes les
prophéties. Ce n'est pas là, à ses yeux, un détail
ou un appendice scripturaire à un enseignement
traditionnel qui, dans sa contexture, serait tout
différent. La tradition irénéenne, qui est la garde
et la communication du *kêrygma* apostolique,
montre l'acheminement de tout l'Ancien Testament vers le Christ et la signification christologique de toutes ses pages.

Car telle est la leçon que lui ont apprise les
presbytres :

Tout ce qui est dit de la sortie d'Egypte fut, de
la part de Dieu, type et image de la sortie de
l'Eglise, qui devait venir de la Gentilité : c'est
pourquoi, à la fin, Dieu la fit sortir pour recevoir
son héritage, que non pas Moïse, qui était cependant serviteur de Dieu, mais Jésus, Fils de Dieu,
lui donne en partage. Celui qui est attentif à ce
que les prophètes disent de cette fin, et aux visions
que Jean, disciple du Seigneur, rapporte dans
l'Apocalypse, verra que les nations subiront en
totalité, alors, les mêmes épreuves que celles qu'à
l'Exode subirent en particulier les Egyptiens. En
nous les racontant, un presbytre nous donnait du
courage et nous disait : « Ces fautes que les Ecritures reprochent aux Patriarches et aux prophètes,
nous ne devons pas, nous, les leur reprocher, et
nous n'avons pas le droit d'imiter la conduite de
Cham, qui se moquait de la honte de son père et
fut par lui maudit ; mais nous devons rendre
grâces à Dieu pour eux, car, à l'avènement de
Notre Seigneur, ces péchés leur ont été remis. »
Ainsi il nous disait de rendre grâces et de nous
glorifier de notre salut. « Mais, ajoutait-il, ce que
l'Ecriture ne leur reproche pas et raconte simple-

ment, nous n'avons pas à leur en faire grief : nous
n'avons pas à nous montrer plus exigeants que
Dieu, comme si nous pouvions nous élever au-
dessus du Maître, mais à en chercher le sens
typique (*typum quaerere*). Car rien n'est inutile de
ce qui est écrit dans l'Ecriture, quelque inexcusable que cela paraisse [1].

Il y a, en effet, dans l'enseignement de l'Ecriture, dont Irénée marque volontiers la continuité
pédagogique [2], un *ordre,* une « progression » :

> Le Christ a manifesté au genre humain, avec
> *ordre et progression,* les visions des prophètes, la
> diversité des charismes, ses propres œuvres et la
> gloire du Père. Là où il y a ordre, il y a conti-
> nuité ; là où il y a continuité, il y a succession tem-
> porelle ; là où il y a succession, il y a adaptation
> aux besoins [3].

La grande erreur des Gnostiques, c'est de ne
pas se soumettre à ce plan, de citer l'Ecriture
comme au hasard, « grappillant » ici et là un
texte à leur convenance, et substituant un
« montage » de leur fantaisie à l'ordre voulu de
Dieu :

> A leur doctrine, que nous venons d'exposer, ils
> s'efforcent d'ajuster les paraboles du Seigneur, les
> dires des prophètes, les paroles des apôtres, afin
> que leur système ne paraisse pas sans garant.
> L'ordre et l'enchaînement des Ecritures, ils pas-
> sent par-dessus, et, autant qu'il est en leur pouvoir,
> ils disloquent les membres de la vérité. Ils transpor-
> tent et bouleversent, et, par cette refonte, ils sédui-
> sent beaucoup de gens qui se laissent prendre à ce
> mauvais ajustement des paroles du Seigneur.
> C'est comme si, d'une belle image de roi fabri-
> quée de pierres précieuses par un artiste de talent,
> on disloquait le portrait humain qu'elle représente,
> on bouleversait les pierres, puis on les ajustait de

1. IV, 30, 4 à 31, 1. Cf. IV, 27, 1-2 ; 28, 1 ; 30, 1 ; 32, 1.
2. Cette continuité signifie que Dieu « accoutume » l'humanité à recevoir le Christ : IV, 38, 1-3.
3. IV, 20, 7.

nouveau pour réaliser un portrait de chien ou de
renard mal façonné ; et, en le regardant, on décla-
rait que c'était là la belle image du roi faite par
l'artiste. Certes, ce sont les pierres assemblées par
le premier artiste que l'on montre, mais boulever-
sées par le successeur pour une image de chien.
On égare ainsi, par les pierres, les ignorants qui
ne connaissent pas la figure du roi, en leur per-
suadant que cette ridicule image d'animal est
l'image du roi. Ainsi les gnostiques cousent
ensemble des histoires inventées (mythous), et puis
grappillent de-ci de-là, dans les Ecritures, des
mots, des expressions, des paraboles : ils prétendent ainsi ajuster à leurs histoires les paroles de
Dieu [1].

Lire l'Ecriture sans être guidé par l'enseignement des apôtres, c'est pour Irénée la meilleure
manière de ne la point comprendre ; au lieu de
recevoir le message de Dieu, on se contente de
chercher des justifications à ses propres vues.
Cette « rédemption » que les Gnostiques croient
trouver dans la « connaissance » des parfaits se
révèle finalement un désastre et une perte.
Certes, ils se vantent de suivre leurs traditions.
Mais ce sont des traditions mensongères. Seule
la tradition véritable conduit au salut, car elle
enseigne à lire l'Ecriture comme il faut la lire,
selon l'esprit même qui l'a inspirée.
Cette lecture ecclésiale de l'Ecriture, guidée
par la tradition des apôtres, permet d'y découvrir le Dieu véritable à travers ses gestes.

Il faut interpréter les Ecritures d'après la tradition conservée dans l'Eglise. Quand on connaît,
dit Irénée, le sujet traité par Homère, on peut distinguer ses poèmes d'avec les centons. De même,
quand « on possède le canon inflexible de la vérité,
reçu au baptême », on ne découvre plus sous les
termes, les expressions et les paraboles des Ecritures, les théories des hérétiques, mais on ajuste
aisément tous les textes au corps de la vérité [2]...

1. I, 8, 1.
2. I, 9, 4.

L'Eglise est comme un paradis planté dans ce
monde. C'est dans ce paradis, et de ses arbres,
qu'on doit manger ; c'est dans l'Eglise qu'on doit
lire les livres sacrés... L'homme spirituel doit lire
les Ecritures « auprès des presbytres qui possèdent la doctrine apostolique » pour en trouver une
interprétation qui soit correcte, harmonieuse, sans
péril et sans blasphème » [1].

La tradition, guide de l'intelligence de l'Ecriture... Assurément, par cette affirmation constamment présente à son esprit, Irénée manifeste
qu'il distingue Ecriture et tradition, et reconnaît à celle-ci un caractère d'enseignement oral.
A vrai dire, il ne nous semble pas que ce soit là
pour lui le plus important : il est beaucoup plus
attentif à montrer que les apôtres ont donné un
enseignement sûr pour lire l'Ancien Testament,
en fonction du Christ, marquant ainsi fermement l'unité des deux Testaments [2], et que
c'est là leur tradition, fidèlement conservée dans
l'Eglise : « Ce sont ces presbytres (successeurs
des apôtres et détenteurs de leur tradition) qui
conservent notre foi en un seul Dieu qui a tout
créé ; qui augmentent notre amour pour le Fils
de Dieu, auteur de l'économie salvifique ; qui
nous exposent sans danger les Ecritures [3],
sans blasphème envers Dieu, sans déshonneur
pour les patriarches, sans mépris pour les prophètes » [4].
   Le contenu de la tradition pour Irénée, c'est
la « règle de foi » chrétienne, fondée en Ecri-

---

1. D. Van den Eynde, *op. cit.* pp. 268-269, citant IV, 32, 1 ;
33, 8. Cf. IV, 26, 5 : « Là où se rencontrent les charismes
du Seigneur, c'est là qu'il faut apprendre la vérité, auprès
de ceux qui ont reçu dans l'Eglise la succession apostolique. »
Tout ce chapitre 26 oppose la grande Eglise, maîtresse de
la vérité scripturaire, aux conventicules hérétiques.
   2. Cf. IV, ch. 20 à 22.
   3. Il faut remarquer qu'Irénée emploie volontiers (sinon
d'une manière systématique, pour autant que la version latine
permet de pareilles conclusions) le pluriel *ai graphai* (les Ecritures) pour désigner l'Ancien Testament.
   4. IV, 36, 5.

ture, et déterminée par l'intelligence christologique de l'Ancien Testament. L'Esprit qui a inspiré l'Ecriture est celui qui a donné aux apôtres l'intelligence de l'Ecriture ; il continue à animer l'Eglise, à y maintenir vivante la présence des apôtres par la permanence de leur tradition. C'est dans l'Esprit que tout se tient, que tout s'illumine, et que la véritable tradition est pour le fidèle la voie de l'authentique « rédemption » cherchée en vain par la Gnose dans des connaissances ésotériques et mensongères :

> La prédication de l'Eglise est la même partout, écrit Irénée en conclusion de son livre III, et demeure égale à elle-même, appuyée comme nous l'avons démontré, sur le témoignage des prophètes, des apôtres et de tous les disciples, à travers le commencement, le milieu et la fin, bref à travers toute l'économie divine, à travers l'opération habituelle (de Dieu) qui effectue le salut de l'homme et réside à l'intérieur de notre foi. Foi reçue de l'Eglise et que nous gardons. Foi qui toujours sous l'action de l'Esprit de Dieu, comme une liqueur de prix conservée dans un vase de bonne qualité, rajeunit et fait rajeunir le vase qui la contient.
>
> L'Eglise, en effet, s'est vu confier ce don de Dieu, de même que Dieu a confié le souffle à la chair modelée, pour que tous les membres en reçoivent la vie ; et dans ce (don) était contenue l'intimité d'union au Christ, c'est-à-dire l'Esprit Saint, gage d'incorruptibilité, affermissement de notre foi, échelle de notre ascension vers Dieu.
>
> Car, dit saint Paul, dans l'Eglise, Dieu a établi les apôtres, les prophètes, les Docteurs... et tous les autres effets de l'opération de l'Esprit, auxquels ne participent pas ceux qui n'accourent pas à l'Eglise, mais qui, par leurs doctrines mauvaises et leurs actions détestables, s'excluent eux-mêmes de la vie.
>
> Car là où est l'Eglise, là est aussi l'Esprit de Dieu ; et là où est l'Esprit de Dieu, là est l'Eglise et toute sa grâce. Et l'Esprit c'est la Vérité [1].

1. IV, 2, 1, trad. Sagnard, Sources chrétiennes, Nº 34, pp. 399-401.

★

Après P. Monceaux et Mgr Battiffol, le P. Van den Eynde remarque qu'on ne trouve chez Tertullien aucun élément essentiel qui ne soit déjà chez saint Irénée [1]. De fait, quand on lit le *De praescriptione* après l'*Adversus Haereses*, on est frappé par l'identité de l'argumentation, la similitude de certains points de vue, au point que le problème de l'influence d'Irénée sur Tertullien ne peut manquer de se poser. Il faut ajouter, du reste, que Tertullien reprend l'argumentation irénéenne dans une perspective nouvelle et originale, où l'apologétique emprunte les catégories juridiques. « La pensée de Tertullien, conclut justement le P. Refoulé, ne paraît pas différer essentiellement de celle de saint Irénée » [2].

Le projet de Tertullien est pourtant différent de celui d'Irénée : alors que l'évêque de Lyon entend exposer, puis réfuter la gnose, Tertullien se propose de montrer que seule la grande Eglise *possède* l'authentique foi, annoncée par les apôtres et enseignée par les Ecritures. S'opposant aux prétentions des hérétiques de tout genre et de toute espèce, il revendique comme principe de discrimination et comme argument majeur en faveur de l'Eglise un droit de possession, ou, pour parler la langue juridique à laquelle il emprunte une notion dont il use habilement, une *prescription* [3].

Il ne faut pas en appeler aux Ecritures ; il ne faut pas porter le combat sur un terrain où la vic-

1. P. Monceaux, *Histoire littéraire de l'Afrique chrétienne*, I, p. 331 ; P. Batiffol, *L'Eglise naissante et le catholicisme*, 7e édit., p. 328 ; D. Van den Eynde, *op. cit.* p. 202.
2. R.-F. Refoulé. Tertullien, *De la prescription contre les hérétiques*, Sources chrétiennes, N° 46. Introduction p. 66.
3. Sur l'argument de prescription en droit romain, cf. R.-F. Refoulé, *op. cit.* pp. 20-45.

toire est nulle, incertaine ou peu sûre. Ces confrontations de textes n'eussent-elles point pour résultat de mettre sur le même pied les deux parties en présence, encore l'ordre naturel des choses voudrait-il qu'on posât d'abord cette question, qui, présentement, est la seule que nous ayons à discuter : A qui attribuer la foi elle-même, celle à laquelle se rapportent les Ecritures ? Par qui, par l'intermédiaire de qui, quand et à qui la doctrine qui nous fait chrétiens est-elle parvenue ? Là où il apparaîtra que réside la vérité de la doctrine et de la foi chrétienne, là seront aussi les vraies Ecritures, les vraies interprétations et toutes les vraies traditions chrétiennes [1].

Il ne s'agit donc pas précisément de montrer que l'Eglise a pour elle l'Ecriture, puisque les adversaires ont la prétention de s'appuyer sur l'Ecriture. Mais de montrer que, par un lien de dépendance dont seule elle peut faire état, l'Eglise est en possession de la *foi* des apôtres, puisque c'est à elle qu'ils l'ont transmise. Sous une forme d'argumentation plus stricte et plus contraignante, on retrouve la perspective choisie par Irénée au début du livre III. L'argument de prescription vaut pour toutes les églises chrétiennes qui se rattachent, par une filiation incontestée, aux apôtres, et pour elles seules.

Après avoir rappelé que les apôtres, envoyés par Jésus-Christ, et fortifiés par le Saint-Esprit, établirent la foi d'abord en Judée et y installèrent des églises, puis partirent à travers le monde, pour annoncer aux nations la même doctrine et la même foi, Tertullien continue :

Dans chaque cité, ils fondèrent des églises auxquelles dès ce moment les autres églises empruntèrent la bouture de la foi, la semence de la doctrine et l'empruntent tous les jours pour devenir elles-mêmes des églises. Et par cela même, elles seront considérées comme apostoliques, en tant

1. Ch. 19, trad. de Labriolle, Sources chrétiennes, N° 46, pp. 111-112.

que rejetons des églises apostoliques. Toute chose doit nécessairement être caractérisée d'après son origine. C'est pourquoi ces églises, si nombreuses et si grandes soient-elles, ne sont que cette primitive église apostolique dont elles procèdent toutes. Elles sont toutes primitives, toutes apostoliques, puisque toutes sont une. Pour attester cette unité, elles se communiquent réciproquement la paix, elles échangent le nom de frères, elles se rendent mutuellement les devoirs de l'hospitalité ; tous droits qu'aucune autre loi ne réglemente que l'*unique tradition d'un même mystère* [1].

Dans cette fin de phrase, la tradition désigne moins le mode de transmission que le contenu de la communication, qui, d'église en église, prend sa source dans le message apostolique. Le chapitre suivant ne laisse pas de doute sur ce point :

Il est clair que toute doctrine qui est en accord avec celle de ces églises, matrices et sources de la foi, doit être considérée comme vraie, puisqu'elle contient évidemment ce que les églises ont reçu des apôtres, les apôtres du Christ, le Christ de Dieu. Par contre, toute doctrine doit être *a priori* jugée comme venant du mensonge qui contredit la vérité des Eglises des apôtres, du Christ et de Dieu. Reste donc à démontrer que cette doctrine, qui est la nôtre, et dont nous avons plus haut formulé la règle, procède de la *tradition des apôtres*, et que, par le fait même, les autres viennent du mensonge. Nous sommes en communion avec les églises apostoliques, parce que notre doctrine ne diffère en rien de la leur : c'est là le signe de la vérité [2].

C'est l'enseignement même d'Irénée que nous retrouvons, mais avec moins de souplesse. Pour Irénée, la tradition demeure quelque chose de vivant, l'élan des apôtres en acte de prêcher, d'annoncer le Christ ressuscité ; comme une onde qui se propage, ce mouvement se continue

1. 20, 5-9, trad. cit. pp. 112-114.
2. 21, 4-7, trad. cit. pp. 114-115.

à travers l'annonce des chefs des églises. Tertullien envisage cette tradition davantage comme une doctrine, un corps de vérité dont on peut constater, pour ainsi dire, la présence ou l'absence ; la première désignant les églises apostoliques, la seconde marquant les groupes hérétiques. La voix vivante des apôtres s'est comme sédimentée en une « *règle de foi* ».

L'expression est fréquemment employée par Tertullien [1] et elle est caractéristique de sa manière d'envisager les choses. Il ne s'agit pas immédiatement du symbole, mais la formule désigne la norme à laquelle il faut rester fidèle, dont on ne peut s'écarter sous peine de devenir hérétique [2] : c'est « le cadre de l'enseignement dogmatique donné aux catéchumènes. Il devient alors facile d'expliquer pourquoi la règle de foi insiste particulièrement sur les vérités chrétiennes mises en question par les hérétiques » [3]. Et le P. Refoulé cite les formules heureuses de Flesseman : « La règle de foi est la condensation et la formulation de la tradition des apôtres en règle normative » [4], et volontiers en parade défensive contre l'hérésie. Ce qu'exprimera en impératif cassant Tertullien, quand il dira au début du *De carne Christi* : « *Si christianus es, crede quod traditum est* » [5].

Deux points, déjà fortement affirmés par Irénée, sont, de la part de Tertullien, aussi fermement mis en lumière.

D'abord la tradition des apôtres est l'enseignement de l'Eglise, en sorte que, ainsi qu'il l'écrira contre Marcion, « on ne doit reconnaître

1. Cf. Refoulé, *op. cit.* p. 50.
2. *Ibid.* p. 51. Il faut remarquer qu'au ch. 13 (trad. cit. p. 106) Tertullien énumère, sous le nom de *règle de foi*, une série d'articles dogmatiques dont l'ordre et le contenu évoquent ceux du symbole romain du IVe siècle (cf. encore 21, 6).
3. R.-F. Refoulé, *op. cit.* p. 51.
4. *Tradition and scripture in the early church*, Assen, 1954, p. 170 : cité p. 53.
5. *De carne Christi*, ch. 2 : P.L. 2, 755.

d'autre tradition apostolique que celle qui, aujourd'hui, est annoncée par l'Eglise » [1]. En effet, les apôtres, qui ont nécessairement possédé une science parfaite [2], n'ont pas eu d'enseignement ésotérique réservé à quelques-uns [3], mais, comme il ressort, par exemple, des Epîtres pastorales [4], ils ont transmis à leurs églises tout ce qu'ils avaient reçu du Seigneur. Et c'est la fameuse prosopopée des églises apostoliques dans le *De praescriptione* :

> Or donc, voulez-vous exercer plus louablement votre curiosité en l'employant à votre salut ? Parcourez les églises apostoliques où les chaires mêmes des apôtres président encore à leur place, où on lit leurs lettres authentiques, qui rendent l'écho de leur voix et mettent sous les yeux la figure de chacun d'eux. Etes-vous tout proche de l'Achaïe ? Vous avez Corinthe. N'êtes-vous pas loin de la Macédoine ? Vous avez Philippes. Si vous pouvez aller du côté de l'Asie, vous avez Ephèse. Si vous êtes sur les confins de l'Italie, vous avez Rome, dont l'autorité nous apporte aussi son appui. Heureuse Eglise... Les apôtres lui ont versé toute leur doctrine avec leur sang. Pierre y subit un supplice semblable à celui du Seigneur. Paul y est couronné d'une mort pareille à celle de Jean. L'apôtre Jean y est plongé dans l'huile bouillante : il en sort indemne et se voit relégué dans une île.
>
> Voyons ce qu'elle a appris, ce qu'elle a enseigné. Avec les églises d'Afrique qui lui sont unies, elle ne connaît qu'un seul Dieu créateur de l'univers ; Jésus-Christ, né de la Vierge Marie, fils du Dieu créateur ; la résurrection de la chair. Elle associe la loi et les prophètes aux écrits évangéliques et apostoliques : c'est là qu'elle puise sa foi. Cette foi, elle la marque avec l'eau, elle la revêt du Saint Esprit, elle la nourrit de l'eucharistie ; elle l'exhorte au martyre et n'admet personne à l'encontre de cette doctrine [5].

1. *Adversus Marionem*, I, ch. 21 : P.L. 2, 270.
2. *De la prescription*, ch. 22, trad. cit. pp. 115-117.
3. *Ibid.* ch. 25, trad. cit. pp. 120-122.
4. Cf. *De la prescription*, ch. 25-26.
5. 36, 1-5, trad. cit. pp. 137-138 ; cf. ch. 32, pp. 130-132.

Ensuite, comme le rappelle le texte que nous venons de lire, l'objet de cette tradition apostolique, c'est l'accord des deux testaments. « Ils constituent un tout » [1], affirme-t-il contre Marcion, notant que celui-ci n'a pu que dissocier et opposer ce « tout qu'ils formaient avant d'être séparés ».

A la différence d'Irénée, Tertullien ne manifeste pas en détail cet accord. Selon sa perspective, il se contente de revendiquer pour l'Eglise la *possession* des Ecritures comme un droit impossible à mettre en doute [2], et de dénier aux hérétiques toute autorité sur ces Ecritures qu'ils falsifient et dénaturent [3] à la manière de ces mauvais plaisants qui reconstituent à leur façon des « poèmes homériques », en prenant de-ci de-là des morceaux, « comme des chiffonniers » [4]. Pourquoi s'adresser à des saboteurs, au lieu de chercher chez nous ce qui demeure notre propre bien ?

C'est à l'intérieur de son habitation que la vieille femme cherchait la drachme ; chez un voisin que l'homme frappait à la porte ; le juge que sollicitait la femme pouvait bien être dur, ce n'était pas un ennemi. Nul ne saurait être édifié par celui qui ne sait que détruire ; nul n'est éclairé par celui qui n'est que ténèbres. Cherchons donc chez nous, auprès des nôtres et pour les choses qui sont nôtres... [5].

Dans le petit écrit qui a pour titre *De corona*, et dans lequel il justifie un soldat chrétien de n'avoir pas voulu recevoir une « couronne » refusée par lui comme un emblème païen [6],

---

1. 30, 9, trad. cit. p. 129. Cette intelligence correcte de l'Ecriture est attribuée par Tertullien à l'assistance que le Saint-Esprit donne à l'Eglise : ch. 28, p. 124-125.

2. Ch. 15, p. 109 ; ch. 37, pp. 139-140.

3. Ch. 17, p. 110 ; ch. 38, pp. 140-142.

4. 39, 5, p. 143.

5. 12, 3-5, p. 105. Cf. Irénée, *Adv. Haer.* V. 20, 1.

6. Sur l'épisode, cf. *Dict. archéologie chrétienne et liturgie*, Letouzey, art. Militarisme, XI, col. 1123-1124. Les adeptes de

Tertullien montaniste revient sur la tradition. Mais, alors le problème envisagé est celui de la valeur de « traditions » orales, qui n'ont pas de justifications scripturaires : traditions coutumières, pour ainsi dire, ayant pour objet un point de discipline, une attitude concrète :

> De ces comportements, et d'autres semblables, si l'on cherche la loi dans les Ecritures, on n'en trouve pas : c'est la tradition qui en est le principe (auctrix), la coutume qui les confirme, et la foi qui les observe [1].

En pareille conjoncture, Tertullien estime que la tradition a force de loi. Son existence présume un usage déterminé par les apôtres, et, d'ailleurs, il est juste d'étendre au domaine religieux la force d'obligation que le droit reconnaît à la tradition [2] :

> Les exemples cités nous permettent d'affirmer que même une *tradition non écrite* peut se défendre dans la pratique, si elle est confirmée par la coutume, en raison du témoignage que lui apporte le fait d'une observation continue. La coutume, dans le droit civil, est tenue pour loi, lorsque la loi fait défaut : il est indifférent qu'elle soit justifiée par un texte écrit ou par la raison, dès que la raison lui donne son accord... Il faut regarder, non celui qui transmet la tradition, mais l'autorité de celle-ci, et d'abord l'autorité de la coutume... [3].

Tertullien fait appel à un principe de droit bien connu : *Consuetudo pro lege suscipitur cum deficit lex*. Il admet que « la tradition, dans l'Eglise, supplée au silence de l'Ecriture, comme la coutume au silence de la loi... Et il a recours

---

Mithra, nombreux dans les armées impériales, refusaient également de porter la couronne : cf. *ibid.* art. Mithriacisme, XI, col. 1516-1520 ; 1531.
1. *De corona*, ch. IV ; P.L. 2, 80.
2. *Ibid.* ch. IV : P.L., 2, 81-82.
3. *Ibid.* ch. IV : P.L. 2, 81-82.

à la preuve cataloguée des *praeiudicia,* autrement dit des *exempla*... Ceux-ci établissent l'autorité de la tradition. Il s'en servira surtout pour
démontrer l'existence d'une tradition donnée :
c'est principalement dans sa période montaniste
qu'il cherchera à répondre ainsi au grief de
« nouveauté » de ceux qu'il appelle dédaigneu-
sement les « psychiques », touchant les pratiques qu'il voudrait imposer à l'Eglise : une
grande partie des discussions du *De monogamia*
et du *De ieiunio* consistera à opposer des
exemples anciens à ce reproche de prétendue
nouveauté. Les « psychiques » considèrent le
Paraclet — qui est la grande autorité des Mon-
tanistes — comme le « fondateur d'une discipline nouvelle », celle de la monogamie, *novae
disciplinae institutorem.* Mais regardons aux
origines du monde : « Il est précisément démon-
tré par nous que la discipline de la monogamie
n'est ni nouvelle, ni étrangère, mais au contraire
ancienne et proprement chrétienne, en sorte que
le Paraclet, on s'en rendra compte, l'a rétablie
plutôt qu'établie » [1]. « Ils nous objectent la
nouveauté », écrit le montaniste. Mais il n'est
que de remonter à l'autorité d'une coutume qui
a pour elle l'autorité de la plus haute antiquité [2]. » [3].

Cette argumentation de Tertullien montaniste,
appliquant à la tradition ecclésiastique le principe juridique de la *coutume,* suppléance de la
loi, nous intéresse à un double titre : d'abord
parce que nous constatons le passage de la tradition, permanence de l'enseignement apostolique, aux traditions disciplinaires, qui s'imposent, prétend Tertullien, en vertu d'une
prescription coutumière ; ensuite, parce que la
tradition, ainsi envisagée, représente non plus

---

1. *De monogamia,* ch. 2 et 4 : P.L. 2, 931, 934.
2. *De ieiuniis,* ch. 1 et 3 : P.L. 2, 955 ; 957-958.
3. Hélène Pétré, *L'exemplum chez Tertullien.* Chez l'auteur, 24, boulevard Victor-Hugo, Neuilly, pp. 24-25.

cette force apostolique si bien mise en valeur par Irénée, mais une force répressive, qui impose le poids d'usages anciens, juridiquement contraignants en raison même de leur ancienneté. C'est, pour ainsi dire, la tradition frein substituée à la tradition élan, la tradition disciplinaire d'usages établis substituée à la tradition inventive de la liberté spirituelle, où l'Esprit « rajeunit constamment » le chrétien dont il fait son temple.

Tertullien montaniste durcit ce qui, déjà, se manifestait chez Tertullien apologiste de la vérité catholique contre l'hérésie. Dans le *De praescriptione,* une nette tendance se faisait jour de préférer la règle de foi défensive et polémique, à la spontanéité du témoignage de la foi irénéenne, la doctrine apostolique à la Bonne Nouvelle [1], la possession à la confession. Dans les écrits polémistes du montaniste, la tradition se dégrade en traditions disciplinaires, et la liberté du Nouveau Testament cède la place à la sévérité rabbinique. Tertullien montaniste devient l'homme des « traditions des anciens », ces traditions que Jésus avait catégoriquement refusées.

Saint Irénée a tracé, de façon définitive, les grandes articulations de la théologie de la traditoin : la tradition, c'est la permanence, dans les églises par eux fondées, de l'enseignement des apôtres. La tradition est apostolique à un double titre : par son origine, attestée par « la succession des évêques », qui « reçoivent, avec la suc-

1. Cf. *De la prescription,* 29, 7, éd. cit. p. 126 : « *Ad eius doctrinae Ecclesiam scriptum est, immo ipsa doctrina ad Ecclesiam suam scribit : Et si angelus de caelo aliter evangelizaverit citra quam nos.* » C'est à l'Eglise dépositaire de cette doctrine... disons mieux : c'est cette *doctrine même* qui écrit à son Eglise : « Quand bien même un ange descendrait du ciel pour vous prêcher un autre évangile que le nôtre, qu'il soit anathème. »

cession apostolique, le charisme de la vérité »,
et par son contenu qui est le *kêrygma* enseigné
par les apôtres, transmis, conservé et livré dans
les églises apostoliques. Tout cela, au grand
jour, et non pas dans le chuchotement où les
gnostiques imaginent les entretiens ésotériques
des « parfaits », se redisant un pseudo-message
apostolique inconnu des chrétiens moyens...

L'objet essentiel de ce message apostolique,
de la tradition, c'est le Christ, annoncé par l'Ancien Testament qui trouve en lui son accomplissement. La tradition, par là, se manifeste distincte de l'Ecriture, et cependant étroitement
liée à elle. Elle en est le commentaire vivant, le
principe d'intelligence, la clé d'une lecture correcte et fructueuse. Hors de l'Eglise, où se
conserve la tradition apostolique, l'Ecriture,
estime Irénée, qui illustre son affirmation par
l'exemple des travestissements que la gnose lui
inflige, ne peut être abordée sans risques graves
d'incompréhension et d'erreur. On voit dès lors,
comment pour Irénée, Ecriture et tradition sont
en constante interaction et dépendance mutuelle : l'Ecriture, Parole de Dieu conservée
dans la tradition du peuple élu et des premières
communautés chrétiennes, requiert, pour être
comprise, l'environnement et l'appui de la Tradition ; celle-ci est au service de l'Ecriture, dont
elle met sa ferveur à comprendre et enseigner le
sens religieux.

Tertullien, dans le *De praescriptione,* reprend
les mêmes thèmes dans la perspective juridique
de sa polémique. Il fait siennes les affirmations
d'Irénée : s'il insiste peu sur l'accord des deux
testaments, dont il se borne à mentionner
l'unité, il redit, avec une éloquente vigueur, la
force que représentent, pour le juriste attentif
à l'argument de « prescription », les successions
apostoliques manifestes dans les églises. Seule
la grande Eglise *possède* l'Ecriture ; et l'Esprit,
demeurant en elle, lui assure cette intelligence

du message apostolique, venu du Christ, envoyé
de Dieu, qui, unanimement, apparaît dans toutes
les églises chrétiennes, par contraste avec la
diversité presque infinie de l'erreur hérétique.
« Ce qui se retrouve identique chez un grand
nombre ne vient pas de l'erreur, mais de la tradition » [1].

Chez Tertullien, cependant, la tradition, élan
vivant et force missionnaire pour Irénée, tend à
se durcir en argument juridique. Le polémiste
montaniste que deviendra le vigoureux champion de la succession catholique l'infléchira dans
un sens de « loi coutumière » : la référence
apostolique s'estompera, au profit de simple
note d'ancienneté, en même temps qu'on pas-
sera de *la tradition* doctrinale *aux traditions* disciplinaires, défensives et répressives.

Les Pères de l'Eglise, comme l'a montré le
P. Smulders [2], conserveront les perspectives
d'Irénée et de Tertullien. Sans doute, au fur et
à mesure que passent les générations, la référence apostolique se fait plus rare ; à partir
d'Athanase, on parle de la « tradition des
pères » : « On se contente de démontrer que la
doctrine catholique est la tradition, en prouvant
que des évêques anciens et vénérables, qui eux-
mêmes n'enseignaient que ce qu'ils avaient reçu
de leurs ancêtres, lui rendent témoignage. Mais
c'est toujours la succession historiquement
continue qui est le fondement de la tradition » [3].

Et le P. Smulders peut conclure son enquête
à travers la patristique :

Il existe une différence notable entre la preuve
de tradition, telle qu'elle fut élaborée par Irénée,
et telle qu'elle est développée au ive siècle. Est-ce

1. 28, 3, trad. cit., p. 125.
2. *Le mot et le concept de tradition chez les pères grecs*,
Recherches de science religieuse, XL, 1951-52 : Mélanges
Lebreton, II, pp. 41-62.
3. Art. cit. p. 57.

à dire que l'idée de tradition elle-même ait subi
une modification essentielle ? Aucunement. La tradition est toujours la doctrine apostolique en tant
qu'elle a été transmise par les générations successives et parvient ainsi jusqu'à nous. Sur cette idée
fondamentale tous nos auteurs sont d'accord. Seulement les hommes des premières générations post-
apostoliques pouvaient encore entrevoir le commencement de la chaîne, le point où le message
chrétien naît de la prédication apostolique, tandis
que leurs successeurs doivent se contenter de tenir
l'autre bout, par lequel il aboutit à eux. Mais sous-
jacente aux deux considérations est la même
conception fondamentale de la tradition : la tradition, c'est le message chrétien en tant qu'il nous
vient des apôtres par la chaîne continue de nos
ancêtres dans la foi [1].

1. Ibid. p. 61.

CHAPITRE IV

LA TRADITION
A L'ÉPOQUE DU CONCILE DE TRENTE

ÉCRIT probablement dans les années qui suivirent la mort de saint Augustin [1], le *Commonitorium* de saint Vincent de Lérins se rattache paradoxalement à l'époque de la Réforme. C'est en effet à ce moment que cet écrit anonyme [2] acquit la célébrité. « Presque oublié au moyen âge, il connut, après mille ans, un succès prodigieux : 35 éditions au XVIe siècle et 22 traductions, 23 éditions au XVIIe siècle et 12 traductions ; 12 éditions au XVIIIe siècle et 12 traductions ; 13 éditions au XIXe siècle et 21 traductions. Célébré, peu après son apparition, par saint Robert Bellarmin comme *libellus plane aureus,* par l'humaniste Pierre Pithou comme la première lecture

---

1. Le *Commonitorium* fut sans doute composé vers 434 : cf. J. Madoz, s.j. *El concepto de la tradicion en S. Vincente de Lerins*, Estudio historico-critico del « Commonitorio », Analecta Gregoriana, V. Rome, Pont. Univ. Greg. 1933, p. 48. G. Bardy, D.T.C. XV, art. Vincent de Lérins, col. 3045.

2. Par une modestie qui peut-être, cache quelque arrièrepensée, l'auteur se dissimule sous le pseudonyme de Peregrinus, « le moindre de tous les serviteurs de Dieu ».

qui avait ébauché sa conversion du calvinisme à la foi romaine, cité perpétuellement par Bossuet dans sa polémique avec les protestants ou contre Richard Simon et dans sa *défense de la Tradition et des saints Pères,* il eut enfin l'honneur de fournir au Concile du Vatican le dernier mot de la *Constitution dogmatique sur la foi* » [1].

Ce destin étonnant d'un petit livre qui met dix siècles à conquérir sa notoriété, s'explique assez bien. Le *Commonitorium,* selon le mot du P. Madoz, « marque une époque dans l'histoire de la tradition » [2]. Reprenant, mais avec plus de vigueur, et dans une intention polémique qui paraît certaine [3], l'argumentation de Tertullien, Vincent de Lérins se sert de la tradition pour combattre l'hérésie, ou ce qui lui paraît tel : le reproche essentiel qu'il articule est celui de *nouveauté.* A cette prétention d'enseigner des doctrines nouvelles, Vincent de Lérins oppose avec une éloquente fermeté la tradition des saints Pères. Le grand critère de la vérité, c'est à la fois l'antiquité et l'universalité, manifestées par l'unanimité : *quod ubique, quod semper, quod ab omnibus.* Certes, tout progrès dogmatique n'est pas absolument refusé ; mais il n'est légitime que s'il demeure dans la ligne de ces critères fondamentaux.

Mais, dira-t-on, la religion n'est donc susceptible d'aucun progrès dans l'Eglise du Christ ? Certes, il faut qu'il y en ait un, et considérable. Qui serait assez ennemi de l'humanité, assez hostile à Dieu pour essayer de s'y opposer ? Mais, sous cette réserve que ce progrès constitue vraiment pour la

1. A. d'Alès, *La fortune du Commonitorium,* Recherches de science religieuse, XXVI, 1936, p. 334.
2. J. Madoz, *op. cit.* p. 89.
3. Vincent apporte son appui à la polémique semi-pélagienne contre la théologie augustinienne de la grâce : cf. J. Madoz, *op. cit.* ch. II, pp. 59-89 ; A. d'Alès, art. cit. pp. 347-356 ; G. Bardy, art. cit. col. 3048-3049.

foi un progrès et non une altération : le propre
du progrès étant que chaque chose s'accroît en
demeurant elle-même, le propre de l'altération
qu'une chose se transforme en une autre. Donc,
que croissent et que progressent largement l'intelligence, la science, la sagesse, tant celle des individus que celle de la collectivité, tant celle d'un
seul homme que celle de l'Eglise tout entière, selon
les âges et selon les siècles — mais à condition
que ce soit exactement selon leur nature particulière, c'est-à-dire dans le même dogme, dans le
même sens, dans la même pensée [1].

L'argument de tradition prend ici, décidé-
ment, un caractère polémique : il est mis en
valeur pour combattre et rejeter les doctrines ou
opinions combattues, refusées en raison même
de leur caractère de nouveauté. Ce qui entraîne
un double infléchissement de la notion de tradition : d'une part, elle représente un critère de
jugement théologique, utilisé *contre* des positions qui semblent présenter le défaut rédhibi-
toire d'être « nouvelles ». Et cette attitude, en
soi légitime, tend à durcir la tradition en arme
défensive, en principe de refus, au titre d'une
possession qui s'estime menacée : l'argument
de Tertullien est, pour ainsi dire, poussé à bout.
« Saint Vincent, écrit justement G. Bardy, ne
redoute rien tant que la nouveauté et le changement... » Les possibilités de développement
qu'il reconnaît légitimes sont surtout « un travail de conservation : la maison est bâtie, la
vérité est crue ; mais les novateurs travaillent
à la miner et les croyants eux-mêmes se montrent hésitants : que l'Eglise affirme, qu'elle
définisse la vérité et qu'elle condamne explicitement l'erreur » [2]. Attitude légitime, bien plus,
indispensable et urgente en temps de crise : on

1. Ch. XXIII. Trad. de Labriolle, *Vincent de Lérins*, La
pensée chrétienne, Bloud, 1906, pp. 92-93. La dernière phrase
est citée au Concile du Vatican, Denz. 1800.
2. D.T.C. XV, col. 3054.

comprend l'adhésion que lui donnèrent, par un
réflexe, pour ainsi dire, spontané et salutaire,
les théologiens du XVI⁰ siècle, aux prises avec la
« nouveauté » protestante.

D'autre part, la tradition tend à imposer le
primat de l'ancien comme ancien, du possédé et
de l'acquis comme tel : « Nous suivrons, écrit
Vincent, l'antiquité, si nous ne nous écartons en
aucun point des sentiments manifestement par-
tagés par nos saints aïeux et par nos pères » [1].
Principe excellent, mais qui met dans l'ombre,
tout de même, la « force de la tradition » dont
parlait avec tant de foi saint Irénée.

Dans le succès que firent au *Commonitorium*
les théologiens de la « Contre-Réforme », il y a
quelque chose de significatif, et que l'histoire
nous permet de comprendre. Vincent de Lérins,
dans l'attitude un peu butée de sa polémique
feutrée contre la théologie augustinienne de la
grâce, a donné à la tradition un visage qui
convient aux époques de lutte et de combat
défensif. Il en fait un argument majeur contre
l'hérésie, et ramène celle-ci à une « nouveauté »
dangereuse : et par là, une sorte d'équivalence
risque de s'établir entre hérésie et nouveauté,
foi de l'Eglise et ancienneté. Ce qui expose à
quelques confusions, et enlève à l'indispensable
polémique le caractère audacieux et constructif
qu'un saint Irénée (qui n'hésitait pas à emprun-
ter aux gnostiques leurs formules, pour les
redresser dans le sens orthodoxe) lui avait
donné. Il est permis, sans contester leur opportunité, de trouver un peu courts les commentaires que donne Vincent des conseils de saint
Paul :

L'habitude et la loi de presque toutes les hérésies, c'est d'aimer « les nouveautés profanes », de
mépriser les maximes de l'Antiquité, et par « les
objections d'une prétendue science, de faire nau-

1. II, 6. Trad. de Labriolle, *op. cit.* p. 8.

frage loin de la foi ». Au contraire, le propre des
catholiques est de garder le dépôt confié par les
saints Pères, de condamner les nouveautés profanes, et comme l'a dit et répété l'apôtre, de crier
« anathème » à « quiconque annonce une doctrine
différente de celle qui a été reçue » [1].

La théologie du *Commonitorium* représente
l'aspect défensif de la tradition, mais elle ne
saurait se proposer comme vraiment complète.
Ce brillant opuscule, qui, au dire du P. d'Alès,
« ne manque ni d'érudition ni de style, ni même
d'un sincère attachement à l'Eglise, mais, à tout
prendre, manque de mesure et d'équilibre » [2]
ne fait pas assez de place à l'action toujours
inventive de l'Esprit Saint « qui rajeunit
constamment » selon le mot d'Irénée, l'Eglise en
qui il demeure actif.

Le Concile de Trente a traité de la tradition
dans sa IVᵉ session, dont le décret, laborieusement élaboré, fut promulgué le 8 avril 1546 [3] :
c'est là, on le sait, le seul texte du Magistère suprême qui traite de la tradition. Il en
affirme l'existence, et l'authenticité de la transmission qu'elle assure de la « Bonne Nouvelle »,
promise par les prophètes, promulguée par
Jésus-Christ, transmise par les apôtres :

Le Saint Concile de Trente... ayant toujours
devant les yeux le dessein de conserver dans
l'Eglise, en détruisant toutes les erreurs, la pureté
de l'Evangile, qui, après avoir été promis auparavant par les prophètes dans les saintes Ecritures,
a été publié d'abord par la bouche de Notre-Sei-

1. XXV, 12, *ibid.* p. 104. L'accusation de « nouveauté »
portée contre l'hérésie est classique chez les Pères.
2. Art. cit. p. 356.
3. Décret *Sacrosancta*, Denz. 783 ; cf. notre étude sur la
Tradition d'après le Concile de Trente, Recherches de science
religieuse, XLVII, 1959, pp. 367-390.

gneur Jésus-Christ, Fils de Dieu, ensuite par ses apôtres auxquels il a donné la mission de l'annoncer à toute créature, comme étant la source de toute vérité salutaire et de toute discipline des mœurs ; et considérant que cette vérité et cette règle morale sont contenues dans les livres écrits et *dans les traditions non écrites, qui, reçues de la bouche même du Christ par les apôtres, ou par les apôtres à qui l'Esprit Saint les avait dictées, transmises comme de main en main, sont parvenues jusqu'à nous* ; le Concile donc, suivant l'exemple des Pères orthodoxes, reçoit tous les livres tant de l'Ancien que du Nouveau Testament... *ainsi que les traditions concernant tant la foi que les mœurs, comme venant de la bouche même du Christ ou dictées par le Saint Esprit et conservées dans l'Eglise catholique par une succession continue ; il les reçoit et les vénère* avec un égal respect et une piété égale [1].

Comme il est facile de s'en rendre compte, cette longue période ne traite pas de manière autonome le problème de la tradition. Elle le joint à celui de l'Ecriture, montrant, dans une belle synthèse, comment est venu jusqu'à nous le message évangélique. Celui-ci est présenté comme une source, « la source de toute vérité salutaire et de toute discipline morale ». Par quelle voie « cette vérité et cette règle morale » nous atteignent-elles ? Par le canal conjoint de l'Ecriture et de la Tradition. Le Concile évoque le cheminement de la tradition, qui, des apôtres, passe, de génération en génération, « comme de main en main », et finalement nous parvient. L'origine apostolique de la tradition est fortement affirmée, comme aussi l'objet précis de cet

1. Denz. 783. Trad. A. Michel, D.T.C. XV, art. Tradition, col. 1311-1312. Au décret fut ajouté l'anathème : « Si quelqu'un ne reçoit pas (comme canoniques) ces livres entiers (dont le Concile vient de donner la liste)... et s'il méprise en connaissance de cause et de propos délibéré les traditions susdites, qu'il soit anathème » : Denz. 784 ; trad. D.T.C. XV, col. 1312. Dans la transcription du décret, nous avons souligné les formules ayant trait à la tradition.

enseignement oral : le Concile répète qu'il s'agit
« de la foi et des mœurs », au sujet desquelles
« une succession continue », nous maintient,
pour ainsi dire, au contact de l'âge apostolique.

Apostolicité de la tradition, caractère oral de
sa transmission ininterrompue, de la première
génération à la nôtre, contenu doctrinal et
moral de son message, tels sont les traits marquants de la tradition telle que la présente la
session IV du Concile de Trente. Sa distinction
d'avec l'Ecriture est implicitement affirmée,
puisque l'on nous dit que « la vérité et la règle
morale de l'Evangile sont *contenues* dans les
livres écrits *et* les traditions... » et puisque l'on
assigne à celles-ci des caractères qui les distinguent évidemment des Ecritures inspirées.

Mais, ce texte, d'une belle densité synthétique,
a besoin, pour être clairement compris, d'être
éclairé par l'histoire des travaux des Pères du
Concile, durant les deux mois où ils l'élabo-
rèrent [1].

Au cours des trois premières sessions (décembre 1545-janvier 1546), les évêques présents au
Concile, fort peu nombreux, attendant l'arrivée,
au compte-goutte, de leurs confrères retardés
par les événements, le mauvais vouloir des
princes, la saison et l'état des routes, ne purent
qu'accomplir les opérations préliminaires :
déclaration de l'ouverture du « saint Concile
œcuménique », mise en place tâtonnante de
commissions, profession de foi initiale. De
fermes discours des légats pontificaux rappe-
lèrent le triste état de la chrétienté, l'urgence
d'une réforme et la ferme volonté du Saint-
Siège d'y travailler de manière effective. L'œuvre
doctrinale et disciplinaire du Concile s'annonçait considérable, par son ampleur et par les

---

1. L'histoire des délibérations et travaux préparatoires au
décret *Sacrosancta* a été racontée bien des fois : cf. Recherches
de science religieuse, XLVII, 1959, pp. 368 et suiv. (avec
bibliographie).

difficultés auxquelles elle allait se heurter. La propagande protestante, insidieuse ou brutale, tolérée ou même approuvée ici ou là, combattue ailleurs, mais vigoureuse et tenace, faisait son chemin à travers la plupart des régions de l'Europe ; et de bons juges pouvaient se demander s'il n'était pas trop tard, si l'on pouvait encore espérer que le Concile aboutirait à réaliser ce que l'on attendait, impatiemment, de sa convocation.

La troisième session, qui se tint le 4 février 1546, déclara donner pour « fondement ferme et unique » de l'œuvre du Concile « le symbole de foi de l'Eglise catholique... sur lequel doivent nécessairement s'accorder tous ceux qui professent la foi chrétienne »[1]. Ce n'était là qu'un prélude, et qui posait lui-même une question importante : le protestantisme ne permettait pas de l'éluder, et les Pères décidèrent d'en faire l'objet de leur premier travail : quelles sont les sources de la foi chrétienne ? Adhésion à la révélation divine, la foi chrétienne est comme une rencontre de l'homme et de la parole de Dieu. Mais où se trouve « contenue » (c'est le mot même du décret *Sacrosancta*) cette révélation, quelles sont les transmissions par lesquelles nous parvient le message du Christ, et la Bonne Nouvelle de Celui en qui le Père nous a parlé ?

Les Pères n'ignoraient pas la réponse péremptoire que les Protestants faisaient à cette question : l'Ecriture *seule* est source de la foi, car *seule* elle contient la révélation. Il faut donc s'attacher à toute l'Ecriture, et rejeter tout ce qui n'est pas l'Ecriture elle-même :

> Le fidèle chrétien, disait Luther à Leipzig en 1519, ne peut être contraint à admettre quoi que ce soit au-delà de l'Ecriture sainte, qui est à proprement parler le droit divin, à moins que ne sur-

[1]. Denz. 782.

vienne une autre révélation bien démontrée. Bien plus, le droit divin nous interdit de croire autre chose que ce qui est prouvé par l'Ecriture ou par une révélation manifeste.

Et le corollaire de cette attitude sera formulé dans cette phrase du traité contre la messe, écrit en novembre 1521 :

Tout ce qui n'est pas dans l'Ecriture est tout simplement une addition de Satan (*additamentum satanae*).

Donc rejet de toute tradition ecclésiastique, parce que c'est là, nécessairement, une addition « humaine » à l'Ecriture. Pour comprendre cette intransigeance, il faut se souvenir de l'idée pessimiste que se fait Luther de la nature humaine, corrompue de manière irrémédiable par le péché : ce qui vient de l'homme non seulement n'est pas de Dieu, mais s'oppose à Dieu. Le chrétien ne doit obéissance qu'à la Parole de Dieu contenue dans la Bible. Dès lors, il doit refuser ces « traditions ecclésiastiques » que sont les cérémonies (y compris la messe romaine, rejetée par Luther dès 1521), les jeûnes, les indulgences, les dévotions... Comme il l'écrit en tête d'une liste de ces usages dont il décrète l'abrogation, « ils sont contre l'Evangile » [1].

Les autres réformateurs partageront et imposeront pareille intransigeance :

Les traditions humaines, dira Melanchton dans la Confession d'Augsbourg, instituées (soi-disant) pour apaiser Dieu, mériter la grâce et satisfaire pour les péchés, sont en réalité opposées à l'Evangile et à la doctrine de la foi. Aussi les vœux et les traditions sur les aliments, les jours à observer, etc... institués pour mériter la grâce et satisfaire pour les péchés, sont-ils inutiles et contraires à l'Evangile [2].

1. Textes cités dans D.T.C. XIII, art. Réforme, col. 2039-2040.
2. Art. XV, 4, cité dans D.T.C. XV, col. 1309.

Dans *l'Institution chrétienne,* Calvin parle de ces
« vaines traditions, qui nous amusent à des observations pour la plus grande part inutiles et mesme
quelquefois sottes et contre raison... La multitude
en est si grande que les consciences fidèles en sont
offensées et estant réduites à une espèce de Juif-
verie, s'arrêtent tellement aux ombres qu'elles ne
peuvent venir à Christ ». Dans son commentaire
de l'Epître aux Colossiens, Calvin déclarera que
« c'est faire injure à Christ que de tenir les traditions humaines » [1].

Les présidents du Concile de Trente semblent
avoir d'abord été plus attentifs à la mauvaise
interprétation des Ecritures par les Réformés
qu'à cette attaque massive contre les traditions.
Un premier schéma de travail, remis le 8 février
1546 aux Pères, assigne comme objet de la
IVᵉ session, que l'on commence à préparer, sans
hâte d'ailleurs, « les livres canoniques de la
sainte Ecriture », et les « abus » qui peuvent
s'introduire dans leur utilisation.

Cependant, une note subséquente, remise le
11 février, déclare qu'il faudra aussi « faire
quelque mention » des « traditions apostoliques, que nous avons *en plus* (ultra) des écri-
tures du Nouveau Testament », et demande
de réfléchir à la manière « dont cette mention
pourra être faite ». Par ce biais, s'introduit dans
les préoccupations du Concile la question de la
tradition. Ou plutôt (car le mot sera toujours
employé au pluriel) *des traditions.* Il est difficile de s'interdire de penser que les Pères, dont
beaucoup n'avaient pas eu contact direct avec
les Protestants, ont accepté, avec leur terminologie, leur optique, et, sans trop s'en rendre
compte, ont laissé le débat s'engager sur le
terrain de l'adversaire. Or, si les traditions cultuelles et disciplinaires sont une expression légi-

---

1. *Institution chrestienne,* L. IV, ch. 10 ; *Commentaire de
l'Epître aux Colossiens,* II, 22, cités *ibid.,* col. 1310. Toute la
polémique s'appuie sur Mt. 15, 1-9.

time de la tradition apostolique, elles sont infiniment plus changeantes, relatives, et, il faut
dire le mot, humaines : parce que traditions de
l'Eglise apostolique, elles sont respectables et
ne peuvent être rejetées comme des superféta-
tions qui feraient écran entre le fidèle et la
parole de Dieu : c'est tout le problème de
l'Eglise du Christ qui est posé par l'existence de
ces traditions. Les refuser en bloc, avec les
Réformateurs, c'est refuser l'Eglise du Christ. Il
demeure, comme le diront avec force certains
Pères du Concile, qu'il y a traditions et traditions, et qu'on ne peut accorder à toutes, indistinctement, la même autorité et la même valeur
au regard de la foi.

Les traditions, dira le jésuite Le Jay, procureur
du cardinal Otto Truchsess, possèdent dans
l'Eglise une inégale autorité, et donc ne peuvent
être envisagées de la même façon. Certaines ont
rapports avec la foi, et possèdent la même autorité que l'Evangile, d'autres sont relatives à des
usages qui ont pu changer, comme celles qui inter-
dirent, à un moment, les secondes noces ou l'usage
de certains aliments [1].

Cette importante intervention met en lumière
la complexité des problèmes posés par ces traditions, que les Protestants rejetaient en bloc.
A ce radicalisme, il ne pouvait, de la part du
Concile, être question d'opposer, si l'on peut
dire, un radicalisme inverse, et de canoniser
toute tradition. Il n'était même pas possible
d'établir une distinction nette, une ligne de
démarcation franche entre deux groupes de traditions, les traditions doctrinales et les traditions disciplinaires. Comme le fit remarquer le
cardinal Cervini, légat pontifical, prenant à son
compte les remarques du Père Le Jay, il existe
des points de contact, par exemple les sacre-

---

1. Conc. Trid., V p. 13. Recherches de science religieuse,
XLVII, p. 377.

ments, où la tradition doctrinale s'exprime en tradition liturgique ; on ne saurait donc accepter sans nuances la distinction que certains proposaient entre des rites purement « ecclésiastiques » et des enseignements doctrinaux venant des apôtres. Pour ne pas parler de la messe, continuait le légat, l'observance du Carême ne remonte-t-elle pas aux temps apostoliques ? [1].

Découvrant ainsi la difficulté du problème, par ailleurs pressés par le temps et retardés par des discussions parfois mal engagées, les Pères du Concile prirent le parti le plus sage : ils se refusèrent à élaborer une théologie complète de la tradition, à en donner une définition ou une description exhaustive, à dresser le catalogue des authentiques traditions « de peur, remarquat-on, qu'on n'estime périmées celles que nous pourrions avoir oubliées » [2]. Ils se contenteront d'affirmer l'existence de « traditions apostoliques orales, parvenues jusqu'à nous par une succession continue » et de déclarer qu'elles « contiennent » aussi (avec l'Ecriture) le message évangélique. C'est là, croyons-nous, le sens précis de ce qui, dans le décret *Sacrosancta*, concerne la tradition. Il laisse ouvertes bien des questions, mais face au protestantisme, il déclare comme un point que nul catholique ne peut mettre en doute, que la tradition est une authentique voie par laquelle la révélation nous parvient : « Nul ne peut, sous peine d'anathème, mépriser en connaissance de cause (*sciens et prudens*) les traditions susdites » [3].

Quelques détails de rédaction méritent encore d'être remarqués. Le Concile ne dit pas que la

---

1. Ibid. p. 378.
2. « Quelles sont ces traditions elles-mêmes ? dit Cervini, nous pensons qu'il faudra en traiter en son temps » : Conc. Trid. I, p. 492. En dépit de cette intention, le travail ne fut jamais accompli par le Concile.
3. Denz. 784.

tradition est, à proprement parler une « *source* » de la révélation. Le mot *fons*, dans le décret *Sacrosancta*, est réservé à l'Evangile « que Notre-Seigneur ordonna à ses apôtres d'annoncer à toute créature, *comme source (tanquam fontem)* de toute vérité salutaire et de toute discipline de mœurs ». Cette vérité salutaire et cette règle morale, continue le décret, sont contenues dans les livres écrits et les traditions non écrites... Il n'est donc pas exact de parler de « deux sources » de la révélation, qui seraient l'Ecriture et la Tradition. Cette formule n'est pas celle qu'ont retenue les Pères du Concile. De plus, ils ont finalement exclu une autre formule qui leur était proposée : « Considérant, disait l'avant-projet discuté le 22 mars, que cette vérité et cette règle morale sont contenues *en partie (partim)* dans les livres écrits, *en partie* dans les traditions orales » [1]. Cette manière de parler, qui semblait dire que l'Ecriture ne contenait qu'une partie de la révélation, fut fortement critiquée. Le général des Servites Bonucci s'éleva contre l'emploi de l'adverbe *partim* : « J'estime que toute la vérité de l'Evangile, dit-il, est consignée dans l'Ecriture » [2]. On tomba d'accord finalement, sur la formule qui figure dans le décret *Sacrosancta* : « Considérant que cette vérité et cette règle morale sont contenues dans les livres écrits *et* dans les traditions non écrites. » L'idée de deux transmissions « partielles » est ainsi écartée. On affirme simplement qu'il faut chercher *à la fois* dans les Ecritures et dans les traditions (sans approfondir davantage le problème de leurs relations, mais en affirmant cependant leur nette distinction et complémentarité, contre les protestants) l'authentique témoignage des apôtres. Exclure les

---

1. Conc. Trid., V, p. 31 : Recherches de science religieuse, art. cit. pp. 381 et suiv.
2. Ibid. I p. 525 : art. cit. p. 384.

unes ou les autres, c'est le mutiler. Car il n'y a
qu'une source de la révélation du Nouveau Testament : la parole des apôtres, le message vivant
qu'ils ont confié à l'Eglise, message reçu du
Christ conservé et transmis par l'assistance du
Saint-Esprit. Ce témoignage nous parvient par
deux canaux distincts, mais ayant une commune
origine, et porteurs, en conjonction, d'une seule
et unique doctrine de vie [1].

Une dernière formule fut aussi l'objet d'une
ardente discussion, mais obtint, à la fin, l'adhésion d'une forte majorité : « (le Concile) reçoit
(les Ecritures et les traditions) et les vénère
avec un égal respect ». Le *pari pietatis affectu*
parut à plusieurs ne pas assez marquer la différence objective qui existe entre l'Ecriture et
les traditions ; ils auraient préféré un adjectif
comme *similis* [2]. Querelle de mots qui n'avait
pas, en fin de compte, une importance considérable. L'essentielle préoccupation du Concile
était de bien marquer qu'en opposition aux protestants, il « recevait », comme transmission
véritable de la révélation, les traditions apostoliques : ce que marquait bien la formule, dont
il ne faut pas oublier l'intention et le but : *pari
pietatis affectu suscipit et veneratur.*

Tel est le décret *Sacrosancta*, par lequel
l'Eglise catholique affirma de façon décisive,
face au refus des Réformés, l'existence d'une
tradition apostolique, relative aux questions doctrinales et morales, dont la transmission orale
ininterrompue garantit la communion avec l'âge
apostolique, et manifeste qu'elle est un canal par
lequel nous parvient leur message. Il eut peut-
être été souhaitable que, dépassant la complexe
multiplicité des traditions qui s'offraient à eux,
les Pères aient plus fermement marqué l'unité

---

1. Art. cit. p. 38, cf. J. Beumer, dans *Scholastik*, XXXIV, 2
(1959) pp. 253 et suiv.
2. Conc. Trid., V, pp. 53-55 : art. cit. p. 385.

de la tradition. Il reste qu'ils ont pris résolument position en faveur de *la* tradition, par la reconnaissance accordée aux traditions apostoliques.

★

La discrétion du décret *Sacrosancta* ne semble pas avoir été bien comprise des théologiens immédiatement postérieurs. Soucieux, par nécessité, de réagir contre les erreurs protestantes, ils ont, si j'ose dire, glissé sur la pente facile d'opposer, trait pour trait, leurs affirmations aux négations des Réformateurs : ceux-ci refusent et condamnent la tradition au profit de la seule Ecriture ; on défendra donc la Tradition comme une « source » autonome et se suffisant pleinement à elle-même.

Déjà, le fameux *Catéchisme* de saint Pierre Canisius rétablit le *partim... partim* que les Pères de Trente avaient finalement exclu de leur décret, et, par là, lui donne droit de cité dans l'enseignement pastoral, la prédication et la catéchèse : présentant l'ensemble des vérités « que doit croire le chrétien », au terme d'un premier chapitre consacré à la foi, le saint Docteur écrit : « Telles sont les vérités qui découlent nécessairement, comme de sources divines (*velut divinis fontibus*), en partie (*partim*) des articles du symbole, en partie (*partim*) des Ecritures » [1].

Pour Melchior Cano, dont on sait quelle influence exercera, sur l'enseignement de la théologie, le *De locis theologicis*, la « tradition apostolique » constitue un « lieu théologique fondamental », à côté de l'Ecriture Sainte. Elle fournit au théologien des arguments sûrs et

---

1. S. Petri Canisii, *Catechismi latini*, I, 1 Soc. Jesu selecti sriptores, Rome, Pont. Univ. Greg. 1933, p. 91. Le catéchisme du Concile de Trente dit simplement : « Toute la doctrine dont les fidèles doivent être instruits, est contenue dans la parole de Dieu, qui est distribuée dans l'Ecriture et les traditions », Préface, § 19.

pleinement valables, car elle manifeste l'origine
apostolique d'une doctrine ou d'un usage, et
permet ainsi de discerner le vrai du faux, le
divin de l'humain [1]. Les exemples que donne
Cano n'ont qu'un intérêt relatif, encore qu'ils
mêlent de façon curieuse des points de doctrine,
des usages liturgiques, des faits historiquement
contestables [2]. Plus significative est la justification que fournit notre théologien de l'importance qu'il accorde à la tradition, comme « lieu
théologique ». Dans la préoccupation de la polémique antiprotestante, on constate qu'il l'oppose
à l'Ecriture, se situant résolument dans une
perspective dualiste. Le Père A. Gardeil a
résumé en propositions claires l'argumentation
touffue et un peu confuse des chapitres 4 à 6 du
troisième livre :

> *Existence de la tradition.* Cano la prouve en
> quatre propositions, fortement appuyées de leurs
> preuves : l'Eglise est antérieure à l'Ecriture, et,
> par suite, le lieu théologique de son autorité
> déborde l'Ecriture. — Toute la doctrine chrétienne
> n'est pas exprimée dans les saintes Lettres. —
> Beaucoup de dogmes ne se rencontrent, ni claire-
> ment, ni confusément, dans l'Ecriture. — Les
> Apôtres ont livré toute une partie de leur ensei-
> gnement de vive voix.
> *Certitude des traditions apostoliques.* Quatre
> préceptes : L'exemple des apôtres qui ont confirmé
> la foi et établi les mœurs à l'aide de traditions
> orales ou des coutumes de l'Eglise autorise le théo-
> logien à regarder la tradition non écrite comme
> un moyen de preuve efficace. — Les plus graves
> autorités de l'antiquité chrétienne, par exemple
> saint Irénée, Tertullien, saint Basile, reconnaissent
> à la tradition et aux institutions de l'Eglise, issues
> des apôtres, la même autorité qu'à l'Ecriture. —
> Les Pères de l'Eglise objectent perpétuellement

1. De *locis theologis*, III, ch. 4, début. Patavii, Typis Semi-
narii, 1762, p. 87.
2. Par exemple quand il attribue aux apôtres (*sic*) l'institution des ordres mineurs...

aux hérétiques la tradition ecclésiastique non
écrite. — Le Concile de Nicée et celui de Trente
consacrent l'autorité des traditions apostoliques
comme égale à celle de l'Ecriture [1].

La tradition apostolique apparaît clairement,
on le voit, comme quelque chose de fondamen-
talement distinct de l'Ecriture ; et la comparaison instituée entre les deux « sources »
tourne volontiers à l'avantage de la tradition.
Il y a là, certes, la mise en valeur d'un fait
important : l'Ecriture, n'est pas un « en-soi »,
mais elle naît de la Tradition, elle l'exprime et
la fixe, et ne prend sa signification que remise
dans le milieu vital où elle s'origine : Melchior
Cano a raison de répondre aux protestants qui
en appellent à l'Ecriture seule et prétendent
s'en tenir à la seule Ecriture : « Bien des points
concernant les mœurs et la doctrine chrétienne
ne se trouvent pas dans l'Ecriture : il est
naïf (*stultum*) de demander une Ecriture pour
toutes choses » [2]. Il pourrait ajouter plus fortement qu'il ne le fait, que, hors de l'interprétation traditionnelle, l'Ecriture ne saurait être
comprise.

Mais l'entraînement de la polémique pousse à
oublier que l'Ecriture est véritablement Parole
de Dieu, qu'elle est inspirée et demeure la
grande règle de foi du chrétien qui la lit dans
l'Eglise. La « règle de foi », rapportée à la tradition seule, n'est guère présentée comme la formule d'une adhésion aux mystères qui nous sont
transmis par l'Ecriture. D'où la tendance à donner une sorte de primat, dans la perspective
dualiste où se placent les théologiens de la
Contre-Réforme, à la Tradition sur l'Ecriture.
Les cinq règles que donnera saint Robert Bellarmin, pour « reconnaître les véritables traditions » s'inspirent de cette idée que la Tradition

1. D.T.C. IX, art. Lieux théologiques, col. 725.
2. Ch. VI, édit. cit. p. 92.

non seulement est un complément de l'Ecriture, mais la dépasse par son extension et par son autorité :

Quand l'Eglise universelle reçoit comme un dogme de foi une vérité qui n'est pas contenue dans l'Ecriture, on peut être assuré que cette vérité provient de la tradition apostolique. Quand l'Eglise universelle conserve une institution que Dieu seul a pu établir et qui cependant ne se trouve consignée en aucune Ecriture, on peut être assuré que cette institution vient du Christ ou des apôtres.

Une institution que l'Eglise universelle a toujours conservée dans les siècles passés, doit à juste titre être considérée comme une institution apostolique, même si elle pouvait à la rigueur être une institution purement ecclésiastique.

Si tous les Pères de l'Eglise, soit réunis en Concile général, soit écrivant séparément, sont unanimes pour affirmer l'origine apostolique d'une vérité ou d'une institution dans l'Eglise, il faut croire qu'en effet, on se trouve en face d'une tradition apostolique.

Si, dans une Eglise, on peut, par la succession des évêques, remonter sans interruption à un apôtre et si on peut démontrer qu'aucun évêque n'a introduit à un moment donné une doctrine nouvelle, il faut tenir pour certain que cette Eglise a conservé les traditions apostoliques [1].

Inutile d'insister sur la sûreté pratique de telles règles qui codifient, en formules magistrales, l'enseignement le plus « traditionnel », celui d'un saint Augustin et d'un saint Irénée : ne sont-elles pas passées dans l'enseignement commun des théologiens, comme les normes indiscutées de l'argument de la tradition ? Les principes de Bellarmin demeurent, pour le théologien un guide assuré, ils éclairent sa recherche, et permettent de comprendre l'attitude de

---

1. *De Verbo Dei*, livre IV, ch. 9. Opera omnia, Coloniae Agrippinae, 1620, I, col. 192-195. Trad. A. Michel, D.T.C. XV, art. Tradition, col. 1324.

l'Eglise, quand, au terme d'une exacte recherche
historique, elle admet et déclare que tel point de
doctrine appartient à la véritable tradition, et
donc fait partie du donné révélé. L'histoire des
dogmes récemment définis leur apporte un écla-
tant *confirmatur*.

Mais leur perspective est cependant celle de
la polémique antiprotestante : à l'Ecriture, que
mettent en avant les Réformateurs, on oppose la
tradition. Les deux « sources » que n'avait pas
voulu mettre en compétition le Concile de Trente
sont nettement, en dichotomie trop tranchante,
opposées dans les deux premières règles du
Controvertiste romain.

Cano et Bellarmin ont du moins le grand
mérite d'avoir souligné que la tradition est celle
de l'Eglise, et qu'elle manifeste cette continuité
insécable qui relie l'Eglise présente aux apôtres
ses fondateurs. Melchior Cano, il est vrai, distingue, dans son énumération des « lieux théologiques », la tradition des apôtres de « l'autorité de l'Eglise catholique » et des Conciles.
Mais cette énumération analytique des sources
d'arguments ne doit pas nous faire prendre le
change : « l'Eglise catholique » et les Conciles
s'inscrivent dans l'argument de tradition ; ils
représentent plus une analyse de cet argument
fondamental qu'un apport nouveau de preuves
hétérogènes. « Les lieux théologiques (que Cano
ajoute à l'Ecriture et à la Tradition), dit le
P. Marcotte, n'ajoutent rien au dépôt révélé,
intégralement contenu dans les Livres canoniques et dans les traditions apostoliques ; mais,
ils nous transmettent, ils nous interprètent et
nous développent ce dépôt : « Ni les Conciles, ni
le Siège apostolique, écrit Cano lui-même, ni les
interprètes de la sainte Ecriture n'apportent de
nouvelles révélations, mais ils livrent dans son
intégrité et sa pureté la révélation que l'Eglise
reçoit des apôtres, ou bien ils l'expriment et
l'interprètent, ou ils montrent les conclusions

qu'on en tire légitimement, repoussant celles qui seraient en contradiction avec elle » [1]. Toute l'argumentation de Bellarmin, en faveur de la tradition, est une reprise de certaines perspectives d'Irénée : la tradition est nécessaire parce qu'elle nous conserve la totalité de l'enseignement apostolique, qui fut d'abord une prédication, et dont le *Nouveau Testament* n'a consigné que certains traits majeurs. Entraîné par le principe dualiste que cristallise le *partim... partim*, exclu du décret de Trente, le saint Docteur a des formules vigoureuses : « L'Ecriture est une règle de foi, non totale, mais partielle (*non totalem, sed partialem*). La règle de foi totale est la parole de Dieu, ou la révélation de Dieu faite à l'Eglise ; elle se divise en deux règles partielles (*regulas partiales*), l'Ecriture et la Tradition... L'Ecriture n'étant pas règle (de foi) totale, mais partielle, elle ne mesure pas tout, et il y a des éléments de la foi qui n'y sont point contenus » [2]. Il reste qu'il considère toujours la tradition comme la mémoire vivante que conserve l'Eglise de l'enseignement des apôtres.

Et par là, quoique nos auteurs n'aient guère souligné cet aspect, la tradition apparaît comme la norme d'intelligence d'une Ecriture qui réclame constamment son commentaire vivant, venu des apôtres jusqu'à nous. « Le problème de la tradition, note M. A. Michel à propos de Melchior Cano, est ici à son point essentiel, puisque le sens exact des Ecritures... relève lui-même de l'enseignement apostolique » [3]. C'est en ce sens qu'il faut entendre la formule bellarminienne : « Les Ecritures, sans les traditions, ne sont pas suffisantes » [4]. Pour qu'elles se

---

1. E. Marcotte, o.m.i., *La nature de la théologie d'après Melchior Cano*, Ottawa, 1949, p. 116, citant *De locis, XII*, 2, édit. cit. p. 317.
2. *De Verbo Dei*, IV, 12, édit. cit., col. 209.
3. D.T.C. XV, ol. 1322.
4. *De Verbo Dei*, IV, 4, édit. cit., col. 172.

« suffisent », en effet, il faut qu'elles soient portées par l'environnement de la tradition, qui les entoure du commentaire vivant de l'enseignement apostolique.

Ce que, prenant la suite des théologiens dont nous venons de parcourir les œuvres, disait, en une fort belle langue, Bossuet dans son *Exposition de la Doctrine catholique* :

Jésus ayant fondé son Eglise sur la prédication, la parole non écrite a été la première règle du Christianisme ; et lorsque les Ecritures du Nouveau Testament y ont été jointes, cette parole n'a pas perdu pour cela son autorité : ce qui fait que nous recevons avec une pareille vénération tout ce qui a été enseigné par les apôtres, soit par écrit, soit de vive voix, selon que saint Paul même l'a expressément déclaré (II Thess., 2, 14). Et la marque certaine qu'une doctrine vient des apôtres est lorsqu'elle est embrassée par toutes les églises chrétiennes, sans qu'on puisse marquer le commencement. Nous ne pouvons nous empêcher de recevoir tout ce qui est établi de la sorte, avec la soumission qui est due à l'autorité divine ; et nous sommes persuadés que ceux des Messieurs de la religion prétendue réformée qui ne sont pas opiniâtres ont ce même sentiment au fond du cœur, n'étant pas possible de croire qu'une doctrine reçue dès le commencement de l'Eglise vienne d'une autre source que des apôtres. C'est pourquoi nos adversaires ne doivent pas s'étonner si, étant soigneux de recueillir tout ce que nos pères nous ont laissé, nous conservons le dépôt de la tradition aussi bien que celui des Ecritures [1].

1. *Œuvres complètes*, édit. Vivès, 1867, XIII, p. 96-97. Cité par A. Michel, art. cit., col. 1325.

CHAPITRE V

LA TRADITION AU XIXᵉ SIÈCLE

R AREMENT envisagé en lui-même, le problème
de la tradition interfère avec la plupart
des problèmes spéculatifs que s'est posée
la pensée catholique au XIXᵉ siècle. A la recherche d'une certitude et d'un critère de vérité qui
échappent à la critique kantienne et au scepti-
cisme d'une philosophie qui portait la responsabilité de la Révolution, les penseurs de l'école
dite traditionaliste prétendent trouver cette certitude et cette vérité dans la croyance universelle du genre humain, transmise par la tradition. L'étude des Pères de l'Eglise conduit
Moehler à réfléchir sur la théologie de la tradition, à en redécouvrir la richesse ; c'est à la tradition que, finalement, Newman, tourmenté par
le problème du développement, demandera la
lumière pour discerner la légitimité des positions
de l'Eglise catholique et se persuader qu'elles
sont bien en continuité avec la foi de l'Eglise
primitive. C'est enfin par une réflexion sur
l'idée de tradition qu'un Blondel s'efforcera de
surmonter l'opposition moderniste entre « histoire et dogme ».

Dans une autre perspective, des théologiens

romains comme Franzelin ou Billot se poseront
le problème des rapports de la tradition et du
magistère dans l'Eglise, renouvelant avec vigueur
le traité des « lieux théologiques » et montrant,
peut-être avec quelque ignorance ou dédain de
l'histoire des dogmes, que l'on ne saurait trouver l'authentique tradition que dans l'enseignement du magistère suprême.

Travail d'approfondissement de l'idée de tradition catholique, poursuivi en ordre dispersé et
dans une préoccupation parfois polémiste, dont
nous voudrions, très sommmairement, marquer
en ce chapitre les directions et les orientations.
L'histoire théologique du XIX° siècle, sur ce point
tout au moins, apparaît davantage comme un
faisceau que comme une synthèse. Sans chercher à construire, à partir de matériaux dispersés, un édifice cohérent, et dans le seul dessein de recueillir des éléments valables pour une
réflexion actuelle, nous parcourrons à grands
pas des œuvres très diverses, et qu'il serait
vain de prétendre harmoniser entre elles.

Celui qu'on pourrait nommer le « père spirituel » de l'école traditionaliste, Louis de Bonald,
n'est pas un théologien, mais un philosophe de
la société. Dans le désarroi intellectuel et la soli-
tude de l'exil, Bonald ne s'est pas contenté de
déterminer et de critiquer les responsables de la
Révolution ; il a voulu faire œuvre constructive
et formuler les principes fondamentaux d'une
juste théorie de la société civile. Sa critique de
Rousseau et de l'encyclopédie est sommaire,
plus dédaigneuse qu'analytique. A l'origine du
désordre qui a tout renversé, Bonald dénonce un
principe ruineux, qui est celui même, prétend-il,
de la philosophie : la substitution de l'évidence
individuelle à l'adhésion à la vérité reçue de
ceux qui nous ont précédés. La vérité, pour

Bonald, est un accueil et non pas une découverte ; elle est reçue de ceux qui, avant nous, l'ont eux-mêmes reçue ; elle ne saurait être inventée par un penseur, au terme d'une démarche critique qui fait table rase de tout l'acquis d'une expérience séculaire.

Bonald prouve ce principe fondamental, ou plutôt s'efforce d'en faire prendre conscience, par une analyse fort suggestive du fait du *langage*. Pas de pensée sans langage. Or, le langage n'est pas inventé par chaque humain, il est appris et reçu. Avec le langage donc, et par lui, la vérité nous est *transmise :* c'est par la société, concrètement représentée par ses parents, que l'enfant apprend à la fois à parler et à penser : il en reçoit les mots, et les idées, et *la vérité*. Bonald s'élève contre les théories qui prétendent que la raison de l'homme, antérieure, en quelque sorte, à toute vérité, est fabricatrice de vérité : il prétend qu'au contraire, la vérité nous est donnée par le langage :

Si la connaissance de la vérité forme la raison de l'homme, l'homme n'a donc pas de raison avant de connaître la vérité ; il ne découvre donc pas la vérité par sa raison ; il reçoit donc de la raison d'un autre être la connaissance de la première vérité, ou la première connaissance de la vérité qui forme les premières lueurs de sa raison et qui se développe avec elle. Ainsi, loin que l'homme découvre la vérité par la seule force de sa raison, il n'a de raison que lorsqu'il a connu la vérité. D'ailleurs, l'homme ne connaît ses propres pensées que par leur expression : or il a reçu ses premières expressions, donc il a reçu la première connaissance de ses pensées [1].

Mais d'où vient, finalement, cette vérité qui nous est transmise avec le langage, quelle en est l'origine première ? Une même origine, affirme

1. *Législation primitive*, Livre I, ch. 3 et et 4. *Œuvres complètes*, Paris, Adrien Le Clère, 1847, III, p. 128.

Bonald, explique le langage et la vérité : celui
qui a donné à l'homme le langage est aussi celui
qui lui a donné la vérité. D'où l'hypothèse d'une
révélation primitive, par laquelle Dieu a fait
connaître en même temps le langage et la vérité.
Et c'est cette révélation primitive qui se transmet, de parents à enfants, de génération en génération, par la tradition, seule source de vérité :

> La raison qui éclaire l'esprit de l'homme est la
> raison de celui qui lui a donné ses premières
> expressions, et par conséquent la connaissance de
> ses premières pensées, et qui est à son égard une
> *autorité*, puisqu'il est l'*auteur* de la raison, qui
> dirige et ordonne ses actions. Cet enseignement
> nécessaire de la vérité s'appelle *révélation*, mani-
> festation faite par l'être qui sait à l'être qui ignore ;
> et, quoique cette expression ne s'applique qu'à la
> connaissance des vérités primitives donnée par
> Dieu même aux premiers hommes, il est vrai de
> dire que l'homme, même aujourd'hui, ne reçoit ses
> premières connaissances que par *révélation*,
> c'est-à-dire par la transmission que ses instituteurs
> lui font de l'art de la parole, moyen de toute con-
> naissance de la vérité : parole qu'il ignore si on
> ne la lui transmet pas, qu'il n'invente pas quand
> il l'ignore, et qui seule remplit l'intervalle immense
> qu'il y a entre un enfant stupide trouvé dans les
> bois et l'homme civilisé [1].

A partir de ces principes, Bonald développe
une théorie rigoureuse de la société et de l'Etat,
par voie déductive : il procède toujours *a priori*,
car il estime que, pour traiter du pouvoir, il faut
parler d'une manière absolue : « Toutes les fois,
dit-il, qu'on traite du général, la vérité est absolue... Elle est donc absolue quand on traite de la
constitution, règle générale de la société » [2].
D'où l'impression de rigidité déductive que
donne sa philosophie politique. Mais il ne nous
appartient pas ici de traiter de Bonald, rigou-

1. *Ibid.*, ch. 5.
2. *Ibid.* Discours préliminaire, *op. cit.* p. 3.

reux métaphysicien de la constitution de l'Etat (car, pour lui, elle ne peut être que d'un type unique et univoque) et théoricien de la législation[1]. Contentons-nous de réfléchir un instant sur la part qu'il donne à la tradition dans la transmission d'une vérité nécessairement *reçue*.

Pour Bonald, la tradition est maîtresse de vérité, non parce qu'elle communique l'expérience des ancêtres, mais parce qu'elle est la voie de transmission de la révélation primitive. A l'origine du langage et de la vérité, inséparables, nous l'avons dit, il n'y a pas exercice de la raison, mais révélation divine. Cette révélation divine donne à l'homme, avec les fondements du langage articulé, les vérités qu'exprime ce langage. Ce trésor est confié à la société, et celle-ci le garde en le transmettant à ses enfants. La tradition, considérée dans son objet, est donc le dépôt de la vérité venue de Dieu, et qui s'impose souverainement à ce titre ; envisagée comme transmission, elle est la communication même de cette vérité. D'où le crime contre Dieu, en même temps que la folie, que représente toute atteinte à la tradition, toute décision de s'en affranchir.

La tradition bonaldienne est donc au service de sa théorie, que reprendra éloquemment Lamennais, de l'impossibilité pour l'esprit humain de parvenir par lui-même à la vérité. La raison est en l'homme aptitude à recevoir une vérité préfabriquée, et qui vient de Dieu même, et non pas la faculté de découvrir cette vérité : passivité de la raison que Bonald identifie avec la nécessité où se trouve l'enfant d'apprendre la langue de ses parents en les entendant parler. Ce traditionalisme est donc une conséquence du

1. Il est curieux de relire aujourd'hui la théorie de l'éducation élaborée par Bonald sous le Premier Empire : elle s'inspire, si l'on peut dire, d'un étatisme de droit divin. Un corps de religieux reçoit du gouvernement la charge exclusive et totale de former les futurs citoyens... *De l'éducation dans la société. Œuvres complètes*, III, pp. 368-417.

fidéisme : le recours à Dieu est exigé par la per-
suasion que l'homme ne peut, par lui-même,
atteindre la vérité. Bonald, sous le choc des événements, a désespéré en quelque sorte de la
raison humaine. Trop attentif à sa capacité
d'errer, il lui refuse toute autre compétence que
celle de recueillir le message lointain d'un Dieu
paternaliste, dont la bienveillance s'astreint à
enseigner des balbutiements à d'éternels bébés.
Cette défiance, non exempte de ressentiment, se
retrouvera chez beaucoup de disciples de
Bonald, pour qui l'argument d'autorité rempla-
cera l'exercice de la réflexion, dont on se défie.
Lamennais écrira : « Otez la foi, tout meurt :
elle est l'âme de la société, le fond de la vie
humaine » [1] et Bautain, d'ailleurs demeuré
très indépendant à l'égard du mouvement
menaisien :

> La raison, par ses seules forces, ne peut atteindre
> l'être, l'être en soi, par conséquent la vérité abso-
> lue. Il faut atteindre la vérité par une autre voie.
> Or quelle peut être cette autre voie ? Elle ne peut
> pas venir de l'homme, donc elle vient de Dieu. Et
> ainsi la révélation, qui est la source de la connais-
> sance surnaturelle, l'est aussi de la connaissance
> naturelle, au moins quant aux vérités fondamen-
> tales de la science qui servent de principe à toutes
> les autres. Or, à la révélation correspond la foi.
> Donc la foi est le moyen unique pour obtenir la
> certitude des vérités-principes, et tout le reste de
> la connaissance est le produit de la déduction de
> ces vérités [2].

La part faite à la tradition par l'école dite

1. *Essai sur l'indifférence en matière de religion*, II, Paris
1825, p. 234, cité par L. Foucher, *La philosophie catholique
en France au XIXe siècle*, Vrin, 1955, p. 36.
2. *Conférence philosophique au cercle catholique de Paris*,
1845. Le fidéisme de Bautain, comme lui-même le dit clairement dans cette conférence, est la conséquence de l'acceptation
de la critique kantienne. Bautain n'est jamais parvenu, au
plan épistémologique, à dépasser les conclusions de la critique
de la raison pure.

traditionaliste, on le voit, se situe dans une perspective épistémologique assez éloignée du problème théologique que nous nous sommes proposés d'examiner. Il fallait sans doute faire mention de cette école, mais nous ne pouvons nous attarder davantage à critiquer ses affirmations. Avec la théorie de Moehler, nous retrouvons un terrain familier.

Dans un contexte fort dissemblable, mais à partir d'une commune lecture des Pères, Moehler et Newman ont, pour ainsi dire, découvert la place de la tradition dans la vie de l'Eglise. Continuité d'un développement homogène, la tradition leur est apparue comme un épanouissement de l'enseignement des apôtres dans la conscience de l'Eglise, sous l'action de l'Esprit Saint.

Le problème du développement du dogme a été, pour Newman, un des centres privilégiés de la réflexion : ce n'est que peu à peu que ce fait, au premier abord déconcertant, s'est manifesté l'expression d'une fidélité véritable. Mais le même problème a retenu l'attention de Moehler, moins attentif aux conditions du développement qu'à son principe immanent : la présence de l'Esprit illuminateur qui donne constamment à l'Eglise une intelligence plus vive de la foi héritée des apôtres. « Pour Moehler, écrit le P. Congar, la tradition est la conscience que, sans rien oublier de son passé, l'Eglise prend de son propre contenu » [1].

En face de l'idéalisme allemand, auquel une théologie exsangue et sclérosée était incapable de répondre, tout l'effort de l'école de Tubingue fut, on le sait, de manifester, par une réflexion vivifiée par la lecture des Pères, la vigoureuse

1. *Esquisses du mystère de l'Eglise*, coll. Unam Sanctam, Editions du Cerf, 1941, p. 8.

transcendance du mystère chrétien, confronté à l'histoire et à la philosophie. D'où l'insistance de Moehler sur l'Eglise, présence du Christ dans le temps, société visible animée par l'Esprit Saint. La tradition catholique a été constamment l'objet de sa réflexion, et il y voit essentiellement ce sens intime que l'Eglise possède de sa propre vie, et qui va se développant au cours d'une histoire sans discontinuité ni rupture. Dans son œuvre de jeunesse, *l'Unité dans l'Eglise,* Moehler insiste de manière trop unilatérale sur cet aspect « conscienciel » de la tradition, laissant dans l'ombre le rôle de la hiérarchie. Ses études historiques autour de la figure de saint Athanase l'aident à mieux voir la complexité de cette tradition vivante, mais structurée et enseignée. C'est dans la *Symbolique* que, sans jamais renoncer à la présentation « vitaliste » de la tradition, Moehler propose une description de la Tradition plus complète et plus équilibrée, montrant l'action de l'Esprit, à la fois et indissociablement, dans la conscience du peuple croyant et dans les actes du Magistère.

Il reste que Moehler a mis en lumière ce qu'on pourrait appeler une « Pneumatologie » de la tradition, et c'est là son grand mérite :

L'Eglise vit d'une certitude immédiate : elle tient les vérités qu'elle enseigne de la bouche même du Christ et des apôtres : le Saint-Esprit les a gravées dans sa conscience, ou, comme parle saint Irénée, dans son cœur. Si l'Eglise devait parvenir d'abord à la possession de la doctrine par des recherches scientifiques, elle serait forcée de se contredire elle-même et elle s'anéantirait ; car elle existerait et n'existerait pas en même temps, puisqu'elle devrait se mettre en quête de ce qui lui donne l'existence et la vie. Elle ressemblerait à un insensé qui voudrait découvrir dans un papier écrit de sa main s'il existe réellement [1].

1. *Symbolique,* ch. 42. Cité par Pierre Chaillet, Revue des Sciences philos. et théol. XXVII (1938), p. 174.

Moehler montre que d'une part la tradition ne peut se concevoir comme « indépendante de la vie sanctifiée de l'Eglise, comme simplement apprise, enseignée du dehors et protégée... » [1], et que, d'autre part « nous recevons la vérité, et nous ne pouvons pas, si elle ne nous est pas donnée du dehors par l'Eglise, la développer de nous-mêmes » [2].

Elle n'est donc pas un jaillissement spontané et imprévisible que l'Esprit susciterait, pour ainsi dire, au hasard, dans le cœur chrétien : elle est, bien au contraire — et Moehler maintient contre l'idéalisme et le subjectivisme de la philosophie ambiante cette objectivité de la tradition — une intelligence du *donné* chrétien révélé par Jésus-Christ et transmis par les apôtres. Ainsi se rejoignent les deux aspects de la tradition : comme transmission, elle part des apôtres, comme contenu, elle porte leur message. En même temps, Moehler montre le lien réciproque qui unit l'intériorité à l'extériorité, l'expérience intime de la foi chrétienne et l'objectivité du donné révélé. Un très beau passage de *l'Unité dans l'Eglise* met en lumière, dans leur nécessaire conjonction, ces différents aspects de l'unique tradition :

Le Christ avait été, pour les apôtres une prédication vivante. Animés par le même Esprit, les apôtres devinrent à leur tour des messagers vivants, annonçant partout la parole vivante reçue de leur maître. Là où ils fondaient une communauté chrétienne, ils mettaient à la base le même enseignement, et cela par l'opération du même Saint-Esprit sans lequel il ne pouvait être question de fonder une Eglise. Ainsi, nécessairement, d'un bout à l'autre de l'Eglise totale, une même et unique doctrine était prêchée, expression d'une même vie religieuse intérieure, et, tout à la fois,

1. *L'unité dans l'Eglise*. Appendice III. Traduction Lilienfeld, coll. Unam Sanctam, Editions du Cerf, 1938, pp. 32-43.
2. *Ibid.* Ch. 8, note 39. Cf. Chaillet, art. cit. p. 168.

d'un même et unique Esprit. Ainsi vécurent les églises primitives et cela même après le départ des apôtres. Ceux-ci pouvaient se retirer, mais non point l'Esprit, car il était prédit qu'il devait rester avec les disciples jusqu'à la consommation des temps. Les apôtres avaient désigné dans chaque église des maîtres, capables de transmettre fidèlement l'enseignement qui leur avait été confié et devenant ainsi, comme eux, les organes du même Saint-Esprit. C'est ainsi que, de la première main à la seconde, puis de génération en génération, se perpétuait, par une parole vivante, la même doctrine chrétienne. Et les églises qui naissaient d'une fondation apostolique, étaient une image fidèle de leur mère commune [1].

La parole des apôtres, sans doute, est conservée dans les Ecritures du Nouveau Testament. Mais, outre que « la Parole vivante fut avant la Parole écrite, et que les apôtres ne transmirent leurs écrits qu'à ceux qui étaient déjà devenus membres de l'Eglise par la parole vivante » [2], l'Ecriture sainte ne peut être séparée de l'Eglise : loin d'accepter une opposition entre Ecriture et tradition, Moehler, à la suite d'Irénée et de toute la pensée patristique, montre que l'Ecriture ne peut être lue que dans l'Eglise :

On n'avait pas songé (aux temps apostoliques) à faire une différence entre les saintes Ecritures et l'Evangile vivant. On ne distinguait pas entre la parole prêchée ou la tradition orale et les livres saints, comme s'il s'agissait de deux sources différentes : les deux étaient considérés comme la doctrine de l'Esprit Saint, les deux avaient été transmis par les apôtres aux fidèles, et, partant, étaient à titre égal, la Parole : on les regardait comme inséparablement unis. Lorsque les hérétiques, qui s'étaient écartés de l'enseignement vivant de l'Eglise, faisaient appel à la sainte Ecriture, on

1. *Ibid.* Ch. 9, trad. Lilienfeld, *op. cit.* pp. 25-26.
2. *Geist des Christentums und des Katholicismus.* Textes inédits publiés par le professeur Geiselmann, Mayence, 1938 : cité par P. Chaillet, art. cit. p. 173.

repoussait leurs prétentions, en montrant qu'ils ne
pouvaient pas comprendre les Ecritures. Car les
textes sacrés avaient été écrits pour l'Eglise et destinés à son usage. Ils ne sauraient être compris
qu'à l'intérieur de l'Eglise [1].

L'Esprit, qui inspire les apôtres dans leur
enseignement, indivisiblement écrit et oral,
donne à l'Eglise l'intelligence de cet enseignement. Et c'est par le sens de la tradition que
l'Esprit nous guide à cette intelligence du message apostolique :

La doctrine chrétienne n'est autre chose que
l'Esprit qui veut se rendre accessible à notre intelligence. Aussi la manière selon laquelle on arri-
vera à comprendre cet enseignement sera-t-elle
conforme à celle dont l'Esprit lui-même se sert
quand il veut se communiquer à nous. En d'autres
mots, la question : Quel est l'enseignement du
Christ ? est toute pénétrée d'histoire. Elle veut
dire : Qu'est-ce qui a été enseigné dans l'Eglise
depuis les apôtres, ou encore quelle est la commune et perpétuelle tradition ? » [2].

Par la tradition, l'Esprit se rend témoignage
à lui-même, comme Esprit du Christ, accomplissant sa mission « de rappeler tout ce que
Jésus nous a enseigné ». Par elle, le Christ est
manifesté présent dans l'Eglise :

Si éloigné qu'il soit des générations successives
pour ce qui est de son apparition, le seul véritable
objet du christianisme, le Christ lui-même, est
maintenu dans une présence toujours actuelle par
la tradition de l'Eglise [3].

Action de l'Esprit, présence du Christ, la tradition n'est ni un dépôt statique qu'on garde
sous scellés, ni une transmission mécanique de
formules redites sans intelligence : elle se mani-

1. *L'unité dans l'Eglise*, ch. 15, trad. Lilienfeld, pp. 45-46.
2. *Ibid.* ch. 10, pp. 29-30.
3. *Neue Untersuchungen*, 1835, p. 538 ; cité par P. Chaillet,
art. cit. p. 183.

feste au contraire dans le *développement* : « La
nécessité du développement, écrit Moehler, est
aussi évidente que la réalité du fait est indéniable » [1].

Ce développement du dogme chrétien allait,
au plus fort de sa crise intime, être l'objet des
méditations d'un Newman, en porte-à-faux entre
l'anglicanisme et le catholicisme [2]. Par là,
Newman touche au problème de la tradition ; il
ne l'abordera pas de front, mais le cernera, par
touches successives, en cette incidence majeure
de la tradition avec sa propre histoire : le développement du dogme, tel qu'il se manifeste dans
l'Eglise de Rome, est-il, ou non, une infidélité à
l'esprit des Pères ? « Quels développements sont
légitimes par rapport à l'Eglise de l'antiquité, à
l'Eglise primitive, et quels développements ne le
sont pas ? C'est la réponse à cette question qui
décidera si la démarche, dont la possibilité,
naguère, était à peine entrevue, ne va pas s'imposer » [3]. De ce débat intime sortira l'*Essai
sur le développement* (1845), dont une esquisse
avait fait l'objet du dernier sermon universitaire
de Newman, le 2 février 1843 : La théorie des
développements dans la doctrine religieuse [4].

Le développement est, pour Newman, une
catégorie fondamentale de l'esprit : une « idée »
ne devient vraiment nôtre que si elle se déploie
en nous, et nous n'atteignons notre destinée spirituelle que par un progrès intérieur qui est
fonction du développement. Mais, pour qu'il soit
véritable développement, et non pure addition
de concepts, le progrès de l'idée doit obéir à la
double loi de la permanence et de la croissance.

1. *Geist des Christentums*, p. 455, cité par P. Chaillet, art.
cit. p. 175.
2. Cf. L. Bouyer, *Newman*, Editions du Cerf, 1952, ch. 12 :
Du tract 90 à Rome.
3. L. Bouyer, *op. cit.* p. 286.
4. L. Bouyer, *op. cit.* pp. 286-288. Cf. J. H. Walgrave, o.p.
Newman. Le développement du dogme, Casterman, 1957.

Il doit être à la fois homogène et enrichissant.

Le christianisme est l'épanouissement d'une *idée* révélée ; il est donc normal d'y constater un développement, où se marquent ensemble la continuité et l'expansion vitale : identité d'un donné qui ne saurait s'accroître ou se modifier, mais approfondissement constant de sa connaissance dans un effort d'intelligence sympathique, à la fois unifiant et diversifiant. Signe de vie et de croissance, le développement met en lumière, par son homogénéité et sa fidélité à l'*idée*, une identité que rien ne saurait altérer.

Ayant ainsi analysé le principe du développement, Newman s'efforce de déterminer les facteurs qui le régissent, dans la vie de l'Eglise chrétienne. Facteurs qui ne sont pas de simples causes naturelles, mais « l'épanouissement graduel de l'intelligence de la foi dans la communauté des croyants, sous la direction spéciale du Saint-Esprit » [1]. Ces facteurs agissent, les uns dans le sens positif, suscités par la vie même de l'Eglise : ainsi l'autorité dogmatique, élément objectif qui guide la lecture de l'Ecriture, exprime la tradition et est l'agent visible de l'action de l'Esprit ; la foi des fidèles, témoin précieux de la présence en l'Eglise croyante de l'Esprit de la Pentecôte ; les organes de recherche spéculative (théologiens) et de gouvernement ; la diversité catholique des peuples rassemblés dans le bercail unique. Les autres, à contre-courant : l'hérésie, inévitable rançon d'un mode abstrait de connaissance et d'expression du mystère, réactif qui non seulement suscite la parade inévitable (mais Newman note justement le danger de « contre-hérésie » d'une réfutation théologique qui combat l'hérésie avec ses armes, et demeure facilement à son niveau) ; le rationalisme où risque de glisser la théologie ; l'illuminisme d'un foi populaire mal dirigée ; le

1. J. H. Walgrave, *op. cit.* p. 195.

despotisme des chefs de l'Eglise, le « chauvi-
nisme » des diversités régionales entêtées ou
obstinées... Tous ces facteurs, souvent à travers
des crises, se compénètrent et se donnent un
mutuel appui. L'Esprit Saint sait en user pour
maintenir au développement son homogénéité,
dans une ligne continue, qui est proprement la
tradition catholique.

Le point essentiel sur lequel existe une convergence marquée entre Moehler et Newman est
la reconnaissance de la tradition, comme fait
d'Eglise et dimension de son existence temporelle. Ce « sens intime » d'une Eglise qui ne
peut demeurer semblable à elle-même qu'en se
développant, Moehler l'envisage davantage en
son principe surnaturel, l'Esprit Saint, et en son
immanence de fait de conscience ; Newman, par
contre, esquisse une phénoménologie du développement, qui marque soigneusement les facteurs de cette croissance dans l'histoire. Attentifs l'un et l'autre à cette donnée que l'Eglise
naît, grandit et se développe dans l'histoire, au
point que ce serait la méconnaître, en quelque
façon, que d'oublier que le Corps du Christ est
historique, ils réagissent cependant, devant cette
considération fondamentale, en fonction de leur
tempérament intellectuel : Moehler, métaphysicien et théologien d'une histoire surnaturelle, la
déduit, pour ainsi dire, de ses commencements ;
Newman est plus attentif aux croissances élaborées, aux points de convergence et de diver-
gence, aux moments où, de manière spontanée
et presque imprévisible, commencent à se des-
siner les lignes de séparation. La sérénité massive de Moehler trouve sa joie à contempler les
quatre premiers siècles, prototypes des siècles
suivants : dans le gland, il admire le chêne et
en découvre les frondaisons. Newman est plus
attentif — son drame spirituel l'y porte — aux
temps des ruptures dans une église déjà assez
évoluée pour qu'on puisse se poser la question

de fait de la fidélité ou de l'infidélité des « branches » à l'Eglise primitive.

La tradition apparaît, dès lors, comme la loi même d'un inévitable développement, et l'expression d'une continuité vivante, sous l'action de l'Esprit. Continuité éprouvée par Newman, qui n'en fait la théorie que parce qu'il *sent* très profondément qu'elle doit être la marque de l'Eglise véritable, fidèle à ses origines dans l'ampleur d'un développement dont nulle norme humaine ne saurait tracer les limites. Continuité postulée par Moehler, au contact des grands systèmes idéalistes, en face desquels il importe de repenser la théologie de l'Eglise : et tout l'effort de Moehler sera d'inventer, à l'école des Pères, cette théologie de l'Eglise qui n'apparaît nouvelle que parce qu'elle est foncièrement traditionnelle, déconcertante seulement pour une scolastique étriquée et somnolente. Ces esprits puissants, l'un et l'autre, et par convergence, mettent en lumière l'immanence de la tradition dans l'Eglise, considérée dans le mouvement de son histoire. Des théologiens romains en une autre perspective, complémentaire et non pas opposée, vont insister sur la part de l'autorité doctrinale, du Magistère, dans la tradition catholique. Une autre dimension du mystère de l'Eglise sera soulignée dans une « architecture de thèses, sévère et classique où les fines analyses, les coups d'ailes, les sinuosités de Newman étonneraient comme un ciel de Corot dans un paysage de Nicolas Poussin » [1].

La doctrine du cardinal Franzelin sur la Tradition, condensée dans un manuel que l'on

1. L. de Grandmaison, *Le dogme chrétien*, Beauchesne, 1928, p. 115.

consulte avec profit aujourd'hui encore [1], est
tellement passée dans l'enseignement commun
qu'à première vue on ne voit guère comment la
caractériser. La part prise par Franzelin à la
préparation du Concile du Vatican et à l'élaboration de ses formules, qui parfois reproduisent
textuellement des expressions du maître de la
Grégorienne [2], explique que « l'ouvrage du cardinal Franzelin soit un excellent commentaire des
définitions du Concile du Vatican (lequel reprend
les conclusions du décret *Sacrosancta* de Trente),
et marque le cadre dans lequel va désormais
évoluer la théologie de la tradition » [3].

Le mérite de Franzelin est, en effet, sous une
forme scolaire, de présenter une synthèse théologique de la tradition. Il distingue avec soin
l'aspect *objectif* de la tradition, l'enseignement
apostolique, et l'aspect *subjectif,* adhésion de
l'Eglise croyante à cet enseignement :

> La doctrine universelle de la foi, écrit-il, est
> proprement la tradition divine, en tant que, sous
> l'assistance du Saint-Esprit, elle est conservée par
> une succession ininterrompue, dans le consente-
> ment des gardiens du dépôt révélé et des docteurs
> institués par le Seigneur. Cette tradition, les Pères
> la nomment : la prédication de l'Eglise, la règle
> de l'intelligence de la foi, la règle de la vérité
> apostolique, quand ils considèrent la doctrine
> comme l'*objet* que conserve et transmet la succes-
> sion apostolique. Mais ils l'appellent aussi : la
> conscience de la foi, l'intelligence catholique de la
> foi, le sens de l'Eglise, la foi inscrite dans les
> cœurs, la sagesse non écrite, s'ils considèrent
> comme sujet l'Eglise établie sous la conduite du
> Saint-Esprit, et dotée du charisme de vérité pour
> comprendre, garder et expliquer le dépôt de la
> foi [4].

1. *De divina traditione et scriptura*, 3ᵉ édition, Rome, 1882.
2. Cf. G. Courtade, J.-B. Franzelin, les formules que le
Magistère de l'Eglise lui a empruntées. Recherches de science
religieuse, XL (1951-52), Mélanges Lebreton, II, pp. 317-325.
3. A. Michel, art. Tradition, D.T.C., XV, col. 1335.
4. *Op. cit.* thèse II, p. 96.

Cette distinction, sans s'identifier à la distinction classique, que Franzelin reprend à son compte, de la tradition « objective » (dépôt transmis) et de la tradition « active » (acte de la transmission), compose avec elle et permet de saisir comment la tradition est le fait de l'Eglise, dans le double mouvement d'un dépôt possédé et d'une adhésion de foi à ce dépôt, et d'une transmission active d'un dépôt qui n'est conservé qu'en étant retransmis. Cette double distinction permet de mettre en valeur le double fait, d'une adhésion de foi à une doctrine objectivement existante, et d'un passage à travers le temps d'un dépôt qui demeure intact à travers sa transmission.

Mais l'insistance de Franzelin, qui reprend en les repensant les principes posés par Vincent de Lérins et Melchior Cano, porte sur les *témoins* de la tradition, et sur leur autorité. Si, en effet, comme le déclare Franzelin, à la suite des Pères, l'Ecriture ne peut être comprise indépendamment de la tradition, et, de fait, a toujours été, dans l'Eglise, interprétée en fonction de celle-ci, il importe de savoir quelle est cette tradition et quel crédit accorder aux témoins qui l'attestent : car leur témoignage porte sur « l'intelligence catholique de la révélation », et donc a valeur normative. Non seulement ils nous disent que telle opinion a eu cours à un certain moment, mais que cette opinion représente l'authentique « sens de l'Eglise ».

D'où le recours, à la fois commode et justifié, au *magistère*. En fait, telle opinion, telle prise de position des théologiens ou des Pères n'a autorité dans l'Eglise, ne s'impose comme expression du « sens catholique», que dans la mesure où elle a été acceptée par le Magistère de l'Eglise. Il est normal qu'il en soit ainsi, puisque le Christ a pourvu son Eglise de cette infaillibilité qui s'exprime, indissociablement, et dans la foi des fidèles et dans l'enseignement du Magistère. Ce dernier a pour charge

> de conserver, en vertu de l'assistance du Saint-Esprit, l'Eglise dans la vérité indéfectible d'une même foi, par le ministère et le magistère authentique des pasteurs et docteurs, donnés par le Christ pour l'édification de son Corps : il leur appartient d'enseigner avec autorité l'Eglise de Dieu, et, de la part des fidèles, doivent répondre à cet enseignement le consentement et l'obéissance de la foi. C'est pourquoi le Christ a promis et donné à ce magistère par lui institué l'infaillibilité dans l'enseignement (*infallibilitas in docendo*) de tout ce que lui-même et son Esprit ont enseigné [1].

La réputation qu'on fait volontiers à Franzelin d'identifier la tradition au Magistère n'est donc pas absolument justifiée : Franzelin reconnaît la tradition comme « sens de l'Eglise », et il insiste constamment sur la foi des chrétiens, lieu, pour ainsi dire, de la tradition. On a remarqué que certaines de ses thèses « présentent de véritables affinités avec les affirmations de Moehler, sous une terminologie différente » [2]. Mais Franzelin, qui semble pousser un peu trop la distinction de la Tradition et de l'Ecriture comme deux sources distinctes, a le souci de ne pas laisser la tradition proliférer en désordre, et d'une manière inorganique, à travers la vie de l'Eglise. Il tient à montrer que, pour être la transmission authentique du dépôt révélé, elle doit être exprimée par le Magistère institué par Jésus-Christ. D'où le rôle de jugement et de discernement qu'il lui attribue : le Magistère n'est pas la tradition, il ne la fait pas, ne la change pas, mais il la discerne et l'exprime. Ce qui se manifeste, d'une manière significative, dans le progrès du dogme [3].

---

1. *Ibid.*, thèse 12, scholion 1, p. 114.
2. A. Michel, art. cit. col. 1338.
3. IVe section : thèses 22 à 25, *op. cit.* pp. 263-308.

Une réponse aux objections protestantes est, pour Franzelin, l'occasion de dire, avec d'heureuses formules, comment il voit le rôle de la tradition dans la vie de l'Eglise :

Nous ne disons donc pas que l'Eglise est juge du vrai sens des Ecritures ou des traditions, comme si elle ne leur reconnaissait que l'autorité qu'elle leur donne. La Parole de Dieu, consignée dans les Ecritures, manifestée par les traditions, que nous conservent les documents et les monuments (de l'antiquité), possède par elle-même (*ex sese*) autorité, car elle est la Parole de la Vérité infinie : elle constitue donc pour toute l'Eglise la norme de la foi (*norma credendi*). L'Eglise, assistée par l'Esprit Saint, a seulement pour charge de discerner la Parole de Dieu de ce qui ne l'est pas, et de l'interpréter authentiquement en déterminant son véritable sens. Nous ne mettons pas l'Eglise au-dessus de la Parole de Dieu, comme nous en accusent les Protestants ; mais nous disons que la foi de l'Eglise est dirigée par la Parole de Dieu, et qu'elle est ainsi soumise à la Parole de Dieu. Mais nous disons aussi qu'il lui appartient de comprendre infailliblement le sens véritable de cette Parole et de le proposer à la foi de chacun : c'est ainsi que l'Eglise est au-dessus de l'intelligence faillible des individus chrétiens [1].

Le traité, un classique lui aussi de l'enseignement théologique, du P. Billot, *De immutabilitate traditionis, contra modernam haeresim evolutionismi* [2], a été écrit en pleine crise moderniste. Le titre même en indique l'intention polémique. A la même époque, plus timide, le P. Bainvel, à Paris, imprimait pour ses élèves d'abord, un petit traité *De magisterio vivo et traditione* [3], qui, dans sa finesse avertie, nous paraît aujourd'hui une excellente mise au point ; mais on a l'impression que l'auteur ose

1. *Op. cit.* p. 226.
2. 2e édition, Rome, 1907.
3. Beauchesne, 1905.

à peine, à mi-voix, proposer d'excellentes formules. Le puissant grondement de la voix du théologien romain n'eut pas de peine à couvrir le murmure du théologien parisien, et, c'est une attaque en règle contre le modernisme qui, si l'on peut dire, a conquis l'audience du grand public.

Cette attaque était nécessaire, sinon suffisante, et elle est prononcée par un maître, qui, dans la plénitude de son talent, possède à fond sa théologie. Rien de médiocre dans ces pages, dont on a pu estimer « qu'elles eussent gagné à revêtir une forme plus irénique » [1].

Insistons sur ce qui, dans le traité du futur cardinal, a trait à la tradition catholique proprement dite. Il l'envisage dans le double mouvement de la mission des apôtres et de l'adhésion de foi du catholique. La mission des apôtres implique que le Christ a établi un organe authentique de la tradition, assuré de durer jusqu'à la fin du monde, doté d'infaillibilité, et s'exprimant par la prédication orale. Billot ajoute que cet organisme est unifié par le primat conféré à l'un des apôtres : « Le nom que lui donna Jésus-Christ signifie l'indéfectible solidité du fondement qu'il représente » [2].

Cette tradition est considérée, depuis l'antiquité, comme règle de foi. Ici Billot distingue règle *éloignée* et règle *prochaine*. Si la règle éloignée de la foi est constituée par les documents et les attestations, dont le témoignage concordant nous manifeste ce qui a toujours été cru dans l'Eglise, et la transmission, à travers les générations, de ce dépôt intangible, la règle prochaine de la foi ne peut être que l'acte d'une autorité doctrinale nous intimant, pour ainsi dire, d'adhérer à ces vérités. Distinction, on le voit, qui coupe court aux oppositions moder-

1. A. Michel, art. cit. col. 1342.
2. Ch. 1, pp. 11-17.

nistes entre l'histoire et la foi. Car la règle prochaine de la foi ne formule pas autre chose que
ce dont nous acquérons la connaissance par
l'histoire ; mais elle l'exprime, non à la manière
de conclusions historiques, mais par un enseignement actuel et impératif :

> La règle prochaine de la foi, c'est la prédication
> ecclésiastique, non pas considérée dans la cohé-
> rence d'une succession continue à partir de la pre-
> mière révélation, mais s'exerçant absolument pour
> les hommes de ce temps. Envisagée sous cet aspect,
> la règle de foi demeure toujours la tradition. En
> ce sens qu'elle transmet toujours ce qu'elle a reçu
> explicitement ou implicitement des anciens, mais
> de manière plus précise elle est tradition parce
> qu'elle est l'expression d'un magistère d'autorité
> (*auctoritativi magisterii*) qui propose et enseigne
> distinctement ce qu'il faut croire selon la révéla-
> tion transmsise depuis les apôtres. Ainsi la règle
> de foi prochaine et immédiate se ramène adéqua-
> tement (*adaequate convertitur*) au magistère infail-
> lible et toujours vivant de l'Eglise catholique, en
> tant que magistère (*formaliter ut magisterium*) [1].

Cette présentation de la tradition permet à
Billot des réserves sévères au sujet de la méthode
historique, et de l'histoire des dogmes. Ces
réserves sont fondées, mais elles révèlent chez
l'auteur une position de combat : c'est aux abus
des modernistes qu'il s'attaque à juste titre,
mais ces abus ne le rendent pas pleinement
capable, en dépit des nuances qu'il apporte dans
l'expression de son jugement, de reconnaître le
bien-fondé de la recherche historique en matière
dogmatique.

Il ne la condamne pas, il lui concède même,
non seulement un réel intérêt, mais une indispensable utilité. Il donne des principes justes
pour interpréter, à propos de tel dogme, les
apparentes divergences entre les Pères et les
témoins de la tradition. Il admet un passage de

1. *Op. cit.* pp. 29-30.

l'implicite à l'explicite, et un progrès dans la formulation :

> La doctrine de la tradition, écrit Billot, tout en demeurant toujours la même, n'est pas toujours aussi développée, aussi perfectionnée et aussi achevée. Au cours des siècles, surtout à l'occasion des hérésies, elle acquiert plus d'évidence, plus de lumière, plus de précision... En raison des tâtonnements des débuts, on trouve encore des exposés moins exacts, des locutions défectueuses. Mais ces imperfections non seulement peuvent, mais encore doivent être interprétées en un sens orthodoxe, si l'on tient compte des principes propres qui doivent commander l'exégèse patristique [1].

Il n'empêche que, ressaisi par la pensée du modernisme et la volonté de mettre en garde contre les méthodes qu'il préconise, le chapitre III, consacré à la « méthode historique », se montre intraitable. Sans doute, il s'agit directement de la prétention d'un Loisy à faire œuvre purement « scientifique », et de la distinction radicale qu'il préconise entre « histoire et foi ». A ce niveau, contre cet adversaire, et dans l'intérêt de ceux qu'il risque de séduire, la condamnation du P. Billot est indispensable et salutaire. Mais ne tend-elle pas à jeter la suspicion contre toute recherche d'histoire des dogmes, contre toute « théologie historique », et contre les théologiens qui s'y appliquent, précisément pour répondre, sur leur terrain même, à un Loisy ou à un Turmel ?

> La méthode historique, par opposition à la méthode théologique, est non seulement tout à fait insuffisante et sans proportion (avec l'objet de la théologie), mais elle risque de conduire à des erreurs positives de tout genre, quand il s'agit, non plus d'établir les préambules de la foi, et de montrer qu'existe une révélation chrétienne, mais de déterminer le sens des formules que contiennent ses sources. Cette méthode, prétendant à une

1. *Ibid.* p. 41.

fallacieuse autonomie « scientifique », réclame une totale indépendance dans le domaine de sa compétence, et toute liberté de faire des hypothèses ou des conjectures, sans tenir compte d'aucune règle supérieure ; à sa base (*in sua basi*) il y a une hérésie d'autant plus dangereuse qu'elle est plus habilement dissimulée, d'autant plus grave qu'elle ouvre une voie plus libre à la négation de tous les dogmes [1].

La perspective polémique n'a pas seulement pour effet de restreindre le problème de la tradition aux dimensions où, abusivement, la ramenaient les modernistes : dans le conflit de la science indépendante en sa recherche et de la foi soumise au dogme et à l'autorité du Magistère, Billot prend évidemment parti pour l'autorité. Il ne se rend pas assez compte qu'il se laisse entraîner sur le terrain des adversaires, et qu'il ne domine pas assez une opposition fausse et ruineuse.

Mais, ce qui est plus grave, c'est que la tradition tend à devenir un apanage, et, pour ainsi dire, une propriété exclusive de l'autorité. Au lieu d'être l'expression, par un Magistère qui dirige et juge sans doute, mais ne se peut envisager séparément de toute l'Eglise croyante (dont il fait partie), de la foi du peuple chrétien, comme l'avait bien marqué Franzelin, la formulation dogmatique apparaît un peu comme imposée du dehors par l'Eglise enseignante. La tradition, ramenée à l'autorité du Magistère, n'est pas assez montrée comme le sens vivant de l'Eglise, comme cette intime dimension de la foi qui croit au témoignage des apôtres et selon leur foi. Parce que Loisy abuse du concept de « foi vivante » et le travestit, on jette une sorte de discrédit sur la vie intérieure du croyant, et on suggère que l'idéal est une soumission inconditionnée à une norme extérieure, notifiée sans

1. *Ibid.* p. 81.

appel par une autorité qui « possède » la vérité
révélée [1]. Le bel équilibre de la véritable « tradition catholique », qui unit la foi des fidèles
et l'acte du Magistère, le sens de la continuité,
depuis les apôtres, d'un dépôt intimement
possédé et toujours plus approfondi dans la
« conscience de l'Eglise » et le rôle normatif et
impératif réservé par le Christ aux successeurs
des apôtres, ne se retrouvent pas, à un degré
suffisant, dans le vigoureux traité du P. Billot.
La polémique a eu pour effet de mettre l'accent
sur un seul de ces aspects. La parade était sans
doute nécessaire au moment de *Pascendi*. Le
recul des temps, sans nous interdire de demeurer attentifs aux richesses contenues dans cet
autre « petit livre » qu'est le *De immutabilitate
traditionis,* nous suggère de prendre du large et
de revenir à des vues plus sereinement « traditionnelles ».

A l'époque même où le P. Billot dénonçait les
erreurs de Loisy et du Modernisme, trois articles
de revue, qui suscitèrent bien des discussions,
tentaient cette mise au point. *Histoire et dogme*
de Maurice Blondel parut dans *la Quinzaine* des
16 janvier, 1er et 16 février 1904 [2]. Œuvre
d'un philosophe, qui ne maîtrisait pas parfaitement la langue théologique, et qui, dans la confusion des esprits, faisait confiance à son sens
chrétien et à sa réflexion un peu solitaire, pour
surmonter l'opposition ruineuse entre l'histoire
et la foi, ce travail ne rencontra pas d'emblée
l'attention nécessaire pour le bien comprendre. Il
demande plus de sérénité — et de sympathie à
un auteur, alors discuté et suspect à plus d'un

1. Cf. p. 30.
2. Edités en brochure à La Chapelle-Montligeon (Orne) en
1904, ces articles ont été repris dans : *Les premiers écrits de
Maurice Blondel*, P.U.F. 1956, pp. 149-228. Les pages consacrées à la tradition (3e article) sont les pages 200-226.

— que beaucoup n'étaient capables d'en manifester en 1904.

Pour apprécier à leur valeur les réflexions de Blondel, il faut, pensons-nous, non seulement dépasser les bavures d'un style qui n'a jamais été parfaitement limpide, et dont les phrases interminables exigent une attention soutenue, mais aussi passer sur certaines critiques agaçantes : critique d'une scolastique qu'il ne connaît guère que par des manuels de second ordre, critique de la connaissance conceptuelle qui demeure hâtive et peu profonde, critique du miracle comme preuve apologétique qui suppose que le théologien, imperturbable en la naïveté qu'on lui prête, « du miraculeux conclut au divin ».

Comme Billot, Blondel a devant les yeux la position de Loisy et son opposition entre histoire et foi. Le sous-titre ne laisse pas d'équivoques : *Les lacunes philosophiques de l'exégèse moderne* — entendons de l'exégèse de Loisy. Une correspondance entre Blondel et Loisy, à la suite de la publication de *l'Evangile et l'Eglise*, avait confronté leurs points de vue et manifesté d'irrémédiables oppositions : Loisy n'avait rien voulu entendre et sa dernière lettre s'achevait par un sarcasme : « Monsieur, vous étiez né pour écrire des encycliques. » C'est alors que Blondel se décida, par-delà la personnalité de l'exégète, à faire porter sa réflexion sur la méthode :

Je n'ai pas le projet, écrivait-il le 23 novembre 1903, au moment où il commence la composition de ces articles, à son ami M. Mourret, de critiquer directement M. Loisy, mais je prends la méthode *in abstracto,* dans sa pureté artificielle, j'en montre les lacunes, les impossibilités, et j'insiste sur les dangers ou les ruines inévitables qu'elle entraîne, même pour des esprits de bonne foi et de bonnes intentions [1].

1. Cité dans M. Blondel et A. Valensin, *Correspondance*

La crise exégétique de l'heure, estime Blondel, oblige à reprendre dans toute sa profondeur
le problème de l'histoire et celui de la foi, dans
leurs rapports mutuels. Ce qui n'est pas simple :
car, si la foi porte sur des faits, elle en implique
une interprétation, et, d'autre part, cette foi a
pour objet des faits réels, inscrits dans l'histoire.
« L'extrincésisme » des faits et de la foi est une
solution insatisfaisante et inadéquate, qui ne
peut conduire qu'à une alternative ruineuse : ou
donner le pas aux faits, à une « science historique » absolument indépendante du dogme, sur
la foi ; ou admettre que la foi est fondée à rebâ-
tir les faits à sa guise et selon ses postulats. A
moins que, par une rigoureuse « cloison
étanche », on ne prétende croire ce que l'histoire
n'atteste pas, et tenir en « historien » des assertions que n'admette pas la foi chrétienne. Blondel
dénonce vigoureusement les simplismes impli-
cites de l'attitude d'un Loisy, sans jamais le
nommer, mais en mettant à nu les vices de sa
méthode, de cet « historicisme », qui, par choc
en retour, condamne la foi à n'être qu'un inconsistant fidéisme, dépourvu de tout fondement
objectif :

Une telle attitude, qui propose la foi sans raisons à la raison (est) injuste à la raison autant que
dangereuse à la foi ; car on ne voit plus d'où cette
foi peut tirer son appui et sa direction... Si l'on
considère que l'horizon du Christ a été borné aux
illusions eschatologiques de ses premiers interprètes, si l'on estime que le christianisme est sorti
d'un dessein auquel il a été nécessaire d'être peu
à peu purifié par le feu des persécutions, le
démenti des faits et les efforts de la pensée philosophique, plus on dira que le Christ est Dieu, plus
on fera de Dieu même une Inconnue, non seule-

(1899-1912), 2 vol. Aubier, 1957 : vol. 1, p. 114. Cf. la correspondance de Blondel, au moment de la crise moderniste,
récemment éditée sous le titre : *Au cœur de la crise moderniste. Le dossier inédit d'une controverse*, Aubier, 1960.

ment mystérieuse pour nous, mais mystérieuse pour elle-même... [1].

Par ailleurs, Blondel montre le danger qu'il y aurait à interpréter, comme il dit, « l'histoire dogmatiquement », c'est-à-dire à imposer aux faits comme tels, en s'interdisant de les considérer dans le témoignage de ceux qui nous les font connaître, dans le mouvement de foi qu'ils ont suscité, dans la perspective de la prédication primitive, toute la richesse de « signification » et la netteté d'expression du dogme catholique. Autre forme « d'historicisme » qui est une tentation permanente des apologistes :

Qu'on ne pense jamais étreindre, par la science historique seule, un fait qui ne serait qu'un fait et qui serait tout le fait : à chaque anneau comme à la chaîne entière sont suspendus des problèmes psychologiques et moraux qu'impliquent la moindre action et le moindre témoignage [2].

La solution du problème mal posé par Loisy, Blondel la découvre dans la *tradition*. La tradition, c'est « le lien qui opère la synthèse de l'histoire et du dogme, et en maintient la solidarité sans en compromettre l'indépendance relative » [3]. Qu'est-ce que la tradition, sinon la transmission fidèle, jusqu'à nous, du témoignage des apôtres, témoins oculaires de ce qu'a fait et dit Jésus ? Elle est histoire, puisque les apôtres ne nous disent pas autre chose que « ce qu'ils ont vu de leurs yeux et touché de leurs mains » ; mais cette histoire est l'histoire d'une foi, de cette foi des apôtres sur l'affirmation de qui nous croyons. « Ces choses ont été écrites, dit saint Jean au terme de son Evangile, *afin que vous croyiez.* » Et c'est sur l'expression spontanée de cette foi que s'appuie l'Eglise de tous les temps, non seulement pour connaître le

1. *Les premiers écrits de M. Blondel*, pp. 194-195.
2. *Ibid.* p. 168.
3. *Ibid.* p. 200.

mystère du Christ et y adhérer, mais pour
l'exprimer dans ses formules dogmatiques. Et,
dans une page admirable, qu'il faut citer malgré
sa longueur, Blondel dit ce qu'est la véritable
tradition catholique :

> La tradition dans l'Eglise est tout autre chose
> qu'une confidence orale ou qu'un droit coutumier...
> Cette puissance conservatrice et en même temps
> conquérante. Elle découvre et formule des vérités
> dont le passé a vécu, sans avoir pu les énoncer ou
> les définir explicitement. Elle enrichit le patri-
> moine intellectuel, en monnayant peu à peu le
> dépôt total et en le faisant fructifier.

Il montre que la tradition est la transmission
d'une *expérience,* celle même des apôtres, communiquée à l'Eglise et dont vit la foi de l'Eglise,
par un approfondissement qui aboutit à la formulation distincte du dogme catholique :

> (La tradition) se fonde sans doute sur les textes,
> mais elle se fonde en même temps et d'abord sur
> autre chose qu'eux, sur une expérience toujours en
> acte, qui lui permet de rester, à certains égards, maî-
> tresse des textes, au lieu d'y être strictement asser-
> vie... A chacun des instants où le témoignage de
> la Tradition a besoin d'être invoqué pour résoudre
> les crises de croissance que traverse la vie spiri-
> tuelle de l'humanité chrétienne, la tradition
> apporte à la conscience distincte des éléments jus-
> qu'alors retenus dans les profondeurs de la foi et
> de la pratique, plutôt qu'exprimés, relatés et réflé-
> chis. Donc cette puissance conservatrice et préser-
> vatrice est en même temps instructive et initia-
> trice. Tournée amoureusement vers le passé où est
> son trésor, elle va vers l'avenir où est sa conquête
> et sa lumière. Même ce qu'elle *découvre,* elle a
> l'humble sentiment de le *retrouver* fidèlement.
> Elle n'a rien à innover, puisqu'elle possède son
> Dieu et son tout ; mais elle a sans cesse à nous
> apprendre du nouveau, parce qu'elle fait passer
> quelque chose de l'implicite vécu à l'explicite
> connu. Pour elle, en somme, travaille quiconque
> vit et pense chrétiennement, aussi bien le saint,

qui perpétue Jésus parmi nous, que l'érudit qui
remonte aux pures sources de la Révélation, ou que
le philosophe, qui s'efforce d'ouvrir les voies de
l'avenir et de préparer le perpétuel enfantement de
l'Esprit de nouveauté. Et ce travail diffus des
membres contribue à la santé du corps, sous la
direction du chef, qui, seul, dans l'unité d'une
conscience divinement assistée, en concerte et en
stimule le progrès [1].

Cette page descriptive n'a pas la rigueur d'une
thèse de théologien qui analyse avec la précision
du spécialiste le concept de tradition. Mais,
nous semble-t-il, elle évoque assez heureusement
ses composantes, et rassemble, en une synthèse
brillante, les différents éclairages que nous
avons mentionnés au cours de ce chapitre. L'idée
de la tradition, conscience vivante de l'Eglise,
constamment et actuellement au travail pour
exprimer ce qui est implicitement vécu dans la
foi et la piété chrétiennes, pour « découvrir » ce
qu'elle « retrouve », pour déployer le donné
intangible qu'elle a reçu, travail collectif poursuivi en communion avec le chef de l'Eglise
visible et sous la direction de son magistère, est
une présentation qui met en lumière le mystère
même de la tradition. C'est pourquoi nous estimons qu'elle peut servir de conclusion à ces
rapides sondages à travers l'histoire de la théologie, et d'introduction à une réflexion plus orga-
nique sur les composantes de l'idée catholique
de tradition.
Blondel a bien compris, et a bien su dire, que
la tradition était une force (selon le mot de saint
Irénée) de fidélité conquérante, force qui pousse
en avant par le poids même de son attachement
à un passé demeuré actuel. Car c'est au Christ
même qu'elle nous relie, par le témoignage des
apôtres conservé, enseigné, exprimé dans
l'Eglise :

1. *Ibid.* pp. 204-205.

Si paradoxale que semble une telle affirmation, on peut maintenir que la tradition anticipe l'avenir et se dispose à l'éclairer par l'effort même qu'elle fait pour demeurer fidèle au passé. Gardienne du don initial, mais en tant qu'il n'a pas été entièrement formulé, ni même expressément compris, quoiqu'il soit toujours pleinement possédé et employé, elle sert à nous affranchir des Ecritures, sur lesquelles elle ne cesse de s'appuyer avec un pieux respect ; elle sert à nous faire atteindre, sans passer exclusivement par les textes, le Christ réel qu'aucun portrait littéraire ne saurait épuiser ni suppléer [1].

1. *Ibid.* p. 205.

DEUXIÈME PARTIE

LA TRADITION DES APOTRES
PARMI NOUS

L A première partie de ce travail a dressé, à vue de pays, un bilan sommaire. A partir de l'Ecriture sainte, elle a marqué les principaux jalons du développement et de l'approfondissement de l'idée de tradition, insistant sur les théologiens qui en ont mis en lumière les aspects marquants, et s'efforçant de les situer dans leur époque face aux problèmes qui se sont posés à eux. Problèmes qui, volontiers, portent des noms et revêtent le visage de l'hérésie qu'il faut combattre, de l'équivoque qu'il faut dénoncer : gnose « mensongère », individualisme et libre examen de la Réforme, modernisme...

Il nous faut maintenant organiser ces éléments épars, recueillis dans une rapide prospection historique, en présentation plus structurée. Dans cette seconde partie, nous chercherons à montrer quelle est la théologie catholique de la tradition, et nous analyserons ce qui lui confère, comme véhicule de la révélation, son autorité qu'un catholique ne peut mettre en doute.

La tradition, pour la théologie catholique, est à la fois un fait et un droit, une transmission et un « dépôt » sacré, une réalité concrète et une norme de jugement. Nous aurons soin de conjuguer ce double aspect ; nous dirons que la tra-

dition dans l'Eglise est, en même temps, et inséparablement, la communication de la révélation,
que les apôtres ont reçue du Seigneur pour nous
la transmettre, et la permanence, parmi nous,
de l'enseignement de ces « témoins choisis
d'avance », à qui le Christ a donné mission de
porter son message jusqu'aux extrémités du
monde, jusqu'à la fin des temps.

Un premier chapitre montrera, sommairement, la place que tient, en toute religion, la tradition, et nous amènera à envisager la tradition
comme dimension nécessaire du fait religieux.

Un second chapitre sera consacré à la « tradition des apôtres », que conserve et enseigne
l'Eglise, gardienne de la prédication apostolique,
bâtie « sur le fondement des apôtres ». La tradition catholique, en effet, n'est pas seulement le
lien empirique qui unit les successives générations de croyants et les maintient en communication. Elle est l'expression authentique de
l'*apostolicité* de l'Eglise : pas seulement en fait,
mais en droit : ceux par qui nous est venue la
vérité évangélique demeurent les maîtres et les
inspirateurs de la vie chrétienne.

Parmi les témoins de la tradition, une place
particulière doit être accordée à ceux que nous
nommons les « Pères de l'Eglise » : évêques
pour la plupart, docteurs et guides de la conscience chrétienne en des temps troublés, éducateurs de la foi et ses défenseurs contre l'hérésie, ils sont en même temps des témoins autorisés des premiers siècles chrétiens. Le chapitre qui
leur sera consacré cherchera à déterminer, par-
delà l'autorité singulière de tel ou tel, la valeur
du témoignage collectif des Pères de l'Eglise.

Mais la tradition, conservée vivante dans le
cœur des fidèles, s'exprime par les actes du
Magistère. La hiérarchie enseignante définit la
tradition, et, la reconnaissant, la discernant,
l'enseigne fidèlement. La tradition n'est pas,
cependant, réductible au Magistère, et une iden-

tification pure et simple serait une simplification excessive. La foi chrétienne, qui reçoit de la tradition ses normes et sa règle, manifeste cette tradition, qu'il appartient au Magistère de reconnaître, de formuler et d'intimer au peuple de Dieu. Les deux chapitres quatre et cinq évoqueront cette vie de la tradition dans la conscience croyante de l'Eglise et dans l'enseignement de son Magistère.

Un grave problème, enfin, demeure, posé de manière agressive par le Protestantisme et sur lequel un désaccord persistant nous sépare de nos frères réformés : la tradition est-elle une source de foi, un organe de transmission de la révélation, distinct de l'Ecriture ? Le Protestantisme ne veut recevoir que de « l'Ecriture seule » le message révélé, et ne reconnaît comme règle de foi que son texte inspiré, rejetant toute tradition, comme une « addition humaine » à la Parole de Dieu. Posé dans le contexte de la crise religieuse du XVIe siècle, ce problème est aujourd'hui encore capital et irritant. Nous lui consacrerons notre dernier chapitre, au terme d'un exposé théologique, qui, nous l'espérons, en aura déjà clarifié les données. Nous verrons mieux comment la solution, déjà clairement envisagée à l'époque patristique, et mise en lumière par saint Irénée, demeure la seule acceptable pour un catholique, car seule elle lui permet de se maintenir en communion avec l'antiquité chrétienne, comme avec les enseignements des conciles de Trente et du Vatican : la tradition est le « milieu vital » d'une Ecriture qui est née dans l'Eglise, car c'est à l'Eglise qu'a été dite et confiée la Parole de Dieu révélée ; c'est donc dans l'Eglise, selon la tradition de l'Eglise, qu'il faut lire l'Ecriture, Parole de Dieu enracinée en la Tradition, et qui ne saurait être isolée de cette tradition : car, seule, elle permet de comprendre l'Ecriture, de l'approfondir et de lui conformer toute la vie.

Chapitre I

RELIGION ET TRADITION

Toute analyse objective du fait religieux met en lumière son caractère traditionnel. Et, réciproquement, il n'est pas possible de réfléchir sur la tradition sans constater la part qui lui revient en toute religion : la rencontre des religions, a-t-on dit, se présente comme une confrontation, une opposition ou un essai de conciliation de *traditions* religieuses [1]. Nous étudierons le fait religieux d'abord comme fait social, puis comme expérience du sacré.

Le fait religieux, en effet, se propose d'abord comme un fait *social*. Il se manifeste, en première approche, comme rassemblement, réunion, assemblée. Depuis les groupements des tribus primitives en certains lieux « sacrés », à certaines dates privilégiées, jusqu'à l'influence des juifs « montant à Jérusalem », au temps de la Pâque, jusqu'aux « assemblées chrétiennes le premier jour de la semaine », que notait, avec l'objectivité d'un bon fonctionnaire, Pline dans son rapport à l'empereur, le rassemblement est

1. Cf. J.-A. Cuttat, *La rencontre des religions*. Aubier, 1957, 1re partie. M. Cuttat, on le sait, s'oppose à une explication de type syncrétiste de la rencontre des religions.

un trait marquant du fait religieux. On a pu, confondant cause et manifestation, abuser de cette constatation élémentaire et assigner à la religion une origine purement sociale. L'erreur des écoles sociologiques ne doit pas cependant faire oublier que toute religion se manifeste comme phénomène social. Elle suppose donc, non seulement la rencontre actuelle d'individus réunis pour l'accomplissement en commun de gestes cultuels et rituels, mais aussi une continuité dans le temps et, à travers les générations, une permanence : toute institution comporte des traditions que reçoivent les nouveaux membres, et que les « anciens » transmettent à leurs cadets.

Mais le fait religieux s'inscrit dans des types de civilisation : ce sont les moments culturels, avec leur spécialisation progressive et leur évolution, qui permettent de déterminer les formes particulières de l'expérience religieuse : « à chaque type spécialisé (de culture) correspond une des formes fondamentales de religion, à chaque synthèse culturelle correspond un syncrétisme particulier » [1].

Permanence et évolution sont, comme le montrent les études d'ethnologie et de phénoménologie consacrées aux religions primitives, les traits marquants du fait religieux fondamental : c'est dire l'importance du facteur traditionnel. La tradition est instrument de conservation, mais également de progrès : lien entre les générations, elle fait bénéficier les cadets de l'acquis de leurs aînés, suscitant en même temps des orientations nouvelles, des « virages » qui infléchissent la ligne sans la rompre : la religion des planteurs stabilisés procède de celle des pasteurs et la continue, en vertu des

1. J. Goetz, L'évolution de la religion, dans *Histoire des religions*, sous la direction de M. Brillant et R. Aigrain. Bloud et Gay, tome V, pp. 346-353.

liens traditionnels qui maintiennent le contact.

Mais là n'est pas l'originalité véritable du fait religieux. Fait social, inscrit dans la civilisation, il est radicalement différent du reste de l'activité de l'homme. « Son caractère spécifique, c'est d'être expérience du *sacré* » [1]. Dans le fait religieux une présence se manifeste, celle d'un ordre de réalités qui se distingue absolument de l'ordre profane des relations et démarches ordinaires : le contact, pour ainsi dire, s'établit avec *autre chose* que ce qui constitue la trame de la vie quotidienne.

Cette expérience du sacré s'accomplit dans des *rites :* en leur acception la plus riche, au plan religieux, les rites « mystériques » ont pour effet de rendre sensible, actuel, l'événement primordial, de le « re-présenter » et de permettre d'entrer en communion avec lui. « Le but du rite est de permettre à l'homme de s'intégrer consciemment et d'adhérer activement à la loi de toute existence. Il déroule devant la communauté, de manière symbolique ou réaliste, le cycle mort-vie et génération, sans lequel rien de ce qui compte n'existe » [2]. Et le sens profond des rites, la signification de l'événement qu'ils actualisent, est exprimé par des « *mythes* » — le mot doit être pris au sens où l'emploient les historiens des religions, sans préjuger de l'objectivité ni de l'historicité de l'événement — qui « expriment une image du monde correspondant à un genre de vie de l'homme et situent l'homme dans une certaine perspective » [3].

Or, le propre des mythes, comme des rites,

1. R. Caillois, *L'homme et le sacré*, Gallimard, p. 2.
2. J. Goetz, La religion des primitifs, dans *Les religions des préhistoriques et des primitifs*, coll. Je sais — je crois, Nº 140, A. Fayard, p. 106.
3. *Ibid.*, p. 102. Les « mythes de création » expriment la situation de l'homme dans un univers dont il ne possède que l'usufruit, en dépendance d'un Dieu père et propriétaire à la fois (cf. J. Goetz, *op. cit.* p. 52, suiv.). Cf. J. Pieper, *Le concept de tradition*, Table ronde, juin 1950, pp. 94-97.

c'est d'être *transmis* et *reçus* à l'intérieur du groupe culturel dont ils expriment et façonnent l'attitude religieuse. D'où l'importance des cérémonies d'initiation, dont un des aspects majeurs est de mettre les jeunes gens en possession des mythes de la tribu. Quand ils les connaîtront — connaissance souvent protégée par l'obligation d'un rigoureux secret — ils pourront faire partie du groupe des guerriers, ils seront capables d'être accueillis et reconnus par les hommes de la tribu.

Cette transmission s'accomplit, le plus souvent, par la communication de formules, de textes immuables, que les jeunes doivent apprendre et retenir par cœur, de chants ou mélopées qu'ils sont tenus de reprendre exactement comme on les leur a enseignés.

Transmission et réception des « mythes » impliquent l'existence de formules consacrées, communiquées d'ordinaire de bouche à oreille. La tradition religieuse n'est pas insouciante des mots par lesquels s'exprime son donné. Sa stabilité, à travers les temps et à travers les témoins humains qui lui servent d'instruments, exige que les formules soient conservées sans changement. Ceci pose un problème d'origine, en même temps qu'un problème d'autorité. Pourquoi, à tel moment, a-t-on jugé au point la formule à laquelle on était parvenu, et a-t-on estimé qu'elle devait être transmise sans changement ? Et quelle autorité a eu pouvoir, non seulement de fixer l'expression verbale, mais d'en imposer la transmission ? Questions que, dans bien des cas, les historiens sont dans l'impossibilité de résoudre, mais qui méritent d'être posées, car elles éclairent le lien qui unit, d'une part tradition et autorité, d'autre part, tradition et langage.

Ce lien a été aperçu par l'école traditionaliste française à la suite de Louis de Bonald et de Lamennais. Toute tradition est transmission

d'un langage, et cette transmission s'accomplit
par voie d'autorité, qui, à la fois, fixe et impose
le langage. Sans une langue — des formules,
des récitatifs, des poèmes cosmogoniques —
apprise et enseignée, il n'y aurait pas, en fait,
de tradition. Car langage et tradition s'appellent
et s'engendrent mutuellement : il y a tradition
d'un langage et langage traditionnel. Le reconnaître et l'exprimer a été, pensons-nous, le
mérite de l'école traditionaliste. Son erreur a été
de projeter, pour ainsi dire, aux origines cette
exigence, et d'en faire porter l'initiative à une
« révélation primitive », par laquelle Dieu aurait
appris aux hommes le langage.

Triple confusion : d'abord confusion entre le
langage usuel et le langage « mythique » de la
tradition religieuse : le premier est une nécessité
de la vie sociale, qui n'a d'autre garantie et
permanence que la condition des enfants, qui
apprennent l'expérience du milieu où ils gran-
dissent en apprenant le langage des parents et
de l'entourage. Au contraire le langage volontiers hiératique de la tradition religieuse, véhicule de l'expérience du sacré, est marqué par
cette destination même (qui le soustrait à l'instabilité et au pragmatisme de la « factualité »),
de caractères particuliers. Ensuite, confusion
entre l'origine, qui est expérience religieuse, et
l'expression subséquente de cette expérience
transmise : « Une émotion intime ne s'apprend
pas par cœur », remarque justement le
P. Goetz [1], encore qu'elle puisse être suscitée,
par contagion et « témoignage », à partir des
formules qui mettent en communication avec
l'expérience des « anciens ». Enfin confusion
entre connaissance primitive de Dieu, à partir
des choses créées, et une révélation « primitive »
conçue comme un acte d'autorité de Dieu épe-
lant à l'homme purement réceptif les mots de sa

1. *Op. cit.* p. 74.

révélation. Le problème de l'origine du « théisme
primitif » [1], historiquement insoluble, et donc
des origines de la tradition religieuse, est assurément plus complexe que ne l'imaginait l'école
traditionaliste.

Il est important de remarquer le cadre *rituel*
dans lequel sont transmises les *formules* religieuses. C'est à l'intérieur d'une expérience, qui
fait revivre celle des ancêtres, et, à travers eux,
rejoint l'expérience primordiale, qu'est communiquée l'expression traditionnelle de « l'événement » :

> Quand vous serez entrés dans le pays que Yahvé
> vous donnera selon sa promesse, dit Moïse aux
> anciens d'Israël, vous retiendrez ce rite. Et quand
> vos fils vous demanderont : Que signifie pour vous
> ce rite ? Vous leur répondrez : C'est le sacrifice de
> la Pâque en l'honneur de Yahvé, qui a *passé*
> devant les maisons des fils d'Israël, en Egypte,
> lorsqu'il a frappé l'Egypte, tandis qu'il épargnait
> nos maisons. Le peuple alors s'agenouilla et se
> prosterna. Les enfants d'Israël se dispersèrent et
> obéirent. Comme Yahvé l'avait prescrit à Moïse et
> à Aaron, ainsi firent-ils [2].

Ces rites se transmettent de génération en
génération et se déroulent selon d'invariables
cérémoniaux. Dans les sociétés primitives, leur
caractère le plus décidé est la « fidélité » : ceux
qui les accomplissent, qui les dirigent, les
« moniteurs des novices » sont, apparemment,
plus soucieux de littéralisme que de signification
spirituelle. Aux ethnologues d'en dégager le
sens, de mettre en valeur, dans la mentalité des
exécutants, la rénovation totale qu'ils produi-
sent, instaurant ou restaurant un « nouveau
mode d'être », et faisant accéder l'initié à une
sorte de commencement absolu : une nouvelle
naissance. Pour leurs acteurs, ce qui compte

1. Cf. Goetz, *op. cit.* p. 52, suiv.
2. EXODE, 12, 25-28.

avant tout, c'est de conserver exactement, avec
une minutie parfois lourde, ce qu'ont accompli
les anciens, de refaire, au bénéfice des jeunes,
ce qui a été jadis fait pour eux. Fidélité maté-
rielle qui risque de se dégrader en littéralisme
de pratiques magiques : la tradition, alors,
devient routine et formalisme sans âme. Il est,
du moins, de la nature des rites d'exprimer la
tradition ancestrale, d'être transmission de
gestes reçus des anciens, et ponctuellement
accomplis comme ils ont été appris.

De ces traditions, l'origine empirique est, en
bien des cas, impossible à déterminer. Les historiens des religions n'hésitent pas à déclarer,
à leur niveau, le problème insoluble. Non pas
seulement faute de documents ; mais. parce que
aux origines de toute tradition, il semble qu'il
y ait, pour ainsi dire, une tradition antérieure,
sans commencement absolu historiquement assignable. On peut généraliser, quand il s'agit des
traditions religieuses, la remarque du P. Goetz,
à propos de l'origine de l'idée de Dieu :

La question de savoir à quel moment cette idée
est apparue dans l'humanité perd de son intérêt.
Cette idée se trouve. plus ou moins explicite,
dans tous les types de civilisation. C'est un fait
humain, donné avec la condition humaine, tant du
moins que l'homme n'est pas totalement sophis-
tiqué par la « civilisation ». La date que l'on
fixera dépendra de l'idée que l'on se fait du
moment où l'homme est devenu homme [1].

Le phénomène religieux comme tel n'a pas, et
ne peut avoir, au plan empirique, de commencement absolu :

Quelles que soient les inductions et les hypothèses qu'il est possible de faire, le problème des
origines absolues (de la religion) est insoluble. De la
plus ancienne couche humaine qu'il nous est donné
d'atteindre ou de reconstituer par l'ethnologie,

_____

1. *Les religions des préhistoriques et des primitifs*, p. 73.

nous ne pourrons jamais dire qu'elle équivaut à
l'humanité primitive, et, pareillement, les plus
anciens témoignages préhistoriques où nous puis-
sions saisir avec quelque certitude les traces de
l'activité psychique des anciens hommes laisseront
toujours derrière eux un immense passé ténébreux [1].

C'est dans ce lointain passé que plonge la tradition religieuse. Aussi loin que l'on remonte —
et c'est encore un mérite de l'école de Bonald
d'avoir mis l'accent sur cette nécessité de remonter jusqu'aux origines de l'humanité — on
trouve la tradition religieuse. « Avant la tradition religieuse, il y a la tradition religieuse » [2].

Tradition qui, dans le cas privilégié du judéo-
christianisme, prépare les esprits à recevoir la
révélation du Dieu vivant, et fournit, pour ainsi
dire, le matériel d'expressions et d'images où
elle s'exprimera. La tradition juive, où Jésus,
qui l'accomplit, inscrit son message et la plénitude de la révélation qu'il apporte au monde, prend
appui, culturellement et philologique-
ment, sur les lointaines traditions des peuples
parmi lesquels Yahvé a choisi *son* peuple. La
parole du Seigneur à Abraham est toute nouvelle, et, par elle, s'inaugure cette nouveauté
imprévisible qu'est l'Alliance. Mais elle résonne
dans la langue que l'on parlait en ces vallées du
Proche et du Moyen-Orient, où va se dérouler
l'histoire sainte. Les vocables, les images, et
même nombre de rites qu'a utilisés la révélation
des Patriarches et de Moïse lui sont, en quelque
sorte, antérieurs : il n'est pas inutile, pour les
comprendre, de faire appel à ce que nous savons
du folklore et des « traditions » des peuples au
milieu desquels ont vécu les juifs. Leur manière
de vivre, leurs usages, comme aussi bien les

---

1. H. Le Lubac, L'origine de la religion, dans *Essai sur
Dieu, l'homme et l'univers*, sous la direction de J. de Bivort
de la Saudée, Casterman, 1950, p. 239.
2. H. Duméry, *Critique et religion*, Sedes, 1957, p. 201.

coutumes et les « mythes » religieux qu'ils se
transmettaient, ont été assumés, purifiés et
transformés à la fois par l'enseignement divin
donné au peuple porteur de l'Alliance...

La révélation judéo-chrétienne, en effet, a pris
en charge, mais en le décantant et en le trans-
formant radicalement, par une sorte d'exsécra-
tion religieuse (il suffit de songer à l'utilisation
biblique des « Cherouvim » assyro-babyloniens),
tout l'héritage culturel du peuple et du pays où
elle s'est fait connaître. Commencement absolu,
elle instaure une tradition religieuse, dont le
point de départ est fort précisément déterminé
dans le livre de la Genèse : Ur, en Chaldée, où
vivait Abram. A l'heure où la parole du Seigneur
interpelle celui qui doit devenir l'ancêtre du
peuple de Dieu et notre père dans la foi, un fait
absolument nouveau se produit, qui, par la mise
à part d'Abram, prépare Jésus-Christ et annonce
déjà sa venue. La tradition juive a son origine
dans la joie d'Abraham, dont parle Jésus : car
l'ancêtre « a vu le jour » du Fils de Dieu
incarné. Et Jésus lui-même sera le point de
départ d'une tradition nouvelle, celle que, par
ses apôtres, envoyés proclamer la Bonne Nouvelle du salut dans le Christ, il lance dans le
monde — la tradition apostolique de l'Eglise
catholique.

Mais ces traditions, dans leur emboîtement et
leur continuité même, avec leur origine et les
« grands faits divins » qui leur donnent naissance, conservent cependant, par l'emprunt lin-
guistique et culturel qu'elles ne dédaignent pas
de faire, un contact avec les anciennes traditions
religieuses venues du fond des âges, et qui leur
servent comme de soubassement. Elles les dépas-
sent et les rendent caduques, mais pourtant
conservent quelque chose de leur apport confus
et mêlé. Il faut aller plus loin que ces prudentes
généralités, et reconnaître que, de même que
Dieu a préparé le Christ par l'histoire du peuple

où Jésus est né, histoire qui commence avec
Abraham, de même, proportion gardée, il a préparé Abram et l'Alliance par les religions de
cette Chaldée où a grandi Abram. Le père des
croyants récapitule en quelque sorte en lui les
traditions religieuses de l'humanité antérieure,
qui l'ont peu à peu, à son insu, poussé jusqu'au
point où il entendra l'interpellation qui fera de
lui l'ancêtre du Christ — du Christ qui devait
« récapituler toutes choses ». En ce sens, on
peut dire que la tradition judéo-chrétienne, aux
dimensions historiques et spirituelles si nettement déterminées, s'enracine dans la tradition
religieuse la plus primitive, la plus informe. Non
pas, certes, par une évolution automatique et
nécessaire, mais par le geste de la bienveillance
divine qui, dès les origines, dès les premiers
balbutiements d'une humanité qui ne pouvait
pas ne pas être religieuse, préparait le Christ et
inscrivait d'avance les temps et les moments où
il manifesterait le dessein éternel de l'amour
rédempteur.

La tradition religieuse est donc plus qu'un
lien empirique qui réunit les générations et fait
bénéficier les plus jeunes de ce qu'ont fait leurs
pères. Elle est la transmission d'une Bonne Nouvelle, d'une bienveillante irruption de Dieu dans
l'histoire des hommes. « Pour comprendre les
religions, aimait à dire le P. de Montcheuil, il ne
faut pas regarder les formes inférieures, mais
porter son attention sur les réussites, sur les
types supérieurs de vie religieuse. » La tradition
judéo-chrétienne nous permet de comprendre ce
que signifie la présence de l' « événement primordial » accomplie par les rites traditionnels.
Pour le juif, chaque année, le rite pascal rendait
actuel le geste de Yahvé libérant son peuple, le
faisant sortir d'Egypte et le conduisant vers la
terre promise. La tradition est mieux que la
simple commémoraison d'un grand jour du
passé : elle est ce grand jour demeuré actuel

dans la joyeuse annonce d'une permanence de
l'initiative divine, dans la continuité d'une élec-
tion qui perdure, dans la fidélité toujours neuve
de celui qui, parmi tous les peuples, a mis à
part un peuple qui serait *le sien !*

★

De cette évocation des traditions vivantes en
toute religion se dégage la signification de la
tradition religieuse. Lien vivant entre les générations, elle établit une communion entre elles :
elle inscrit les gestes religieux actuels dans la
ligne de ceux qui les ont précédés, et, par une
remontée sans faille, les rattache à l'événement
primordial qui leur confère valeur et leur donne
signification. Continuité et actualité, tels sont
les deux pôles autour desquels gravite la tradition religieuse.

Les rites d'initiation des civilisations primitives, analysés par M. Eliade [1], sont intéres-
sants à ce point de vue. Traditionnels d'un point
de vue formel, tout d'abord, ils sont constitués
par des structures pratiquement immuables que
se transmettent, de proche en proche, les responsables et les chefs de la tribu. Qu'il s'agisse
du mode de séparation des adolescents, mis en
retrait de la communauté, parfois arrachés sym-
boliquement à leurs mères, isolés dans la forêt
ou dans la brousse, qu'il s'agisse du temps de
cette séparation et de sa durée, ou encore de
l'âge auquel elle a lieu, qu'il s'agisse des rites
proprement dits, avec leur dosage variable d'ins-
tructions, de cérémonies, d'épreuves ou de tor-
tures, la tradition des anciens fixe tous ces
points, donnant le sentiment d'un déterminisme
intangible venu du fond des âges. Ce cadre
rigoureux, précisé dans les moindres détails, est

1. *Naissances mystiques.* Essai sur quelques types d'initiation. Gallimard, 1959.

le véhicule d'une tradition « mythique » qui
révèle aux initiés les secrets religieux de la
tribu, leur communique les doctrines ésotériques
dont ils seront désormais les détenteurs. Au
terme de l'initiation, ils « savent », et, volontiers, un rigoureux secret gardera contre l'indiscrétion ce trésor qui leur a été confié. Discipline
de l' « arcane » qui se retrouve, à dosages
divers, dans la plupart des religions et qui signifie que les « initiés » sont porteurs de « vérités »
dont ils ne peuvent donner communication aux
« autres », à ceux qui restent « dehors », qui
n'ont pas « reçu la tradition ».

Il est frappant que les mots-clés de la tradition : *transmettre* et *recevoir, communiquer* et
garder, viennent spontanément à l'esprit pour
évoquer les rites d'initiation. Leur schématisme,
en effet, est celui d'une rencontre entre des
« anciens » qui transmettent ou communiquent
une « science » ou une « gnose » enrobée dans
des rites et des formulations complexes, et des
« jeunes » qui reçoivent ce secret et prennent
l'obligation de le garder fidèlement, inviolable-
ment, fut-ce au prix de leur vie : par là s'établit
une continuité entre les générations qui assure
la permanence et instaure, par une chaîne en
principe indéfinie, la conservation du dépôt précieux. Sous ce premier aspect, la tradition religieuse apparaît comme un legs des vieux aux
jeunes, des ancêtres aux cadets. Elle est une
charge, au double sens d'un poids que les générations antérieures mettent sur les épaules des
plus jeunes, et d'une responsabilité que celles-ci
acceptent, avec l'obligation de la transmettre à
leur tour.

S'en tenir à ce seul aspect serait appauvrir et
durcir la tradition religieuse. L'étude plus attentive des rites d'initiation manifeste une signification plus complexe. Ces rites réalisent cette
renovatio initiatique, cette « transmutation de
l'existence humaine » mise en lumière par

M. Eliade [1]. La tradition n'est pas seulement la communication d'un héritage, mais l'accession à un être nouveau :

> L'intérêt de l'initiation pour l'intelligence de la mentalité archaïque réside surtout en ceci : elle nous montre que le *vrai homme* — l'homme spirituel — n'est pas donné, n'est pas le résultat d'un processus naturel. Il est « fait » par les vieux maîtres, selon les modèles révélés par les Etres divins et conservés dans les mythes. Ces vieux maîtres constituent les élites spirituelles des sociétés archaïques. *Eux savent,* eux connaissent le monde de l'esprit, le monde véritablement humain. Leur fonction est de révéler aux nouvelles générations le sens profond de l'existence et de les aider à assumer la responsabilité d'être un « homme véritable », et, par conséquent, de participer à la culture. Mais puisque, pour les sociétés archaïques, la « culture » est la somme des valeurs reçues des Etres surnaturels, la fonction de l'initiation peut se ramener à ceci : elle révèle, à chaque nouvelle génération, un monde ouvert vers le trans-humain, un monde, dirions-nous, transcendantal [2].

Dès lors, la tradition n'est pas seulement la réception d'un dépôt au terme d'une longue série de transmetteurs, sans contact possible avec les origines. Elle est, par une remontée qui, abolissant le temps par une « re-présentation » effective et efficace, fait en quelque sorte retour aux origines, une coïncidence avec l'événement primordial. D'où la signification des rites symboliques de mort dans l'initiation : ils abolissent mystiquement le temps empirique, ils le *nient,* afin de permettre l'accès au temps primordial : ils réalisent ainsi l'accès à la vie à travers la mort. Rendu actuel par le rite, l'événement essentiel, qui exprime, en réalité meta-historique, la loi même de l'existence et la fait accep-

1. *Op. cit.* p. 274.
2. *Op. cit.* pp. 268-269.

ter, est vécu par l'initié : c'est là le principe de
sa régénération, puisqu'il lui devient contemporain : l'initié est jeté, à travers une mort symbolique, dans l'événement, de manière à être,
par lui, recréé.

La tradition initiatique apparaît donc comme
l'instrument d'une rénovation totale, d'une régénération. Pas seulement une charge subie et
acceptée, mais une promotion. Elle fait participer à l'expérience spirituelle qu'elle totalise.
Aboutissement d'une longue série, elle est aussi
coïncidence avec le point de départ. Celui qui
accepte l'héritage devient non seulement bénéficiaire, mais aussi artisan de l'effort qui l'a
acquis. Il est compagnon de ceux dont il reçoit
l'héritage, contemporain et émule des « anciens ». Ce n'est pas assez dire que d'affirmer
que la tradition rend capable d'exploiter à son
tour le champ longuement travaillé par les
ancêtres. Elle permet aussi de retrouver, pour
son compte, l'élan initial, la ferveur neuve du
premier labour, l'ardeur des premiers ensemen-
cements...

Cette interprétation de la tradition initiatique
dépasse évidemment et prolonge les données
souvent frustes ou équivoques rassemblées par les
historiens des religions. Nous ne faisons pas ici
œuvre d'historien, mais, à partir des analyses
de M. Eliade, nous essayons de dégager la signification profonde de la dimension traditionnelle
du comportement religieux, envisagé dans son
universalité au plan de la phénoménologie. Cette
attitude est recevable si l'on admet que, dans
toute expression religieuse authentique, peut se
trouver, mêlée à des dégradations et des per-
versions, qui, souvent, attirent principalement
l'attention, une certaine connaissance du Dieu
véritable. Sans recourir aux hypothèses discu-
tables de l'école traditionaliste, il suffit de se
souvenir que Dieu, selon l'enseignement de Paul
aux Athéniens, « veut que les hommes le cher-

chent, comme à tâtons : car il n'est pas loin de chacun de nous » [1].

Les travaux de Van der Leeuw et de M. Eliade, et notamment l'étude que ce dernier a faite des rites d'initiation, permettent de déterminer, à vue de pays, un double aspect de la tradition religieuse : aspect de réceptivité, pour ainsi dire, selon lequel la tradition est transmission d'un dépôt reçu des ancêtres, à conserver et à garder fidèlement : charge qui fait reposer sur les plus jeunes, avec obligation de le soustraire à toute profanation et dispersion, le poids de l'acquis religieux des générations antérieures. Aspect d'activité, car la tradition, transmise en des rites qui font participer aux événements primordiaux dont l'initié devient immédiatement bénéficiaire, est pour lui principe de transformation et de « renaissance ». La prédominance de l'un ou l'autre aspect fera de la tradition, soit principalement une force de stabilité et de conservatisme, soit au contraire un facteur de progrès, suscitant les gestes et les démarches de la personnalité religieuse. D'où l' « ambivalence » de la tradition religieuse...

Dans les *Deux sources de la morale et de la religion*, Bergson a posé le principe de la distinction entre religion *close* et religion *ouverte*. Distinction commode, à condition de n'y point chercher un principe de classification des diverses religions en deux groupes hétérogènes, mais plutôt l'indication des deux pôles entre lesquels oscille toute attitude religieuse. « Ce qui importe avant tout, écrivait le P. de Montcheuil, c'est l'existence de deux directions absolument différentes et irréductibles l'une à l'autre dans la

1. Actes, 17, 27. Cf. J. Daniélou, *Dieu et nous*, Grasset, 1956, pp. 15-23.

religion » [1]. Nous pensons, du reste, que ces directions sont davantage les limites entre lesquelles se produit, immanquablement, la tension de toute religion personnelle, que les caractéristiques antagonistes des religions, envisagées en elles-mêmes et dans leur pure objectivité.

L'attitude religieuse, en effet, participe au dynamisme des comportements spirituels humains. Elle n'est donc pas quelque chose de stable, une sorte de donné intangible que l'on puisse considérer abstraitement et sans référence à un devenir, qui est la condition même de sa vitalité. Elle est susceptible de progrès, mais aussi de régression. Normalement, à travers les modes concrets de son existence, les images et les rites, les représentations du sacré et l'inévitable pression des sociétés où elle se développe (famille, tribu, groupe culturel et social, « église »), elle doit purifier son élan et tendre vers le Dieu inaccessible qui la polarise. Saint Paul enseigne que les païens, par la création, ont connu Dieu, et qu'il s'est manifesté à eux, au point de rendre inexcusable leur impiété [2]. Ses discours de Lystres [3] et d'Athènes [4] confirment les assertions du premier chapitre de l'Epître aux Romains : l'attitude religieuse authentique est une recherche de Dieu, et doit conduire à Lui. Mais cette « quête du Dieu vivant » suppose et exige les purifications et les rectifications d'un cœur droit et sincère, attentif à ne pas dévier : aspect « dynamique » de la vie religieuse. Chaque fois que défaille cet effort, que dévie ce mouvement, la vie religieuse s'enlise et se recroqueville : préférant à Dieu les avantages qu'il en escompte, l'homme tend à donner le pas à l'attitude

---

1. *Apologétique*, sous la direction de M. Nédoncelle et M. Brillant, Bloud et Gay, 3e édition, 1948, p. 36.
2. Rom., 1, 18-20.
3. Actes, 14, 15-18.
4. Actes, 17, 26-27.

magique sur la véritable attitude religieuse :
mouvement captateur et égocentrique, la magie
va dans un sens opposé à celui de la véritable
religion, dont elle constitue une caricature et
une dégradation. Et la pression sociale se fera
volontiers son auxiliaire : elle favorise une religion de conformisme et d'intérêt, tournée vers
les puissances tutélaires de la tribu, du clan et
de l' « ordre social », afin d'assurer au groupe
fermé les « services » de ses divinités tutélaires
et de sa religion « close ». Analysant l'ambiguïté foncière du « sacré », le P. de Montcheuil
a bien mis en valeur l'ambivalence du comportement religieux :

> La religion, à mesure qu'elle se développe, tend
> à donner comme centre au sacré une réalité per-
> sonnelle, comme à exprimer plus clairement, dans
> les croyances et dans les rites, une dépendance
> proprement dite. Elle tend à rejeter de plus en
> plus l'action de forces mystiques impersonnelles,
> c'est-à-dire les croyances et les pratiques magi-
> ques. Celles-ci corrompent le sacré au niveau
> même de son jaillissement. Or, à travers la magie,
> se fait jour une certaine revendication d'autono-
> mie : l'homme sait les formules qui enchaînent le
> divin ; il a barre sur les forces occultes qui imprè-
> gnent l'univers, s'en approprie la bienveillance, en
> détourne la malfaisance sur l'ennemi, s'exerçant
> ainsi à la volonté de puissance. Preuve supplémen-
> taire que le sacré authentique suppose l'intuition
> confuse d'une liberté divine et transcendante que
> l'homme peut prier et invoquer, mais non plier et
> forcer. D'où une contradiction ruineuse au cœur
> de la magie : celle-ci utilise le sacré dont elle nie
> la signification ; le divin dont elle se sert est à la
> fois au-dessus et au-dessous de l'homme. A mesure
> que la religion s'approfondit, au contraire, elle
> explicite ce caractère de dépendance qui est
> impliqué dans le sacré et qui se trouve à l'opposé
> de l'idéal d'autonomie absolue... [1].

Cette ambivalence, que révèle l'attitude de

1. *Op. cit.* pp. 29-30.

l'homme en face du sacré, affecte la tradition. Il importe de le saisir, afin de clarifier au départ l'équivoque qui, volontiers, enveloppe cette notion.

La tradition peut, dans la religion, représenter un élément d'immobilisme et de repli sur soi. Elle peut incliner à la religion close. Elle impose des gestes, des formules, des comportements, qui sont ceux du milieu social ambiant, et qui, à la limite, n'ont d'autre signification que d'être l'effet de sa pression. Pression sociale, elle tend à se vider, peu à peu, de tout élan intérieur, à mettre en veilleuse l'autonomie spirituelle, à susciter l'alignement des esprits par le conformisme des attitudes. Dimension inévitable de la vie en société, la tradition, dégradant le geste, qui est normalement une expression nécessaire de l'attitude intérieure, en mimétisme grégaire, devient une mainmise de la collectivité ; et celle-ci, qui sait fort bien l'utiliser à son profit, donne volontiers à la « tradition », force de stabilité et de conformisme, l'appoint de ses contraintes.

Contraintes qui reçoivent l'appui de la paresse et de l'intérêt. Quoi de plus commode, et de plus « naturel », que de se plier docilement à l'usage ? Quitte, comme les courtisans de Versailles observés par la malice de Saint-Simon, à « oublier » d'aller à la messe quand le Roi ne s'y rend pas ! La tradition, dans cette perspective, représente une économie d'effort et d'initiative, en même temps qu'une contribution intéressée à la sauvegarde de l'ordre public. Le glissement est facile des conformismes simplement sociaux aux conformismes religieux, et bien souvent on a peine à se rendre compte du franchissement de la frontière. La tradition religieuse, entendue comme un ensemble de gestes et de rites imposés par la coutume, sinon par les lois de la cité, fait partie de la tradition nationale ou familiale. Dans les cités gréco-romaines — l'exemple de

Socrate le montre — l' « impiété » constituait un crime, passible de mort. Il se produit aisément un alignement de la tradition religieuse sur la coutume sociale, qui la dégrade en routine et en conformisme, et, par réaction, dresse contre elle la protestation d'authentiques personnalités religieuses.

Ce n'est pas là quelque chose de fatal, puisque aussi bien la tradition véritable n'est pas tant une pression qu'un appel à retrouver, dans son jaillissement initial, dans son surgissement spontané, l'expérience religieuse de ceux qui nous ont précédé. La tradition, sans doute, vient par voie sociale ; elle est transmise par la famille et par l'éducation ; elle est enseignée par l'autorité religieuse, par un « magistère ». Son rôle unificateur et sa vertu de cohésion ne peuvent être niés. Mais, par cette voie, c'est un appel personnel qui est transmis. Et seule une réponse personnelle, par laquelle l'homme articule son adhésion intérieure à ce qui lui est annoncé, s'inscrivant et s'engageant dans la tradition, est capable de signifier que cette tradition est vraiment *reçue*.

Les mots mêmes qui évoquent le mouvement de la tradition, sa translation historique entre les générations, sont ambivalents. *Transmettre*, ce peut être seulement notifier une doctrine, imposer un rite, exiger la mémorisation d'énoncés au contour rigoureusement fixé, imposer des comportements dûment stylés. Transmission qui ressemble à la mise en vigueur d'un règlement policier. Mais *transmettre*, c'est aussi faire appel à l'assentiment de l'intelligence et du cœur, à l'adhésion intime de l'esprit, aux gestes qui traduisent la conviction personnelle. De même *recevoir* peut signifier l'acceptation passive de ce que l'on subit, faute de pouvoir l'éviter ; mais aussi l'accueil généreux qui fait sien et intériorise le don communiqué de la part de Dieu.

Il serait simpliste de prétendre, entre ces distinctions nécessaires, établir une opposition irréductible, et prétendre élever des cloisons étanches entre ce que l'on pourrait nommer, en style bergsonien, « tradition close » et « tradition ouverte ». Il s'agit de tension interne, non de domaines séparés par un mur, sans communication possible. Dans la majorité des cas (sinon tous), les deux significations et les deux tendances composent et se mêlent en proportions variables. Tout au plus peut-on, avec précaution, établir des dominantes. A condition, encore, de considérer qu'il s'agit d'un moment arbitrairement découpé, donc isolé du mouvement qui le porte, et non pas de l'ensemble du comportement d'une vie religieuse, singulière ou collective, qui échappe à nos prises et dont Dieu seul peut juger le degré d'authenticité.

Aussi bien faut-il laisser une large part à ce qu'on pourrait appeler « l'enveloppement social » (et sociologique) de la tradition religieuse. Cette tradition, qui nous est transmise par la famille, n'est-il pas normal qu'elle soit d'abord subie, avant d'être pleinement acceptée, qu'elle apparaisse d'abord une pression du milieu, que l'enfant éprouve sans peine et supporte sans effort, comme le cadre indispensable de son éducation et de son développement humain et religieux, avant de devenir, progressivement, un appel personnel ? Les problèmes d'éducation religieuse trouvent ici leur point d'application, qui réclament beaucoup de discernement, un sens averti des « âges » et des conduites adaptées aux moments successifs de la croissance.

Mais, parmi ceux-là même que l'état civil reconnaît « adultes », n'est-il pas normal que la tradition-pression garde une certaine part dans la vie religieuse de plusieurs ? Non, certes, pour dispenser d'une foi vivante, d'une pratique où s'exprime une conviction, d'une démarche personnelle. Mais afin d'y acheminer. Afin que ce qui est d'abord acquiescement docile, et un peu

passif, ou routinier, devienne engagement lucide,
active insertion dans la vie de la communauté.
Nous sommes souvent trop pressés, en même
temps que catégoriques dans nos classifications.
La grâce est patiente, et Dieu prend son temps,
qui sait que la réalité est plus complexe que nos
dichotomies théologiques ou pastorales. Son
appel, il peut le faire entendre d'abord par le
dehors, se réservant ensuite, si l'âme est fidèle
et vraiment accueillante, de l'intérioriser progressivement. La tradition, d'abord subie, n'est
pas nécessairement une contrainte purement
extrinsèque, incapable d'éveiller à la vie religieuse personnelle. La qualité de la réponse, au
fur et à mesure que la parole de Dieu se fait
plus insistante, est finalement le facteur déterminant, en ce qui nous concerne, du progrès spirituel.

Ces remarques générales étaient nécessaires
comme préambule d'une étude de la tradition
catholique. C'est d'elle maintenant qu'il sera
question. La tradition vivante, reçue des apôtres
et conservée sans altération ni surcharge, sous
l'action de l'Esprit Saint, dans l'Eglise catholique, fera désormais l'objet de notre réflexion.

Chapitre II

LA TRADITION DES APOTRES

Quand le Concile de Trente définit la Tradition, nous l'avons vu, il lui assigne pour critère d'authenticité d'être *apostolique* : « Depuis les apôtres, elle s'est transmise, comme de main en main, jusqu'à nous » [1]. A l'inverse de ces traditions dont l'origine confuse se perd dans un lointain folklore, la tradition de l'Eglise possède une origine précise. On sait quand elle a commencé, et qui lui a donné le départ. On peut, non seulement préciser ses origines empiriques, mais encore, en raison de tout ce que nous savons des temps apostoliques, lui assigner, au principe, un contenu discernable. C'est la prédication de Jésus « transmise » par les apôtres, qui est à l'origine de la tradition de l'Eglise, et l'objet de cette tradition n'est autre que l'enseignement du Seigneur.

Bien plus, cette tradition n'est pas seulement, comme pour toute religion, un ensemble d'usages cultuels et de formules vénérables, qui nous transmettent le legs des générations antérieures. Elle est, surtout, le message des fonda-

---

1. Session IV, Denz. 783.

teurs conservé soigneusement et attentivement par une Eglise qui se sait et se veut « apostolique ». L'Eglise catholique, dès ses origines, s'est reconnue l'Eglise des apôtres ; et le critère d'apostolicité fut, dans les premiers siècles — saint Irénée et Tertullien en sont témoins — l'argument majeur contre l'hérésie, reconnaissable à ce trait qu'elle s'écartait de la tradition apostolique, en se séparant de la grande Eglise en qui demeurait la succession des apôtres. L'Eglise vit de la tradition des apôtres. Cela crée entre cette tradition et l'Eglise un lien nécessaire et infrangible : l'Eglise du Christ, parce qu'apostolique, conserve avec religieux respect et fidélité attentive la tradition des apôtres, et celle-ci ne peut exister ailleurs que dans l'Eglise catholique, seule habilitée à demeurer gardienne de cet héritage.

La tradition n'est donc pas, pour l'Eglise catholique, un accessoire convenable ; elle représente pour elle autre chose qu'un élément sociologique ou qu'un principe de continuité. Elle fait partie structurante de son être, elle est une dimension essentielle de sa personnalité. Parce qu'elle est la tradition des apôtres. La tradition, c'est, finalement, la présence des apôtres à l'Eglise dont ils sont les visibles instaurateurs. Sans cette présence, il n'y aurait plus l'Eglise qu'a voulue Jésus-Christ. Car s'il a promis à ses apôtres d' « être avec eux jusqu'à la fin du monde » [1], cette promesse implique que leur présence, gage et certitude de la présence du Seigneur, demeure dans l'Eglise jusqu'à la Parousie.

« Vous êtes concitoyens des saints, vous êtes de la maison de Dieu. Car la construction que

---

1. Mt. 28, 20.

vous êtes a pour fondations les apôtres et prophètes, et pour pierre d'angle le Christ Jésus
lui-même » [1]. La formule de saint Paul manifeste ce que sont les apôtres pour l'Eglise : ses
visibles fondateurs, les réalisateurs de l'œuvre
de Jésus qui est d'établir et de bâtir *son*
Eglise [2].

Cette œuvre, ils l'ont entreprise dès le jour
de la Pentecôte, dès que l'Esprit, les projetant
hors du Cénacle, les eut affrontés à ce monde
auquel ils avaient mission d'annoncer Jésus ressuscité, Sauveur, Seigneur : « Que toute la
maison d'Israël le sache avec certitude : Dieu
l'a fait Seigneur et Christ, ce Jésus que vous,
vous avez crucifié... Il n'y a pas sous le ciel
d'autre nom donné aux hommes, par lequel il
nous faille être sauvés » [4]. Inconfusibles
« témoins de la résurrection du Seigneur » [4],
les apôtres redisent sans crainte, à tous ceux
qui le veulent entendre, le message du salut. Et
c'est cette prédication, dont les Actes nous
disent à la fois le contenu, l'audace et le succès,
qui fonde, à Jérusalem d'abord, puis à Antioche,
puis à travers le monde méditerranéen, ces
églises qui, ensemble, liées par le lien de la cha-
rité et par la dépendance des apôtres fondateurs, sont l'unique Eglise de Jésus, grandissant
« jusqu'à la taille adulte du corps du
Christ » [5].

Les Apôtres ont fondé l'Eglise en prêchant,
missionnaires itinérants à la poursuite des cœurs
bien disposés et des bonnes volontés en attente
de la Bonne Nouvelle. Selon la remarque de
saint Irénée, les apôtres ont *d'abord* prêché. Ce
n'est qu'ensuite qu'ils ont, personnellement ou
par leurs disciples, fixé par écrit leur mes-

1. Eph. 2, 19-20.
2. Mt. 16, 18.
3. Actes, 2, 36 ; 4, 12.
4. Actes, 4, 33.
5. Cf. Eph. 4, 12, 16.

sage. Ce que nous savons ou pouvons légitimement conjecturer des origines de nos quatre
Evangiles canoniques montre que cette « écriture » non seulement fut tardive, mais qu'elle
résulta d'un lent travail de groupement et d'har-
monisation de canevas primitivement destinés à
aider des prédicateurs. La fondation de l'Eglise
se fit par l'enseignement direct, *parlé* des apôtres, et par les contacts vivants qui en résul-
taient, beaucoup plus que par la transmission
de « mémoires » écrits. L'élément primordial, sinon unique, de la diffusion du christianisme fut l'enseignement oral, le *kérygme* des
apôtres [1].

« Les apôtres enseignent (*kérussousin*) » :
formule qui, pour saint Irénée, désigne de
manière habituelle, l'activité apostolique [2]. Cet
enseignement est d'abord un *témoignage :*
« Nous, nous sommes témoins de tout ce que
(Jésus) a fait dans le pays des juifs et à Jérusalem », dit Pierre au centurion Corneille [3].
Ils disent ce qu'ils ont vu : ils racontent simplement ce que Jésus a fait devant eux, ses miracles de puissance et de bonté, comment « il a
passé en faisant le bien et en guérissant tous
ceux qui étaient tombés au pouvoir du diable,
car Dieu était avec lui » ; sa Passion et sa
Résurrection, dont ils sont, eux, les apôtres, les
témoins « choisis d'avance », chargés d' « attester qu'il est lui, le juge établi pour les vivants
et les morts ». Et ce témoignage est corroboré
par l'Ecriture : car « c'est de lui que les prophètes rendent ce témoignage que quiconque

1. Le mot biblique et patristique de *kérygma* désigne
techniquement « la proclamation publique et solennelle du
salut par le Christ pour susciter dans les âmes bien disposées
la foi en Jésus ». Voir A. Rétif, *Foi au Christ et mission*,
coll. Foi vivante, Editions du Cerf, 1953.
2. Cf. Recherches de science religieuse, 1949, pp. 229-270 ;
1953, pp. 410-420 ; dom Reynders, Recherches de théologie
ancienne et médiévale, 1953, pp. 155-191.
3. Actes, 10, 39.

croit en lui recevra, par son nom, la rémission
de ses péchés » [1]. Témoignage dont il est
inutile de souligner la vigueur convaincante, en
raison de l'expérience directe dont il est l'écho
et du courage avec lequel, au mépris des
menaces et de la mort, il est porté.

Mais ce témoignage est la *transmission* d'un
message. S'effaçant constamment devant leur
Maître, le laissant parler, redisant ses paraboles
et ses enseignements, les apôtres mettent leurs
auditeurs en communication avec Jésus. La formule qu'ils ont redite aux premières chrétientés : « Qui vous écoute, m'écoute » n'est pas
simplement une garantie d'authenticité de leur
prédication et de leurs actes de fondateurs
d'églises ; elle est aussi l'assurance que Jésus
parle par ses envoyés. C'est Lui qu'entendent les
juifs de Jérusalem ou de la Diaspora, les païens
d'Antioche ou de Corinthe. Le rôle propre des
apôtres n'est pas de faire œuvre personnelle,
mais bien d'accomplir l'œuvre même de Jésus,
ce « rassemblement » [2] que le Seigneur veut
réaliser par eux. Les églises qu'ils fondent,
l'Eglise qu'ils structurent par leur labeur conju-
gué, ce n'est pas *leur* église, mais l'Eglise de
Jésus-Christ. Non seulement, les apôtres témoignent *du* Christ, mais ils témoignent *pour* le
Christ, en vue de la construction de son Corps
mystique.

Témoignage, transmission d'un message,
mieux encore, communication du souvenir
vivant conservé du contact avec Quelqu'un qui
a transformé une vie et l'a orientée irrévocable-
ment — « Seigneur, à qui irions-nous ? Tu as
les paroles de la vie éternelle. Nous croyons,
nous, et nous savons que tu es le Saint de

1. ACTES, 10, 40-43.
2. *Ekklêsia* qui traduit dans les LXX et le Nouveau Testament le mot hébreu *Qahal*, désignait dans la langue profane
l'*assemblée* des citoyens réunie par les responsables à la suite
d'une convocation officielle.

Dieu » [1] — le *kérygme* apostolique est l'instrument de la fondation de l'Eglise.

La première rencontre des apôtres et des juifs
le jour de la Pentecôte, est révélatrice. Pierre,
sortant du Cénacle, s'adresse audacieusement à
la foule rassemblée. Il annonce que Jésus de
Nazareth, mis à mort par ses auditeurs à la fête
de Pâques, est vivant, ressuscité et Seigneur. Ce
témoignage bouleverse un grand nombre de ses
auditeurs, et, immédiatement, suscite leur inter-
rogation : « Frères, que devons-nous faire ? »
Ils veulent, eux aussi, avoir part à cette foi que
vient d'exprimer celui que Jésus a désigné pour
le chef de ses témoins. Ils veulent « accueillir
sa parole », et, témoins retournés prêts à reconnaître pour envoyé de Dieu celui qu'ils cons-
puaient et vouaient à la mort il y a cinquante
jours, faire partie de ses fidèles. « Que devons-
nous faire ? — Repentez-vous, leur dit Pierre,
et que chacun de vous se fasse baptiser au nom
de Jésus-Christ pour la rémission de ses péchés
et vous recevrez alors le don du Saint-Esprit... »
Eux donc, accueillant sa parole, se firent baptiser. Il s'adjoignit ce jour-là environ trois mille
âmes » [2].

De manière stylisée, ce récit nous fait connaître le processus de la fondation des églises,
inauguré dès le jour de la Pentecôte. A l'audi-
tion de l'enseignement des apôtres, des âmes de
bonne volonté demandent de *s'adjoindre* à leur
groupe, afin de participer au salut par le Christ
qui vient de leur être révélé. « Chaque jour, le
Seigneur adjoignait à la communauté ceux qui
seraient sauvés » [3]. A Antioche de Pisidie,
après le premier discours de Paul, « nombre
de juifs et de prosélytes qui adoraient Dieu suivirent Paul et Barnabé » [4] ; et « la parole de

1. Jo., 6, 68-69.
2. ACTES, 2, 37-41.
3. ACTES, 2, 47 ; cf. 11, 21, etc.
4. ACTES, 13, 43.

Dieu se répandait dans toute la région » [1].

Le lien qui unit entre eux et avec les apôtres ces nouveaux fidèles, c'est précisément la parole des apôtres, leur *annonce* de Jésus. Les convertis croient sur le témoignage de ceux qui ont vécu avec Jésus, qui l'ont vu ; à travers ce témoignage, ils découvrent Jésus et adhèrent à lui. Ils s'adjoignent, pourrait-on dire, à la foi des apôtres, qui devient leur foi et transforme leur vie, et ils s'en font, à leur tour, les diffuseurs : « Vous vous êtes mis à nous imiter, écrit Paul aux Thessaloniciens, nous et le Seigneur, en accueillant la Parole, parmi bien des tribulations, avec la joie dans l'Esprit Saint. Vous êtes ainsi devenus un modèle pour tous les croyants de Macédoine et d'Achaïe. De chez vous, en effet, la Parole du Seigneur a retenti, et pas seulement en Macédoine et en Achaïe, mais de tous côtés votre foi en Dieu s'est répandue, si bien que nous n'avons plus besoin d'en rien dire » [2].

C'est la parole vivante des apôtres qui a fondé et établi l'Eglise à travers le monde.

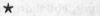

Cette Parole des apôtres, qui les avait suscitées, les églises l'ont évidemment conservée avec soin : « tradition » précieuse que l'on aura la plus grande attention à garder et à transmettre à ceux qui viendront, à leur tour, demander de s' « adjoindre » à la communauté. L'affirmation de saint Irénée est non seulement plausible, mais s'impose en quelque sorte à qui réfléchit aux premiers temps du christianisme, à cette seconde moitié du premier siècle où succède, à la génération apostolique, celle des disciples des apôtres devenus à leur tour chefs des

1. Actes, 13, 49.
2. I Thess. 1, 6-8.

églises : c'est aux églises fondées par les apôtres qu'il faut demander l'authentique tradition des apôtres ; où pourrait-elle être mieux conservée que là où une succession ininterrompue permet de remonter jusqu'à l'apôtre fondateur ?

A vrai dire, nous raisonnons volontiers comme si ces deux générations, l'apostolique et la suivante, constituaient deux blocs simplement juxtaposés. Il est clair qu'en fait elles se sont trouvées mêlées en une symbiose vivante, où nulle séparation ne peut être pratiquée. Du vivant même des apôtres, d'autres se sont joints à eux, qui n'avaient pas connu personnellement le Christ, et qui, cependant, partageaient avec eux la « sollicitude des églises ». Par les Epîtres, nous connaissons un certain nombre des collaborateurs de Paul, Tite, Timothée, Luc, Epaphras et bien d'autres. Pierre eut également ses compagnons d'apostolat, parmi lesquels, sans doute, ses premiers successeurs, Lin, Clet, Clément, que nomme Irénée dans sa liste des Papes. Autour de Jean, qui vécut très âgé, gravitent ces « presbytres » asiates, dont l'évêque de Lyon invoque volontiers le témoignage. Ils ne sont pas apôtres, mais collaborateurs et, plus ou moins, successeurs des apôtres. Certains sont leurs contemporains, d'autres appartiennent à une génération plus jeune. De proche en proche, ils se transmettent le témoignage et le message de ceux qui ont vécu avec le Seigneur, et qui, eux-mêmes, leur ont redit fidèlement ses Paroles. Irénée, dans son enfance, a connu Polycarpe, le vieil évêque de Smyrne ; et Polycarpe avait connu saint Jean. De Jésus à l'évêque de Lyon, qui écrivait dans les dernières décades du second siècle, pas de rupture ni de solution de continuité.

« Que l'épiscopat représente la succession des apôtres, écrivait Mgr Duchesne, c'est une idée qui correspond exactement à l'ensemble des faits connus... L'épiscopat recueillait la succession apostolique. Par les apôtres qui l'avaient insti-

tuée, cette hiérarchie remontait aux origines
mêmes de l'Eglise, et tirait ses pouvoirs de ceux-
là à qui Jésus-Christ avait confié son œuvre » [1].
Rien n'autorise à imaginer un point de rupture entre les apôtres et les chefs des églises,
à élever une sorte de cloison étanche entre la
période apostolique et l'église postérieure. Et
donc à mettre une différence spécifique entre la
tradition de l'âge apostolique et la tradition de
l'église subapostolique.

Sans doute, les apôtres sont témoins directs,
en même temps que fondateurs. Leurs disciples,
immédiats ou plus lointains, ont *reçu* d'eux ce
qu'ils transmettent à leur tour. Mais le privilège unique des apôtres est d'avoir « vu de leurs
yeux, touché de leurs mains le Verbe de vie » :
privilège incommunicable. Les successeurs transmettent la tradition *apostolique ;* les apôtres
rendent témoignage à celui qui les a appelés
personnellement, instruits et formés, afin qu'ils
« annoncent ».

Cependant, du vivant même des apôtres, le
mouvement de la tradition a pris naissance, qui
ne s'interrompra plus. La succession, qui
évoque l'image d'une proximité et d'un décalage
simultanés, commence avant la mort des
apôtres. Saint Jean, qui, selon Irénée, vivra jusqu'au règne de Trajan, sera contemporain, sans
doute, non seulement de successeurs des autres
apôtres, mais de plusieurs de leurs successeurs.
Le dépôt, déjà, se passe de main en main. « Ce
que tu as appris de moi sur l'attestation de
nombreux témoins, écrivait saint Paul à Timothée, confie-le à des hommes sûrs, capables à
leur tour d'en instruire les autres » [2].

D'où l'importance des successions apostoliques, dont témoignent, entre autres faits, ces
listes d'évêques soigneusement tenues à jour,

---

1. *Histoire ancienne de l'Eglise*, I, pp. 89-90.
2. II Tim., 2, 2 ; cf. Gal., 1, 18 ; I Cor., 11, 23.

et qui permettront, vers la fin du IIe siècle, de remonter jusqu'aux apôtres fondateurs. Elles manifestent une attention portée à la fois aux personnes et aux sièges. Il importait de connaître ceux « à qui les apôtres avaient confié leurs églises », et qui, en ces temps difficiles avaient porté en eux, pour ainsi dire, la tradition vivante des témoins choisis et envoyés par Jésus. Illustres souvent, sinon par leurs qualités intellectuelles, du moins par leur zèle et par leur martyre, ils demeuraient dans l'Eglise ces chaînons privilégiés par qui l'on se sentait relié aux apôtres. Mais ces hommes étaient des pasteurs : le temps de l'apostolat itinérant était révolu, et le souvenir des apôtres s'était fixé en des églises géographiquement localisées. La tradition de Pierre se conservait à Antioche et à Rome, la tradition de Jean à Ephèse : d'où l'importance de savoir exactement ce qui s'enseignait dans ces églises-mères.

Dans la personnalité de *l'évêque* s'unissaient ces deux éléments. Ce n'est pas par hasard qu'au nom de ces hommes de la seconde ou troisième génération, Ignace ou Polycarpe, est toujours joint le nom de leur église. L'évêque est successeur des apôtres dans leurs églises : c'est à cette église d'abord qu'il redit ce qu'il a entendu, et c'est de là que se répand à travers toute l'Eglise son témoignage. Dans la vénération qu'Irénée porte au glorieux martyr Polycarpe, il y a, certes, l'affectueux respect conservé à son maître, mais aussi la déférente estime témoignée à l'église de Smyrne, « dont les apôtres ont constitué évêque » leur disciple Polycarpe [1].

La « tradition des apôtres, conservée dans les églises par eux fondées », pour parler comme saint Irénée, appartient en propre à l'Eglise.

1. *Adv. Haer.*, III, 3, 4.

Legs de ses fondateurs, permanence en elle de leur esprit, elle demeure dans l'Eglise comme un héritage qu'un fils reçoit des parents qui l'ont préparé pour lui. La tradition est *dans* l'Eglise, elle est *de* l'Eglise, elle est la dimension même de son apostolicité. Ce qui explique à la fois la dépendance de l'Eglise par rapport à sa tradition, qui demeure pour elle normative et porteuse de la révélation du Seigneur, et cette sorte de liberté avec laquelle elle en dispose, l'exprimant dans les actes de son magistère, en jugeant les témoignages et, pour ainsi dire, leur accordant droit de créance, la vivifiant dans la piété de chaque génération. La tradition est le milieu vital où l'Eglise grandit depuis ses origines, l'air qu'elle respire, le mouvement qui la pousse en avant. L'Eglise ne prend pas de recul par rapport à la tradition des apôtres, et c'est sans doute la raison pour laquelle la réflexion médiévale, si fortement pénétrée de la tradition, en a si peu parlé.

Aussi bien, faut-il reconnaître que la tradition est en même temps et indissociablement : ecclésiastique et « divino-apostolique ». Ecclésiastique puisqu'elle appartient à l'Eglise, s'exprime et se vit dans l'Eglise ; « divino-apostolique » puisque la tradition est ce courant ininterrompu qui remonte aux apôtres, et, par eux, nous met en communication — et donc en communion — avec le Verbe incarné.

Ceci nous amène à réfléchir sur les distinctions classiques entre « traditions apostoliques » et « traditions ecclésiastiques », et sur le contenu qui leur est généralement attribué. Les premières concernant des vérités et des faits dogmatiques, les secondes ayant trait aux rites, cérémonies et usages disciplinaires.

Cette distinction, fort claire à première vue, semble appeler quelques remarques. On peut noter, que nous trouvons, dès l'âge apostolique, et comme une décision des apôtres, certaines traditions « disciplinaires et liturgiques », donc « ecclésiastiques » : l'obligation pour les femmes d'être voilées pour prier, par exemple, édictée par saint Paul (I Cor., 11, 2-16) : il est significatif que, pour mettre fin aux discussions, l'apôtre, précisément, en appelle « à l'usage des églises de Dieu ». D'autre part, selon la remarque d'un des légats pontificaux aux débats qui préparèrent le décret *Sacrosancta* du Concile de Trente, la distinction entre traditions « cérémonielles et liturgiques » et traditions dogmatiques est légitime, mais ne doit pas être trop poussée. Car, notait Cervini, il existe des domaines mixtes et des frontières incertaines ; quand il s'agit, notamment, des sacrements, il est souvent difficile d'instituer une distinction ferme entre ce qui relève du dogme et ce qui est seulement question de rites : la solution de problèmes dogmatiques commande l'adoption ou le maintien de certains rites et ceux-ci expriment le dogme catholique [1]. Les sessions XIII et XXII du Concile de Trente l'ont bien montré, qui, définissant les dogmes de la présence réelle du Christ dans l'Eucharistie et de la valeur sacrificielle de la messe, ont légiféré sur les rites essentiels du Saint Sacrifice. Inutile d'ajouter qu'en ce domaine des rites sacramentaires, la connexion entre traditions apostoliques et traditions ecclésiastiques est si étroite qu'il semble impossible de marquer une ligne de séparation nette et indiscutable.

Il faut ajouter — remarque faite également au Concile de Trente — que certaines traditions « apostoliques » ont vite cessé d'être obligatoires dans l'Eglise : on peut citer les prescriptions alimentaires du Concile de Jérusalem : « S'abstenir des viandes immolées aux idoles, du sang, des chairs étouffées... » [2].

---

1. Cf. Diaire de Massarelli, Conc. Trid., I, p. 492.
2. ACTES, 15, 29. Il n'est pas sans intérêt de remarquer que

Ces remarques font apparaître la continuité entre les apôtres et l'Eglise post-apostolique ; elles mettent également en lumière le fait suivant : autour de *la* tradition essentielle, qui est proprement le message des apôtres, « témoins de la résurrection du Seigneur Jésus » et messagers de l'Evangile, et pour en signifier la traduction concrète dans la vie des communautés chrétiennes, s'instaurent, dès l'âge apostolique, et par décision des apôtres, *des* traditions d'ordre pratique, liturgique, cérémoniel et disciplinaire : elles constituent comme les gestes d'exécution de cette tradition essentielle et unique, qui est la présence dans l'Eglise du kérygme apostolique.

Apostolico-ecclésiales, ces traditions sont multiples et diverses, comme les situations qui les suscitent. Rapportant dans une longue dissertation au Concile de Trente l'opinion de saint Augustin, Seripando, général des ermites de saint Augustin, se plaisait à détailler cette « diversité » des traditions, à la suite de « son père Augustin » : diversité d' « âge original » : les unes remontent aux apôtres eux-mêmes (par exemple les décisions du Concile de Jérusalem), les autres aux générations post-apostoliques ; diversité d'extension : les unes sont encore en usage dans toute l'Eglise, d'autres ne concernent que l'Eglise d'Occident (observance quadragésimale, usages liturgiques, etc...). Et saint Augustin concluait en recommandant « la paix entre les Eglises dans la diversité des usages » [1].

Le caractère de ces traditions est d'être *prudentielles* : elles concernent, en effet, la vie concrète de l'Eglise, assurant la continuité et l'uniformité entre les églises. Leur diversité, le fait que certaines ne valent que pour une partie de l'Eglise (la différence des « traditions » céré-

---

ces diverses traditions « apostoliques » nous sont connues par le Nouveau Testament.

1. Conc. Trid., XII, pp. 517-524, cf. plus haut, p. 99 suiv.

monielles et disciplinaires entre Orient et Occident tiendra la place que l'on sait dans les reproches adressés par Photius et Cérulaire à l'Église de Rome [1], la caducité même de certaines de ces traditions manifestent que *les* traditions, élément authentique et nécessaire de la vie de l'Église, sont, au plan disciplinaire et liturgique, l'expression concrète de cette « tradition apostolique » dont vit l'Église. Elles commencent dès l'âge apostolique, et certaines ont pour auteurs les apôtres eux-mêmes, agissant comme chefs et fondateurs d'Église. Déterminations pratiques qui, procédant de la mission et du pouvoir des apôtres, ne peuvent cependant être confondues avec la charge de transmettre le message chrétien dont elles dérivent cependant. Aussi bien, certaines de ces « traditions apostoliques » tomberont vite, par exemple, les interdits alimentaires du Concile de Jérusalem. La charge de fonder et d'organiser les églises sera évidemment transmise par les apôtres à leurs successeurs ; mais, alors qu'ils ne pourront que transmettre sans changement le dépôt de la foi qui leur est confié, ces successeurs conserveront, sur les traditions liturgiques et disciplinaires, pouvoir véritable : ainsi l'Église pourra, jusqu'au xxe siècle, exercer son autorité sur les rites sacramentels, déterminer que tel rite est essentiel, tel autre simplement complémentaire [2].

Ces réflexions permettent de saisir la distinction et la continuité entre la tradition apostolique, et les traditions qui l'expriment, sans, pour autant, se confondre avec elle. Elles mettent en lumière l'existence d'une tradition apostolique essentielle, conservée et transmise par

1. Cf. F. Dvornik, *Le schisme de Photius : histoire et légende*. Coll. Unam Sanctam, No 19. Editions du Cerf, 1950.
2. Voir la constitution apostolique de Pie XII, *Sacramentum ordinis*, du 30 novembre 1947, sur les rites essentiels des ordres sacrés dans l'Eglise romaine : A.A.S., XL (1948), p. 5.

l'Eglise, comme un dépôt sacré, intangible, directement reçu du Seigneur Jésus par ceux qu'il a institués ses témoins, et l'existence de traditions, qu'il est loisible de nommer « ecclésiastiques », constituant comme la traduction concrète et multiple, dans la vie de l'Eglise, de cette révélation apostolique. Ces traditions appartiennent à l'Eglise, non plus comme l'intangible dépôt de sa foi, mais comme les dispositions contingentes de sa discipline et de son culte. Elles reflètent à la fois l'unité et la diversité légitime dans l'Eglise du Christ : dans l'unité de la foi, il est normal que certaines différences liturgiques et disciplinaires expriment le tempérament particulier de l'Orient et de l'Occident. Ces différences sont, elles-mêmes, traditionnelles, car elles remontent à un passé lointain et vénérable [1] ; elles marquent la continuité, et, en même temps, les pouvoirs que conservent, dans l'unité foncière assurée par l'union au successeur de Pierre, leurs chefs religieux. Par les traditions se manifeste, au niveau de la vie de l'Eglise, la conservation et la permanence de l'unique tradition des apôtres.

Présence parmi nous des apôtres, la tradition conserve dans l'Eglise de tous les temps, dans l'Eglise d'aujourd'hui, l'élan des apôtres envoyés par le Maître annoncer la Bonne Nouvelle à tout l'univers. Loin d'être un poids de stagnation, un frein qui ralentit, elle est, selon le mot de saint Irénée, une force propulsive. Elle transmet à toute l'Eglise, et à tous ceux qui y reçoivent, avec la succession apostolique, la charge de la

1. Au IIe siècle, la « querelle pascale », relative à la date de la cérémonie de la fête de Pâques, représentait déjà un conflit de traditions : on sait que saint Irénée, dans sa lettre au Pape Victor, estimait légitime la fidélité des Orientaux à la « tradition johannique ».

conserver et de la prêcher, le « dynamisme »
des apôtres. Car la tradition ne se conserve
qu'en se communiquant, elle ne se garde qu'en
se diffusant. L'ardeur missionnaire des fondateurs de l'Eglise, par la tradition, qui est permanence de leur esprit et fidélité à leur
exemple, est toujours à l'œuvre parmi nous.
L'Esprit l'entretient et la conserve toujours
jeune.

Chapitre III

LES PÈRES DE L'ÉGLISE,
TÉMOINS DE LA TRADITION

LORSQUE le jeune Moehler entreprit l'étude du Moyen Age chrétien, il comprit vite, nous confie-t-il, que cet effort d'approfondissement de l'histoire dogmatique du christianisme n'aboutirait pas, sans familiarité préalable avec la période patristique : il fallait saisir le lien vivant qui unissait la théologie médiévale aux premiers siècles. D'où les recherches qui mirent le théologien de Tubinge en contact avec les Pères et le traité de *l'Unité dans l'Eglise* qui jaillit de l'enthousiasme de cette découverte [1].

Les Pères de l'Eglise, parmi les témoins de la tradition catholique, tiennent une place singulière. A la fois parce qu'ils sont, dans le temps, proche des origines, aux points de cristallisation et de bourgeonnement de l'esprit chrétien dans l'univers où il se répand : les cinq premiers siècles ne sont-ils pas l'heureuse crise de croissance du christianisme, féconde et difficile ? Parce que, à ces moments décisifs, les Pères se

1. Cité par P. Chaillet, Revue des sciences philos. et théol., 1937, p. 720.

sont trouvés, pour la plupart, unir en leur personne la responsabilité pastorale de l'évêque, la
recherche du théologien affronté aux hérésies
naissantes, l'intensité de vie spirituelle de
maîtres des consciences chrétiennes. Parce que,
enfin, ils ont été d'incomparables commentateurs de l'Ecriture. Aussi bien, leur témoignage
est-il constamment invoqué par le Magistère et
par la théologie : respect de tout le Moyen Age
pour l'autorité de saint Augustin, auquel un
saint Thomas n'hésite pas à joindre les Pères
grecs, qu'il connaît par traductions et dont il
tient compte avec grand soin ; approfondissement de la doctrine des Pères par la théologie
de la Renaissance et de la « Contre-Réforme » ;
recommandations réitérées des Papes et des
Conciles de ne pas s'écarter, dans l'interprétation des saintes Ecritures, « du consentement
unanime des Pères » [1] ; appel fait à leur
témoignage en faveur des dogmes récemment
définis : infaillibilité pontificale ou Assomption
de Marie. Notre actuelle ferveur pour les Pères
de l'Eglise, qui se recommande des grands noms
de Moehler, Newman, Scheeben, s'inscrit dans ce
courant ininterrompu de fidélité à « l'esprit des
Pères ». Peut-être sommes-nous plus attentifs à
la « situation » historique singulière, à la personnalité ecclésiastique et humaine de chacun
des Pères, que nos devanciers, qui, parfois, se
contentaient de recueillir des citations en faveur
de leurs thèses dogmatiques. Cette préoccupation d'histoire et, pour ainsi dire, d'ambiance,
permet de mieux saisir l'importance des Pères
de l'Eglise dans la transmission de la tradition
vivante, qui, par eux, passe de l'âge apostolique
et subapostolique à l'Eglise médiévale, et finalement nous atteint dans sa continuité. Comme le
jeune Moehler nouant en gerbe les témoignages
des Pères sur l'unité dans l'Eglise, sans trop se

1. Conc. Vat., session III, ch. 2, Denz. 1788.

préoccuper « de la diversité de leurs accents, de la variété des nuances », nous pouvons souligner les traits marquants qui donnent aux Pères d'être les témoins privilégiés de la tradition. Ce témoignage concordant nous instruira sur le développement de la tradition dans l'Eglise.

Evêques, pour la plupart, les Pères de l'Eglise portent la responsabilité pastorale de l'Eglise de leur temps. De l'Eglise dont ils sont pasteurs, et aussi de l'Eglise universelle : Athanase et Hilaire sont pour l'univers chrétien les défenseurs de la foi en face de l'arianisme, et ce n'est pas par hasard que le second, revenant d'exil, parcourut la Gaule avant de rentrer à Poitiers. Cyrille d'Alexandrie a souci de ce qui est prêché à Constantinople, et cette préoccupation, même si la traditionnelle rivalité entre sièges « patriarcaux » la stimule de quelque nervosité, manifeste un amour attentif de la vérité « catholique ». Augustin fut « vraiment la conscience de la chrétienté d'Occident »[1] au long de son épiscopat, qui, pourtant, ne le constituait chef que d'un infime territoire.

Les Pères de l'Eglise ont charge d'âmes : premier trait, et peut-être le plus marquant de leur physionomie. Beaucoup de leurs écrits sont des actes pastoraux : sermons au peuple (car, en principe, seul l'évêque prêchait, et c'était là une des obligations les plus astreignantes de sa charge), lettres au clergé ou aux fidèles, traités de controverse ou réponses aux adversaires, etc. Ils ne connaissent pas la relative tranquillité de l'homme de cabinet, qui se livre à la spéculation et ne s'affronte qu'à ses pairs. Ni même la situation du professeur, protégé par les murs de la

---

1. P. de Labriolle, dans Fliche et Martin, *Histoire de l'Eglise*, IV, p. 52.

salle de cours, et les statuts de son Université.
C'est en plein vent, dans le remous des disputes
doctrinales, qui, parfois, dégénèrent en bagarres,
qu'ils doivent se prononcer. Et prendre position
à la fois comme théologiens et comme évêques,
responsables de l'orthodoxie et de la foi des
simples.

A leur peuple, ces évêques que sont les Pères
de l'Eglise doivent transmettre la foi reçue des
siècles antérieurs. Avant d'être des théologiens
au courant des questions disputées, ils sont des
catéchistes : que l'on songe aux catéchèses baptismales d'un Cyrille de Jérusalem [1] ou d'un
Jean Chrysostome. Saint Augustin ne laisse à
aucun autre le soin de préparer les catéchumènes au sacrement de la nuit pascale, de compléter leur instruction dans les jours qui suivent
leur baptême. Ce qu'ils enseignent, ils l'ont
appris eux-mêmes de leurs prédécesseurs. Les
rites qu'ils commentent, ils les ont reçus de la
tradition de l'Eglise [2]. Ce qu'ils prêchent, ce sont
« les dogmes de l'Eglise » [3].

Mais, cette « tradition », les Pères la communiquent à leurs fidèles et néophytes avec une
liberté, une plénitude et une aisance incomparables. Ils sont les maîtres de la tradition, dont
ils se disent et se veulent les serviteurs : car
c'est d'elle qu'ils reçoivent ce qu'ils enseignent,
et leur enseignement est un témoignage éminent
de la tradition.

C'est au nom de la tradition qu'Irénée

1. Cf. Antoine Paulin, *Saint Cyrille de Jérusalem catéchète*.
Coll. Lex orandi. Editions du Cerf, 1959. Dans la préface de
cette étude, le P. Daniélou qualifie l'œuvre catéchétique de
Cyrille de « modèle éminent de catéchèse traditionnelle ».
2. Dans ses catéchèses baptismales, saint Jean Chrysostome
fait plusieurs fois allusion à son propre baptême : *Huit catéchèses baptismales*, édit. A. Wenger, Sources chrétiennes,
Nº 50 : 2ᵉ catéchèse, § 19, p. 144 ; 3ᵉ catéchèse, § 7, p. 154 ;
5ᵉ catéchèse, § 26, p. 213.
3. Saint Jean Chrysostome, *Première catéchèse baptismale*,
édit. cit., § 25, p. 121.

demande au pape Victor, au moment de la querelle pascale, de respecter les usages des églises d'Asie ; au nom de la tradition que saint Augustin s'élève contre le refus pélagien du baptême des petits enfants ; au nom de la tradition qu'en dépit des injonctions de Constantin, mal préparé à arbitrer un débat théologique et qui souhaitait que la paix se fît, au prix de ces concessions que ne se refusent pas, prétendait-il, les philosophes, race d'éternels disputeurs, Alexandre d'Alexandrie déclare impossible d'accepter la théorie d'Arius sur le Verbe inférieur au Père... Mais précisément, la tradition, pour être vraiment conservée et authentiquement transmise, exige que son apport soit constamment médité, à la fois en fonction des problèmes de l'heure et selon les ressources du génie propre de chacun. On a remarqué qu'Augustin « reçoit de la tradition ecclésiastique le dogme trinitaire tout élaboré » et que c'est à partir de cette tradition qu'il écrit son *De Trinitate*. Mais ce dogme « une fois appréhendé par la foi, tel que le progrès de l'analyse théologique l'a peu à peu précisé au cours des discussions avec l'hérésie arienne, le contenu de ce mystère s'offre à sa méditation comme un objet à pénétrer, à « comprendre » — dans la mesure toujours imparfaite, bien entendu, où le souffrent les limites que la condition humaine impose à la connaissance » [1].

On a pu distinguer, avec Newman, un double courant de la tradition ecclésiastique : un courant « sacerdotal » ou magistériel et un courant prophétique [2]. Quoi qu'il en soit de la valeur de cette distinction, les deux courants se rejoignent dans la personnalité des principaux Pères de l'Eglise : des pasteurs, ils ont la sagesse et

1. H. Marrou, *Saint Augustin et l'Augustinisme*, coll. Maîtres spirituels, Edit. du Seuil, p. 78.
2. Jean Guitton, *Le cardinal Saliège*, Grasset, p. 214.

l'autorité ; des « prophètes », ils ont l'audace et
le courage inconfusible. La voie où ils s'engagent
est parfois à peine frayée, et cependant ils ne s'y
avancent que poussés par la tradition : le cas
est significatif pour les Pères Cappadociens,
Basile et Grégoire de Naziance, traitant de la
divinité du Saint-Esprit. Sans cesse, ils en re-
viennent aux formules traditionnelles, qui
« connumèrent » l'Esprit au Père et au Fils ; et
cependant ils font œuvre théologique d'une profonde originalité, complétant l'enseignement du
Concile de Nicée.

La distinction que les Pères établissent en
fait, sans en faire encore la théorie, sans même
peut-être en voir toute la portée, entre *dogme*
et *théologie,* manifeste elle aussi leur sens de la
tradition. Car il ne suffit pas d'exprimer, de formuler le dogme *reçu,* il faut encore le penser
dans « l'intelligence de la foi », et donc mettre
à son service tout l'acquis d'une culture philosophique et humaniste. L'audace tranquille des
Pères, utilisant le platonisme et le stoïcisme
dans leur enseignement, est une démarche profondément traditionnelle : la théologie un peu
fruste d'Irénée, à travers Clément et Origène, se
développe et se structure au IVe siècle avec les
Cappadociens surtout, cependant qu'en Occident, Ambroise, puis Augustin ne refusent pas
d'intégrer certains aspects du plotinisme. Pour
s'en étonner, il faudrait considérer la tradition
comme une routine, et imaginer qu'elle fixe
d'avance ses propres limites, à ne dépasser sous
aucun prétexte. Si l'Esprit de Dieu, comme nous
le croyons, inspire les serviteurs de la tradition,
il ne peut les enchaîner en pareille servitude.
Saint Irénée ose cette métaphore que l'esprit
toujours jeune, rajeunit constamment ceux qui
le reçoivent [1]. Et Clément d'Alexandrie écrit
ces phrases admirables : « La sagesse est tou-

1. *Adv. Haer.*, III, 24, 1.

jours jeune, toujours semblable à elle-même, et
ne connaît pas les changements. Leurs enfants,
dit l'Ecriture, seront portés sur leurs épaules... » [1].

La force toujours jeune de l'Esprit éclate chez
les Pères de l'Eglise, gardiens et transmetteurs,
avec la responsabilité et la grâce pastorales, de
la tradition catholique. On pourrait dire qu'ils
sont eux-mêmes, à leur époque, la tradition
vivante. Aucun décalage entre la tradition reçue
et la tradition annoncée, entre l'héritage du
passé et l'affrontement aux tâches présentes.
S'ils parlent peu, de manière explicite, de la tradition, c'est parce qu'ils en vivent, et n'ont pas
le temps de la distinguer de la foi de l'Eglise
qu'ils prêchent, défendent et approfondissent.

« On peut désirer être traditionnel, remar-
quait le P. de Montcheuil, mais on ne l'est pas
en choisissant une solution *parce qu*'elle a déjà
été utilisée ; on risque alors d'être simplement
routinier et démodé. Ce ne sont pas les obsédés
du passé, mais les êtres profonds qui prolongent
la tradition » [2].

Quand nous pensons, aujourd'hui, à la tradition, nous nous référons spontanément à un
passé déjà lointain : nous le contemplons, pour
ainsi dire, et y découvrons cette tradition déjà
existante, constituée et agissante, à la lumière
de laquelle nous essayons de juger le présent et
de préciser nos attitudes. Telle fut l'attitude
d'un Moehler ou d'un Newman. Pour les Pères,
il n'en était pas de même : ils étaient traditionnels par leur action même, dans leur action,
obligés de réagir sans préavis à des difficultés
inédites. Ils n'innovaient pas, et ne voulaient

1. *Paedag.*, I, 5, 20-21.
2. *Problèmes de vie spirituelle*, 3e *édition*, Edit. de l'Epi,
pp. 13-14.

pas innover : la foi qu'ils défendaient était celle qu'enseignait l'Ecriture, et c'était la foi de Nicée, pierre de touche de la vérité aux IV⁶ et v⁶ siècles. Bien plus, on constate qu'ils mettent en avant, avec respect, l'autorité de prédécesseurs proches : Irénée lui-même cite constamment les presbytres asiates, et Augustin fait grand cas de ce qu'ont dit ou décidé Ambroise ou Cyprien. Il demeure qu'une certaine immédiateté, pour ainsi dire, situe les Pères au cœur même de la tradition : ils la reçoivent, mais de près, ils la transmettent, mais en la vivant et en lui improvisant d'étonnantes applications. Avec les Pères, c'est vraiment la croissance de la tradition, sa difficile et prometteuse adolescence. C'en est aussi le bourgeonnement en *traditions* multiformes et diversifiées, en qui, sans perdre son unité, se traduit l'unique tradition apostolique.

Il est significatif de constater comment les Pères, affrontés à des problèmes nouveaux, utilisent ce qu'on pourrait nommer l'argument traditionnel : le dynamisme de la tradition apparaît en pleine lumière. L'audace des formules nouvelles exprime la fidélité authentique.

Quand il s'agit de la divinité du Saint Esprit, niée ou mise en doute par ceux qu'on appelait ses « adversaires », les Pneumatomaques, le grand argument mis en avant par les Cappadociens est celui de l'usage baptismal. Baptiser au nom du Père, et du Fils, et du Saint Esprit implique que l'on reconnaît l'égalité des trois divines « hypostases » et donc que l'Esprit divinisateur possède la nature divine. Donc il faut rejeter avec indignation tout ce qui s'oppose à la foi traditionnelle : « (Nier la divinité du Saint Esprit), écrivait déjà Athanase à Sérapion, c'est se séparer de la foi apostolique : jamais un chrétien ne tolérerait cela ! » [1]. Saint Basile,

---

1. *Première lettre à Sérapion*, trad. Lebon. Sources chrétiennes, N° 15, p. 107.

à nouveau, en appellera à la tradition baptismale, et c'est un des arguments majeurs de sa polémique dans son traité *sur la Divinité du Saint Esprit*.

C'est là une idée juste et profonde : l'hérésie est essentiellement une séparation, une volonté de se mettre à part de la foi commune, et donc de la communion ecclésiale. La proposition hérétique exprime une rupture, et, dès lors, suscite la réprobation et l'indignation. Elle touche le chrétien au point le plus sensible, l'amour de son Eglise. D'où ce réflexe de fuite que les Pères ne craignent pas de provoquer par leurs prédications : il faut laisser à son isolement celui qui veut se séparer de la communion, celui qui préfère à la tradition son propre sens perverti. Commentant le texte final de saint Matthieu où se trouve la formule baptismale devant les catéchumènes qu'il prépare au baptême, et leur montrant qu'il contient l'affirmation de la divinité du Saint Esprit, saint Jean Chrysostome s'écrie :

> Tu as vu une confession parfaitement exacte, un enseignement dégagé de toute équivoque ? Que personne désormais ne vienne te troubler en substituant aux dogmes de l'Eglise les inventions de son propre raisonnement, en voulant brouiller les saines et justes croyances. Fuis la compagnie de pareilles gens comme des drogues empoisonnées ; ils sont plus pernicieux qu'elles, car le poison ne nuit qu'au corps, et ceux-ci pourrissent jusqu'au salut même de l'âme. Voilà pourquoi il convient, dès le commencement et dès le principe, de fuir ces conversations jusqu'à ce que vous puissiez avec le temps, dûment équipés par les armes spirituelles que sont les témoignages tirés de la divine Ecriture, clore la bouche à leur impudent langage [1].

On remarque, avec la sévérité de la mise en

---

1. *Première catéchèse baptismale*, § 24, trad. A. Wenger, édit. cit., pp. 120-121.

garde, l'appel fait d'abord à la tradition. En attendant que ces néophytes soient capables de justifier leur foi par l'Écriture et d'en rendre raison à ceux qui la mettent en question, ils doivent accepter docilement l'enseignement donné, et éviter le contact des hérétiques. La tradition est un milieu éducatif, car elle est communion à l'infaillible enseignement des apôtres. Le grand intérêt, pour nous, de ces catéchèses baptismales, c'est de nous montrer comment l'éducation de la foi, pour les Pères, se faisait à partir de la Tradition. Par l'Écriture, sans doute — les catéchèses de saint Jean Chrysostome sont, en bonne partie, des commentaires de textes scripturaires — mais par l'Écriture lue dans l'Eglise, sous la direction des prêtres et des évêques de la seule Eglise qui puisse, sans danger, selon le mot d'Irénée, la comprendre et la prêcher.

Serviteurs de la tradition, les Pères de l'Eglise en sont aussi les défenseurs. Mais il ne s'agit pas d'une tradition d'école ; il s'agit d'une tradition reconnue comme atmosphère d'Eglise, ambiance de croissance et d'intelligence de la foi. D'où leur vigueur et leur intransigeance : ils sont gardiens de la foi.

Il serait naïf de s'imaginer — comme nous avons cependant, spontanément, tendance à le faire — que les situations aient été clarifiées au départ, telles que nous les présentent les historiens... et les manuels de théologie : d'un côté un Augustin docteur de la grâce, un Cyrille défenseur de la maternité divine, un Athanase âme du Concile de Nicée, dans l'éclat de la gloire dont les couronne la peinture ; de l'autre, Pélage, Nestorius ou Arius mordant consciencieusement la poussière, écrasés par un anathème bien mérité. Dans des situations confuses, au milieu de passions assez humaines, les Pères de l'Eglise ont eu à *discerner* la tradition.

Et ce discernement était singulièrement ma-

laisé : non seulement parce que les hommes, et
les contextes humains, demeurent complexes,
que les grandes querelles trinitaires et christolo-
giques, comme d'autres dans les siècles à venir,
se sont déroulées dans un remous de rivalités,
d'émotivités, de conflits, mais surtout parce qu'il
fallait, par-delà les mots et la matérialité des
formules, deviner les intentions profondes, et les
juger.

Quand on reprend l'histoire passionnante et
difficile des IVᵉ et Vᵉ siècles, jalonnée par les
quatre grands conciles œcuméniques de Nicée,
Constantinople, Ephèse et Chalcédoine, on est
frappé de voir qu'il s'agissait d'attitudes, d'orientations profondes plus que du choix ou du rejet
d'un mot. Singulière histoire des mots théologiques, même les plus « définitifs », ceux qui
sont passés dans le plus élémentaire langage
théologique : *homoousios,* ce néologisme assez
barbare, avait mauvaise presse quand les Pères
de Nicée, ne parvenant pas autrement à faire
taire les Ariens, l'ont pris en désespoir de cause,
pour signifier que le Verbe possède la même
« ousia » que le Père, et donc lui est en tout
égal. Ce mot avait été jadis refusé à Antioche,
par crainte du « sabellianisme », c'est-à-dire
d'une distinction insuffisamment marquée entre
les Personnes divines : à Nicée, selon le mot de
Mgr Duchesne, « l'homoousios fut plutôt imposé
que reçu » [1], et l'influence de Constantin,
dont l'impériale ignorance se piquait de soucis
théologiques, ne fut sans doute pas étrangère à
son acceptation. Mais, dans la perspective où le
Concile le retint, et l'imposa, ce mot controversé
et, par lui-même, discutable, eut le mérite de
représenter la foi orthodoxe contre l'arianisme :
des chrétiens ont souffert et sont morts pour
lui. Discernement d'un Athanase, qui, en dépit
de son peu d'enthousiasme, semble-t-il, au pre-

_____
1. *Histoire ancienne de l'Eglise,* II, p. 155.

mier moment, se fit, après 325, le champion de
l'homoousios...

L'anathématisme final du Concile de Nicée
semble identifier les deux mots *physis* et *hypostasis*. Mots dont l'acception théologique va
cependant évoluer. Car bientôt, avec les Pères
Cappadociens, on parlera en Dieu d'une seule
physis (nos catéchismes disent : *nature divine*)
et de *trois hypostases* (Personnes, comme nous
disons) : distinction précieuse, mais qui, en précisant le langage de Nicée, semble lui infliger
un démenti. Le pauvre saint Jérôme, débarquant
quelques années plus tard en Orient, et empêtré
dans une double terminologie, latine et grecque,
qui n'avait pas encore établi ses correspondances, n'y comprendra rien, et, c'est le cas de
le dire, y perdra son latin ! Le discernement des
Cappadociens a été de reconnaître que cet
emploi relativement nouveau du terme *hypostasis* s'imposait pour désigner, dans l'unité de
nature marquée par *l'homoousios*, la trinité des
Personnes : ils ont orienté ce mot dans le sens
orthodoxe.

Mais *physis* n'avait pas fini son aventure. Au
vᵉ siècle, il faut reconnaître le fait, sa signification va osciller de curieuse manière : en 431,
dans la langue des anathématismes de Cyrille,
mia physis signifie l'unité concrète et « personnelle » de Jésus-Christ, Verbe incarné, et représente l'orthodoxie. En 451, à Chalcédoine,
l'expression, employée par Eutychès, est porteuse de l'hérésie que nos manuels nomment
précisément le « monophysisme ». Toute la différence est dans l'accent, l'orientation, la
visée. Le discernement de Cyrille fut, en 433,
de ne pas s'entêter et de reconnaître que sa formule était pour le moins ambiguë, susceptible
de confusions dangereuses. Ainsi reniait-il
d'avance, par un geste courageux qui est d'un
grand docteur, la postérité « monophysite » qui
voudra se réclamer de lui...

Discernement des attitudes, difficile en tout temps, mais spécialement malaisé à une époque où la terminologie élémentaire se cherchait encore. Il suposait un mélange de fermeté et de souplesse, d'assurance et d'inventivité qui, avec le recul de l'histoire, a quelque chose de stupéfiant. L'Esprit Saint guidait les Pères, sur les chemins glissants d'une tradition en pleine croissance.

★

Serviteurs de la tradition, les Pères ont été de grands commentateurs de l'Ecriture. Et cela ne saurait étonner que ceux qui considèrent la tradition comme « autre chose » que l'Ecriture, possédant son donné propre et ses méthodes particulières, son mode de transmission et son contenu « à part ». Le cas privilégié des Pères, promoteurs de la tradition par leurs leçons scripturaires, montre que cette représentation ne résiste pas à un sérieux examen.

De tous, on pourrait dire ce que l'on a écrit de saint Augustin : « Il faut souligner l'importance qui revient (dans ses écrits) aux œuvres proprement exégétiques : l'Ecriture sainte est (pour lui) la Somme de toute vérité, la source de toute doctrine, le centre de toute culture chrétienne et de toute vie spirituelle ; sa théologie est très directement biblique, sa catéchèse ne l'est pas moins. A mesure que l'on se familiarise davantage avec l'œuvre et le style de saint Augustin on est de plus en plus sensible à cette présence de l'Ecriture » [1].

Matériellement, si l'on peut dire, les commentaires des livres de l'Ancien et du Nouveau Testament occupent une place très grande dans l'œuvre des Pères. Mais ce n'est là qu'un indice ; car leurs écrits polémiques, catéchétiques ou spéculatifs, sont tissés de l'Ecriture, pénétrés de

---

1. H. Marrou, *Saint Augustin et l'Augustinisme*, p. 57.

sa substance. Et c'est par là que les Pères sont
« traditionnels » au double sens que nous avons
essayé de préciser : héritiers de la tradition qui
les porte, artisans de la tradition dont ils sont
des témoins majeurs.

Héritiers de la tradition, les Pères prolongent
le courant qui vient directement de la prédication apostolique. Comme on l'a dit de l'un d'eux,
réagissant justement contre le préjugé assez
courant qui fait d'Origène « un intellectuel, ésotérique et rationalisant », les Pères furent avant
tout des « hommes d'Eglise » [1]. A ce titre,
même si la charge pastorale ne les avait obligés
à rompre à leur peuple le pain de l'Ecriture, ils
devaient être des hommes de la Bible. De la
Bible lue et méditée dans l'Eglise, selon la tradition de l'Eglise. Ce qui nous paraît le plus
audacieux dans l'exégèse des Pères est, dans
leur intention, un simple prolongement de ce
qui leur est enseigné par l'Ecriture même. Origène se déclare disciple de Paul quand il cherche
le sens spirituel des Ecritures, affirmant par là
demeurer dans la tradition de l'Eglise [2].

C'est dans leurs commentaires de l'Ecriture,
principalement, que les Pères se manifestent
artisans de la tradition. Des livres saints, ils
dégagent, pour ainsi dire, le dogme, la mystique, la spiritualité, la morale chrétienne.

Selon une remarque profonde du R.P. de
Lubac, « depuis longtemps, à chaque génération
nouvelle, nous recevons de nos ancêtres dans la
foi un christianisme objectivement tout constitué, depuis l'expression élémentaire de son
dogme jusqu'à sa spiritualité la plus raffinée.
Le travail est fait une fois pour toutes, qui nous

---

1. H. de Lubac, *Histoire et Esprit. L'intelligence de l'Ecri-
ture d'après Origène.* Coll. Théologie, Aubier, 1950, ch. II :
Origène, homme d'Eglise. Cf. du même, *Exégèse médiévale,
Les quatre sens de l'Ecriture,* vol. I-II, coll. Théologie,
Aubier, 1959.
2. H. de Lubac, *op. cit.* pp. 68-69.

a valu cet univers d'expressions parfaites. Nous
n'avons plus qu'à cueillir les fruits sans nous
préoccuper de l'arbre » [1]. Mais, à l'époque
des Pères, il fallait que ce travail fût accompli ;
comme des adolescents qui recueillent le bien-
fait d'un héritage sans prendre garde aux efforts
qu'a demandés sa constitution, nous risquons de
ne pas songer assez au labeur de ceux qui ont
amassé notre héritage spirituel. Quand on lit
les écrits trinitaires des Pères, singulièrement
ceux des Cappadociens, ou encore les catéchèses
baptismales de saint Jean Chrysostome, qui
insistent sur la divinité du Saint Esprit, on est
frappé de constater quel travail leur demanda
l'élaboration de cette théologie qu'apprennent
les enfants du catéchisme. Or, les Pères l'ont
dégagée de l'incessante méditation des textes du
Nouveau Testament. Quand nous répétions, dans
notre enfance, les réponses du catéchisme : « Le
Saint Esprit est-il Dieu ? — Oui, le Saint Esprit
est Dieu », nous étions loin de nous douter que
cinquante ans de réflexions et de luttes, sur les
rares versets johanniques qui parlent du Paraclet, et sur la divinisation qu'opère en nous,
selon saint Paul, l'Esprit saint habitant en nos
cœurs, avaient été nécessaires pour aboutir à ce
qui s'exprimait dans les formules, apparemment
si simples, que nous apprenions par cœur.
« Dans la lecture des livres saints, dit encore le
P. de Lubac, c'était, d'une manière immédiate,
toute la conception de la religion, toute l'idée de
la foi nouvelle qui se trouvait engagée. Leur
interprétation spirituelle n'était alors à aucun
degré une pratique surérogatoire » [2].

Il faut aller plus loin et reconnaître le caractère traditionnel de l'interprétation que les
Pères donnent de l'Ancien Testament. La grande
idée qui l'inspire est que le Christ est partout

1. *Op. cit.* p. 379.
2. *Ibid.*

annoncé et préfiguré, et que le chrétien doit
reconnaître le mystère de Jésus-Christ dans tous
les faits de l'Ancien Testament. Exégèse pleinement traditionnelle, parce qu'elle continue celle
qu'ont inaugurée les apôtres, et parce qu'elle
commande une lecture chrétienne de l'Ancien
Testament. Les Pères en recevaient le principe
de la tradition des apôtres ; il leur incombait
de l'expliciter et d'organiser, en fonction de cette
lumière, la lecture ecclésiale de la Bible qui est
la richesse même du christianisme.

L'exégèse de l'Ancien Testament familière aux
Pères, que d'aucuns persistent à nommer « allé-
gorique », et qu'il vaut mieux appeler « spirituelle », nous rend le service de nous permettre
de comprendre vraiment le Nouveau Testament.
Celui-ci, en effet, n'est pas une nouveauté absolue. Il s'inscrit sur le fond toujours présent de
l'Ancien.

Les catégories dans lesquelles Jésus s'exprime
sur lui-même sont les vieilles catégories bibliques.
Il les fait exploser ou, si l'on préfère, il les
sublime et les unifie en les faisant converger sur
lui. Mais elles lui sont en quelque sorte nécessaires,
et, d'autre part, dans cet emploi renouvelé, elles ne
deviennent pas plus des sortes de catégories
abstraites qu'elles ne servent d'images adventices.
Elles conservent toute leur valeur et leur saveur
d'allusions à des faits précis, à des réalités singu-
lières. Ces réalités par rapport auxquelles Jésus se
situe, et que par là même il transforme, sont celles
dont est semée l'histoire d'Israël ou qui font l'objet
de son espérance... Les thèmes les plus proprement
neufs de l'Evangile : l'adoption du Père, le don de
l'Esprit, aussi bien que la révélation du Fils, ne
prennent tout leur sens, n'ont même un sens intelligible que lorsqu'on les découvre au confluent des
grands thèmes de la Parole prophétique. Ne suffit-
il pas, au reste, de lire avec un peu d'attention les
écrits dont se compose notre recueil du « Nouveau
Testament » pour s'apercevoir qu'ils se présentent
tous dans une large mesure, quels que soient le
génie propre de chaque auteur ou la diversité des

genres, comme une perpétuelle interprétation des
Ecritures, c'est-à-dire de ce qui est devenu pour
nous « l'Ancien Testament » ? Cette interprétation
est, en la plupart des cas, une transposition spirituelle ; elle s'opère alors par les voies d'une utilisation symbolique. Mais dans la plupart des cas
encore, spontanée ou réflexe, ce n'est point à quelque broderie surajoutée qu'il convient de la comparer : c'est à la trame de l'étoffe. Ou plutôt, si le
christianisme est un corps de doctrine, elle n'est
pas un vêtement jeté sur lui après coup : elle fait
partie de ce corps lui-même, dont l'âme unifiante
est la réalité présente du Sauveur [1].

A ce point du développement de la tradition,
le départ n'est pas encore nettement marqué
entre commentaire de l'Ecriture et théologie
proprement dite ; mais cette distinction n'a été
rendue possible que par suite de l'établissement
d'une tradition, ferme et complexe à la fois, de
lecture chrétienne de l'Ecriture : telle fut
l'œuvre des Pères, maîtres de la tradition par
leurs commentaires de l'Ecriture.

Et, de même, au temps des Pères, la distinction entre théologie et spiritualité était moins
nette qu'aujourd'hui. Leurs commentaires scripturaires ont ouvert la voie à ce qu'on nommera
plus tard « la spiritualité » [2]. Implicite dans le
Nouveau Testament, suggérée par un saint Irénée,
l'analyse des comportements religieux du chrétien, de la prière, des actes des vertus théolo-
gales et morales prend corps dans la patristique.
Moins par des traités distincts, comme plus tard,
qu'au rythme spontané d'une lecture incessante
de l'Ecriture.

C'est là plus qu'un fait, mieux qu'une simple
antériorité chronologique. Une dimension en
quelque sorte nouvelle de la tradition se révèle,
dont nous risquons de ne pas prendre assez

1. H. de Lubac, *op. cit.* pp. 380-383.
2. Cf. par ex. F. Bertrand, *Mystique de Jésus chez Origène*,
coll. Théologie, Auier, 1951 ; et les études consacrées à la
spiritualité augustinienne.

conscience, tant nous y sommes accoutumés.
Cette dimension, c'est celle de la piété, non pas
individuelle, mais personnelle : la rencontre de
l'âme avec son Seigneur, ou plutôt la réponse de
l'âme à l'appel du Seigneur. Intimité de la
prière, amour personnel de Jésus-Christ se tra-
duisant en imitation et en familiarité respectueuse, consécration de la vie à son service, par
une donation que symbolisera le « voile » des
vierges [1], autant d'aspects nouveaux de cette
« tradition spirituelle » que nous voyons se
manifester chez les Pères, et qui connaîtra les
développements que l'on sait dans les siècles
suivants. Plus tard et de manière peut-être
excessive, se marquera une différenciation entre
spiritualité, exégèse biblique et théologie ; cette
séparation, objectivement nécessaire, n'ira pas
sans quelques dommages, singulièrement pour
la vie spirituelle menacée de se dévitaliser en
perdant contact avec ses sources bibliques et ses
fondements théologiques. A l'époque patristique,
elle n'existe pas encore, et, cependant, les préoccupations de ferveur spirituelle ont déjà
trouvé leur expression et manifesté leur importance.

Et tous les chrétiens, tous les baptisés entendaient l'appel à une vie sainte et conforme à leur
vocation. Avec quelle force et quel réalisme ! :

Ne soyez pas, je vous en supplie, disait saint
Jean Chrysostome à ceux qui allaient recevoir le
baptême, ne soyez pas insoucieux à ce point de ce
qui touche à votre salut. Considère ta dignité et
rougis. Si une dignité humaine dicte de hautes
pensées et fait souvent qu'on s'abstient d'un acte
pour ne pas la bafouer, toi qui dois recevoir une
si grande dignité, ne dois-tu pas déjà faire rayon-
ner le respect de toi-même ? Car si grande est la
dignité que tu vas recevoir qu'elle t'accompagne
tout au long du siècle présent et te suivra dans la

---

1. Saint Ambroise, notamment, par ses écrits et son action,
fut le docteur de la virginité consacrée.

vie future. Quelle est donc cette dignité ? Désormais, tu seras appelé chrétien, par la grâce de Dieu, et fidèle. Voici que nous n'avons pas seulement une dignité, mais deux. Dans peu de temps, tu vas revêtir le Christ. Ainsi donc c'est dans la pensée que le Christ est partout avec toi que tu dois agir et décider en toutes choses... [1].

Les traités que vous avez passés avec le Maître, écrits, non avec de l'encre sur du papier, mais par la foi et la confession, tenez-les fermes et inébranlables. Efforcez-vous de demeurer tout le temps de votre vie dans le même éclat... Nous aussi, appliquons-nous à surveiller chaque jour notre vêtement de lumière, de peur qu'il ne subisse quelque tache ou souillure. Montons bonne garde jusque dans les choses qu'on juge petites, pour être en mesure d'échapper aux choses plus graves qui sont péchés. Car si nous commençons par mépriser certaines choses comme négligeables, peu à peu, en allant sur cette voie, nous arriverons aux choses graves. C'est pourquoi je vous demande d'avoir toujours présent à l'esprit le souvenir de vos engagements et de fuir sans répit la contagion des maux auxquels vous avez renoncé... Gardez incorruptibles vos engagements envers le Christ, afin de jouir sans cesse de la table spirituelle, et, fort de cette nourriture, d'être hors d'atteinte des embûches du diable [2].

« La foi que prêche l'Eglise catholique [3] » est traditionnelle parce qu'elle est la foi de l'Eglise. La tradition n'est pas une référence extrinsèque, un passé auquel on raccorde, plus ou moins bien, le présent. C'est la dimension même d'une foi qui n'est vécue qu'autant qu'elle

1. Saint Jean Chrysostome. *Première catéchèse baptismale*, § 44, *op. cit.* p. 131.
2. *Id. Quatrième catéchèse baptismale*, § 31-32, *op. cit.* pp. 198-199.
3. Saint Augustin, *De vera religione*, VI, 11. Trad. Pegon. La foi chrétienne. Œuvres de saint Augustin. Desclée de Brouwer, VIII, p. 41.

est communiquée, et qui ne se communique
qu'en s'affrontant aux problèmes nouveaux rencontrés sur sa route. Au temps des Pères, la tradition, c'est la prédication de la foi, et l'expression qu'elle doit inventer pour demeurer la foi
des apôtres. La foi au mystère de Jésus-Christ
ne sera véritable que si elle déclare le Fils
« consubstantiel » au Père, que si elle reconnaît,
dans l'unique « hypostase » du Verbe incarné,
les deux natures que proclame la formule de
Chalcédoine. En un mot, la foi n'est véritable
que si elle s'exprime en *dogme*.

La tradition scripturaire exige, pour ainsi
dire, son expression dogmatique. C'est pour lui
être vraiment fidèles que les Pères et les
Conciles ont laborieusement mis au point les
formules dogmatiques qui, en termes non scripturaires, cernent le mystère révélé dans l'Ecriture. Apparente innovation, lourde de consé-
quences. En réalité, fidélité véritable à la tradition des apôtres. Et, déjà, existe la *théologie*,
qui, sans s'identifier au dogme, permettra de le
comprendre et de le saisir comme expression du
mystère. Les Pères de l'Eglise se situent à ce
point de développement de la tradition, et sont
les artisans de cet indispensable progrès. Ils
n'ont pas voulu être de simples, et inefficaces,
répétiteurs ; car ils ont senti, dans leur action
même de penseurs et de pasteurs, qu'un arrêt
sur des positions acquises eût été la mort même
de cette tradition, à laquelle, obstinément, au
prix de leur tranquillité et même de leur vie, ils
voulaient demeurer fidèles. Fidélité courageuse,
qui n'a guère eu le temps de se réfléchir et de
s'interroger sur elle-même. « L'amour du Christ
les pressait », et le souci de la chrétienté, agitée
par mille courants divers. A leur place, de ce
centre qu'étaient leurs églises, petites ou grandes
(Constantinople, Alexandrie ou Hippone), mais
toujours ouvertes sur la « catholica », les Pères
ont prêché, écrit, polémiqué, défendu ce dépôt

traditionnel, dont ils avaient conscience d'être
constitués gardiens. Ils lui ont consacré leur vie,
et leur génie. Ils demeurent parmi nous ces
témoins vivants avec qui, en un temps de promesses et de dangers, s'est comme identifiée la
tradition catholique. Après eux, mais sur la tra-
jectoire qu'ils lui ont imprimée, sur l'élan qu'ils
lui ont donné, elle continuera. Elan fidèle et
profondément original, qui se renouvelle en
demeurant le même. « La force de la tradition »
est une et identique.

CHAPITRE IV

TRADITION ET MAGISTÈRE

C'EST sous le double aspect de vérité transmise et d'acte de transmettre que la tradition catholique apparaît comme la tradition des apôtres. Elle nous communique leur message, elle nous atteint au terme d'un mouvement qui a commencé aux apôtres. Dès lors, n'est-il pas tentant d'identifier, pour ainsi dire, la tradition des apôtres avec l'enseignement de leurs successeurs, et de présenter la tradition comme une sorte de propriété, ou au moins de gérance, réservée à la hiérarchie catholique ?

Sans doute, les apôtres sont « sources de la tradition » ; ils la « constituent ». Les évêques transmettent », mais ne fondent pas ; ils « continuent », mais le mouvement vient des apôtres. Il reste vrai, cependant, que les responsables du dépôt et les interprètes authentiques de l'enseignement apostolique sont les successeurs des apôtres : « Le charisme de vérité » qui leur est départi, pour reprendre l'expression irénéenne, les habilite, et eux seuls, à nous faire connaître la tradition que les apôtres ont laissée à l'Eglise.

Dès lors, des théologiens modernes estiment

qu'il existe une sorte d'identité entre l'enseignement du Magistère et la tradition apostolique : « La tradition, au sens principal, écrit le P. Deneffe, est la prédication infaillible de la foi, exercée par le magistère[1] ». Avec plus de nuances, c'est à une conclusion analogue qu'incline M. Michel, au terme de son enquête exhaustive sur la théologie de la tradition : « La tradition, c'est-à-dire la transmission de vérités ou de préceptes, se confond formellement avec la prédication actuelle de l'Eglise, c'est-à-dire avec son magistère infaillible[2]. »

Ces conclusions nous paraissent trop rapides. Il est exact — et nul catholique ne saurait mettre ce point en question après le Concile du Vatican — que le magistère des évêques, successeurs des apôtres, et singulièrement celui du Souverain Pontife, successeur de Pierre et héritier de son primat, a charge et assistance du Saint Esprit pour conserver et transmettre le message apostolique. Mais ce message est le bien de toute l'Eglise ; il est la nourriture de la foi de tous les chrétiens. On ne saurait donc identifier sans autre précision le dépôt lui-même et sa proclamation, la tradition apostolique et l'enseignement authentique qu'en donne le magistère. Comme l'a bien montré Melchior Cano dans son traité des *Lieux théologiques,* « l'autorité de l'Eglise romaine » est un témoin privilégié de la tradition. Elle l'exprime de manière sûre et incontestable, et dirime les controverses qui peuvent s'élever. Mais elle n'est pas, à parler rigoureusement, la tradition[3].

1. *Der Traditionsbegriff*, 1931, p. 163.
2. D.T.C., art. Tradition, XV, col. 1347.
3. A la suite d'une indiscrétion qui colporta une formule malheureuse, échappée à Pie IX dans un moment d'emportement, on prêta au Pape, durant le concile du Vatican, la boutade : *La Tradizione, son'io.* Cf. R. Aubert, *Le Pontificat de Pie IX, Histoire de l'Eglise,* tome XXI, p. 354.

Pour éclairer la relation entre le magistère catholique et la tradition, nous réfléchirons d'abord sur la conjonction qui relie les apôtres, qui ont « constitué » la tradition, et leurs successeurs, qui n'en sont que les « transmetteurs » ; ensuite sur le rôle propre du magistère dans la conservation vivante, par l'Eglise entière, de cette tradition ; enfin sur la part que tient la tradition dans le développement du dogme.

★

Il importe de bien distinguer les deux moments historiques de la tradition, afin d'en mieux montrer la continuité, mais aussi de saisir leur différence. Ces deux moments sont, d'une part, l'âge apostolique, d'autre part, le temps de l'Eglise après la mort des apôtres. A l'âge apostolique, nous l'avons dit, la tradition est, à la fois et inséparablement, le témoignage des apôtres sur ce Jésus de Nazareth avec qui ils ont vécu, et qui les a envoyés au monde entier annoncer sa Bonne Nouvelle, et l'acte par lequel ce témoignage est confié aux églises, afin d'être transmis. Ce que disent les apôtres, ils le disent à l'Eglise qu'ils fondent à partir de ces communautés locales, dont quelques-unes nous sont bien connues par les Actes des Apôtres et les épîtres pauliniennes. Et ils le disent de manière définitive. La tradition des apôtres n'est pas seulement le premier temps d'un enseignement qui se continuerait après eux ; elle est *la source* unique, à laquelle on ne peut rien ajouter. Le privilège incommunicable des apôtres est, en effet, d'avoir été choisis par le Verbe incarné pour partager sa vie et être ses témoins, et d'avoir été *envoyés* à cette fin. La révélation, qu'ils ont charge de communiquer au monde, est complètement livrée par leur parole ; à la mort du dernier apôtre, elle est achevée.

Le temps de l'Eglise, après la mort des

14

apôtres, est celui de la conservation fidèle du dépôt définitivement constitué, et de sa transmission de génération en génération. La continuité entre l'Eglise apostolique et l'Eglise post-apostolique ne saurait faire oublier ce qui sépare radicalement un apôtre de son successeur immédiat :

« Les apôtres, écrit le cardinal Franzelin, ont reçu immédiatement du Christ ou du Saint-Esprit la révélation ; ils ont été constitués organes authentiques de révélations nouvelles, par lesquelles s'achevait et se complétait la révélation totale... C'est là un privilège personnel des apôtres, et il ne peut être communiqué à leurs successeurs. Ceux-ci reçoivent la doctrine révélée des apôtres comme un dépôt qu'ils doivent garder. Rien n'est recommandé plus instamment aux églises que de demeurer dans la doctrine apprise, dans la tradition reçue des apôtres. Aux apôtres, en effet, le Christ a enseigné *toute* la révélation qu'il entendait donner à l'Eglise ; et il l'a enseignée, non seulement comme l'objet de la foi des apôtres, mais comme ce qu'ils devaient, à leur tour, enseigner. Une révélation postérieure aux apôtres, et qui dépasserait leur tradition, non seulement n'est pas promise, mais elle est formellement exclue : car toute l'Eglise est « bâtie sur le fondement des apôtres et des prophètes » [1].

La continuité entre la génération apostolique et la génération qui la suit immédiatement se situe dans la dépendance : les apôtres enseignent comme les témoins du Verbe incarné, leurs successeurs enseignent comme disciples des apôtres.

Et cependant, il y a bien continuité, sous le double aspect d'une transmission ininterrompue et d'une identité d'enseignement. Continuité vivante, par l'assistance du Saint-Esprit : la transmission du dépôt de la foi n'est pas une

---

1. *De divina traditione et scriptura*, édit. 3 a, Rome, 1882, pp. 36-37.

répétion inerte et machinale, mais (c'est la condition de sa *fidélité*) la parole d'un magistère
constamment affronté aux problèmes que connaît chaque siècle de l'Eglise, problèmes apostoliques et pastoraux, spirituels et missionnaires. Cette transmission de l'intangible dépôt
en permet une intelligence toujours plus profonde, actuelle parce qu'elle est traditionnelle,
inventive, parce qu'elle n'innove pas et ne veut
que « conserver ». L'héritage des apôtres ne
peut être « saintement gardé et fidèlement enseigné » que s'il est constamment mieux compris
et davantage approfondi.

Le message apostolique n'est conservé dans
son intégrité qu'en étant constamment communiqué, non pas en monotone et stérile redite,
mais dans un effort de constante redécouverte.
Car ce message, parce qu'il est celui des apôtres,
est le nôtre. Il est pour notre temps, et fournit
à nos problèmes, à nos préoccupations, à nos
incertitudes, à nos erreurs et à nos fautes, la
réponse du Seigneur, qui trace une route de
lumière au milieu des ténèbres où s'agite un
monde oublieux de l'Evangile. Ce dépôt, que
Paul prescrivait à Timothée de garder avec soin,
ne saurait être préservé à la manière du mauvais serviteur qui enfouit en terre le talent
confié. Il faut, au contraire, qu'il fructifie, sans
s'accroître substantiellement. Chaque génération
chrétienne a le devoir de reprendre l'inventaire
de l'héritage reçu des apôtres, de le redécouvrir,
de le formuler, de le défendre, avec une vigueur
et une attention toujours nouvelles.

Ainsi se manifeste la stimulation réciproque
qu'exercent, les uns sur les autres, pour ainsi
parler, les différents aspects que l'on a coutume
de distinguer en parlant de la tradition.

La tradition est d'abord *active* (acte de transmettre) et *passive* (vérité transmise). Ces deux
points de vue sont en constante interaction : car
il n'est pas de vérité transmise sans transmet-

teurs, et ceux-ci ne sauraient s'acquitter de leur
tâche s'ils n'avaient pas de vérité à transmettre.
Mais c'est au niveau de la personnalité du
pasteur, dont l'enseignement est témoignage,
que se noue l'unité vivante de ces deux aspects
de la tradition. Par le fait que le dépôt de la foi
est *enseigné*, c'est-à-dire reçu par des hommes
pour être communiqué, il apparaît comme un
donné concret, possédé et livré à la fois par des
personnalités qui s'engagent totalement dans
leur enseignement. C'est, pour ceux qui le gar-
dent et le transmettent, un bien plus cher que
la vie, et qu'ils savent ne pouvoir garder, comme
l'exige leur amour, qu'en le donnant à d'autres.
Non pas vérité abstraite, doctrine que l'on *sait*
et que l'on peut communiquer, mais passion
de ces hommes qui « ont livré leur vie au nom
du Seigneur Jésus-Christ » [1]. Toute leur personnalité s'exprime et se livre dans leur témoignage, et la vérité, qui polarise les ressources
de l'intelligence et l'ardeur de la conviction,
dépasse infiniment ses hérauts, puisqu'elle est
la révélation même du Dieu vivant. Le message
n'existe que pour être annoncé, et l'annonce n'a
de sens que si elle est notification de la « parole
du salut ». Le cri de Pierre devant le Sanhédrin : « Nous ne pouvons pas ne pas publier ce
que nous avons vu et entendu » [2] exprime en
même temps, et pour tous les siècles, l'irrésistible conviction de ceux qui transmettent et la
transcendance de l'objet de cette « transmission » dans l'unité de la « confession apostolique » qui est au principe de la tradition
vivante.

La tradition apparaît ensuite comme le lien
vivant de l'Eglise apostolique et de l'Eglise post-
apostolique, la continuité de la tradition des
témoins du Seigneur et de la tradition ecclésias-

---

1. ACTES, 15, 26.
2. ACTES, 4, 20.

tique. La première, en effet, n'a de sens que comme le « principe d'une transmission » qui, « de main en main », se poursuivra jusqu'à la fin du monde : elle est le germe, plein de vigueur et riche de promesses, d'où sortira toute foi chrétienne et toute prédication missionnaire. La seconde est en dépendance totale de la tradition apostolique : fleuve sorti de la source, elle la communique et la répand. A son niveau, se retrouve l'interdépendance que nous soulignions entre tradition « active » et tradition « passive » : ce sont les successeurs des apôtres qui enseignent fidèlement la doctrine des apôtres, et celle-ci a été confiée à des successeurs choisis et établis par les apôtres : de sorte que, ainsi que le disait saint Irénée, on ne peut trouver l'enseignement des apôtres hors de leur succession légitime. Le magistère ecclésiastique est en stricte continuité avec le magistère apostolique, et son message est celui même des apôtres, qui nous parlent par lui. Par là, chrétiens du xxe siècle, nous demeurons disciples des apôtres : ils sont nos maîtres, et nous entendons leur voix vivante. Nous adhérons à leur foi, étant enseignés par ceux qu'ils ont établis pour garder leur message. Le mouvement de réciproque inclusion de la foi annoncée et de la foi reçue reprend à chaque génération le dialogue des apôtres et de leurs premiers auditeurs, et c'est toujours le même échange d'appels et de réponses. Appel de Pierre pressant ses auditeurs de « se séparer de ce monde mauvais » et réponse qu'ils lui donnent en implorant d'être baptisés. Mais aussi appel du Macédonien à Paul, pour que l'apôtre traverse la mer et vienne le sauver, et réponse de Paul qui s'engage dans cette Europe où le pousse l'Esprit... Appel et réponse continuent d'alterner au long des siècles, dans la continuité d'une tradition, qui, par-delà les distinctions exigées pour son intelligence correcte, demeure une et indivisible.

A partir de ces distinctions et de ces relations, se pose le problème précis des rapports de la tradition et du magistère, au plan de l'Eglise actuelle, au niveau de la conservation et de la transmission de la tradition reçue des apôtres.

« La doctrine de foi que Dieu a révélée, dit le Concile du Vatican, n'a pas été proposée comme une doctrine élaborée par l'esprit humain, mais elle a été transmise comme un dépôt divin à l'Epouse du Christ » [1]. Quelle est, dans cette conservation et cette transmission, le rôle propre de la hiérarchie catholique ? En quel sens peut-on chercher pratiquement l'expression de la tradition dans l'enseignement du magistère ?

La tradition de l'Eglise post-apostolique (la seule dont il sera question dans ce paragraphe) est le bien de l'Eglise entière. C'est à toute l'Eglise, et non à des petits cénacles d'initiés, que les apôtres ont parlé : Irénée et Tertullien, bien d'autres après eux, l'ont redit dans leur polémique contre la Gnose. Il faut en conclure que personne, pas même l'Eglise enseignante, ne saurait revendiquer la tradition des apôtres comme sa possession exclusive. Non seulement parce que le dépôt révélé est le trésor auquel adhère la foi commune, mais encore parce que ce dépôt est vécu, et par là transmis, d'une certaine manière, par l'Eglise entière, animée par le Saint Esprit.

Le théologien qui rappelle ce principe ne craint pas, cependant, d'écrire peu après : « La transmission des vérités révélées prêchées par les apôtres revient exclusivement au magistère » [2]. Loin de se contredire, les deux

---

1. Session III, ch. 4, Denz. 1800.
2. Ch. Baumgartner, *Recherches de science religieuse*, XLI, 1953, p. 174.

formules doivent être tenues simultanément.

Car il est une possession et une transmission du message apostolique qui appartient à toute l'Eglise, en tant qu'elle est l'assemblée des *croyants*. Foi qui est le fait de tous : le souverain pontife et les évêques croient comme fidèles ce qu'ils enseignent comme pasteurs. Or, la foi n'est pas seulement possession passive de la tradition, mais aussi *témoignage* actif. Témoin de la foi, tout baptisé est témoin de la tradition : il en manifeste la force et l'élan apostolique. Et, pour ne citer qu'un exemple privilégié de cet « apostolat » des laïcs, auquel, si souvent, les récents pontifes ont fait appel, la mission de formation religieuse et catéchétique que les parents reçoivent, avec la grâce du sacrement de mariage, à l'égard de leurs enfants, constitue une transmission de la tradition apostolique que l'on ne saurait contester. Bien plus, l'évêque peut confier à un laïc la charge d'enseigner, voire de prêcher au peuple ; il lui donne volontiers, après s'être assuré de sa compétence et de son orthodoxie, la charge de catéchiste ; nous savons avec quelle ferveur les « mamans catéchistes », dans nos paroisses déchristianisées, répondent à l'appel des prêtres, des fidèles généreux se mettent à la disposition des centres de catéchumat d'adultes. Témoignages irrécusables et concrets que la transmission de la tradition appartient aussi à tout baptisé.

Mais il est une transmission *magistérielle* de la tradition, qui, par l'institution du Christ, est réservée aux successeurs des apôtres. Car en eux se réalise la permanence de la prédication apostolique. Les évêques sont les gardiens authentiques, au plan du magistère, et les seuls interprètes autorisés de l'enseignement des apôtres.

C'est à eux, par conséquent, qu'il faut s'adresser pour recevoir la tradition des apôtres. Ils n'en sont pas les détenteurs exclusifs, mais ils sont habilités à la définir et à l'interpréter. De

la tradition apostolique, les évêques sont les
garants et les maîtres.

Garants, en ce sens que la tradition apostolique sera reconnue en l'enseignement de la hiérarchie, et, singulièrement, en cet accord des
évêques « dispersés à travers la terre », qui réalise l'infaillibilité du magistère ordinaire de
l'épiscopat catholique, en union avec le Pape.
Hors de l'adhésion à cet enseignement de la
hiérarchie catholique, il n'est pas de contact
véritable avec la tradition des apôtres.

Maîtres, car c'est à la hiérarchie qu'il appartient de donner l'expression correcte, la formulation exacte, l'interprétation authentique de
cette tradition.

Pour bien comprendre ce rôle magistériel de
la hiérarchie par rapport à la tradition — qu'elle
ne « possède » pas, mais qu'elle enseigne et
définit — il faut se souvenir du lien déjà marqué entre le message transmis et la personne
habilitée à le transmettre. Lien si étroit que, à
l'origine, le message est celui des apôtres et que
les apôtres ne transmettent que « ce qu'ils ont
vu et entendu ». Au niveau de l'église post-
apostolique, ce lien demeure aussi étroit : l'enseignement des apôtres, leur tradition, ne peut
être transmis que par leurs successeurs, parlant
en tant que successeurs des apôtres.

Mais cet enseignement, comme tout enseignement, est destiné à être entendu. Il ne remplit
sa destination, il n'a son vrai sens que dans
l'adhésion que lui donnent ses destinataires,
c'est-à-dire dans l'assentiment de leur foi. Si le
Magistère exprime la tradition, c'est pour
l'église enseignée, et celle-ci a sa part, irrempla-
çable, dans le mouvement qui, de génération en
génération, « transmet » l'héritage des apôtres.

Sommairement, on peut ramener à une double
démarche l'assentiment de la foi des fidèles à la
tradition. D'une part, l'accueil de leur foi ;
d'autre part, ces manifestations spontanées qui

vont au-devant de l'enseignement hiérarchique, et que l'on englobe volontiers sous le terme, imprécis et évocateur, de *dévotions*. Double démarche conjuguée, habituellement désignée par l'expression : *le sens de la foi des fidèles.*

L'accueil de la foi est beaucoup plus qu'une simple acceptation d'un enseignement passivement reçu. Il est un acte de l'intelligence surnaturalisée par la vertu théologale, qui pénètre et intériorise la parole apostolique communiquée par la hiérarchie, et la transcrit en attitudes de prière et de vie. C'est par « la force de la tradition » que les fidèles, sous la lumière que leur communique l'Esprit Saint, comprennent et approfondissent ce qu'ils entendent, et le font passer dans leur vie et leur témoignage. Bien plus, la parole hiérarchique est un stimulant à un effort personnel d'intelligence, par l'étude, la réflexion et la prière, du message des apôtres, pour une adaptation aux situations concrètes du moment, une insertion dans les comportements quotidiens, un témoignage plus effectif et plus rayonnant.

D'où ce « sens traditionnel » qui permet au catholique de juger et de discerner, en fonction de la tradition, avant même que l'église hiérarchique se soit prononcée, les attitudes et les tendances doctrinales, morales ou spirituelles. C'est une caricature que d'imaginer le fidèle attendant, dans une sorte d'indifférence amorphe, les directives ou les consignes venant d'en-haut. Le P. de Montcheuil ne craignit pas, aux heures difficiles de 1942, de dire à des catholiques :

Il appartient à l'Eglise de trouver la solution chrétienne aux problèmes de notre temps : mais à toute l'Eglise, à tous ses membres, chacun à son rang. Nous n'avons pas à tout attendre passivement de la hiérarchie. Vous êtes de l'Eglise. Les fidèles sont une partie nécessaire de l'Eglise. Ils ne doivent pas usurper la place de la hiérarchie, ou

chercher à s'affranchir d'elle, ou s'obstiner contre
elle dans leur sens propre. Mais c'est un devoir
pour eux, selon leurs moyens, d'être actifs, d'inventer, de proposer les solutions qu'elle jugera. Si
elle estime que ces solutions ne tiennent pas
compte de tout ce dont un chrétien doit se soucier,
elle le dira : le fidèle alors s'inclinera et recom-
mencera à chercher. Si elle les juge acceptables,
elle les laissera passer, et peut-être, après épreuve, les
recommandera-t-elle. Mais on ne peut se passer du
travail, de la recherche active de toute l'Eglise [1].

L'instinct de la foi, en effet, ne se contente
pas de refuser ou de faire grise mine à des attitudes, spéculatives ou pratiques, qui ne vont pas
dans la ligne de la tradition. Il crée dans le
peuple chrétien des mouvements profonds, des
appels, qui devancent parfois, et sollicitent les
décisions hiérarchiques. La piété, stimulée par
la réflexion théologique, qui, tantôt l'éclaire et
tantôt la met en garde contre l'exagération et
l'engouement faciles, peut apporter son témoignage en faveur de la tradition, en représenter
une expression valable et quelquefois avoir raison, en son intuition tâtonnante et malhabile à
se justifier, de certaines lenteurs craintives. Il
suffit d'évoquer, au déclin du Moyen Age, l'ardeur de certains sermons franciscains en faveur
de l'Immaculée Conception de Marie, et plus
près de nous, certains aspects du mouvement
« infaillibiliste » à la veille du Concile du
Vatican. Il est toujours délicat d'apprécier exactement ces mouvements de la piété populaire, et
de juger ceux qui, immédiatement, s'en font les
guides plus ou moins enthousiastes, plus ou
moins autorisés. Mais, à distance, avec le recul
du temps, on découvre qu'avec un coefficient
variable d'excitation et d'imprécision, ces phé-
nomènes complexes, auxquels sont attentifs les

---

1. *L'Eglise et le monde actuel*, Editions du Témoignage
chrétien, p. 14.

historiens du dogme de l'Immaculée Conception, par exemple [1], renferment quelque chose d'authentique, et sont, à leur niveau, des manifestations de la tradition. Si la proclamation de l'Immaculée Conception de la Mère de Dieu, si longtemps attendue et désirée, fut « le triomphe de la dévotion populaire », elle ne représente pas un coup de force pour arracher au magistère une définition à laquelle il se refusait. Non pas une revendication finalement victorieuse, mais le temps fort et définitif d'un dialogue longtemps poursuivi entre l'Eglise enseignante et l'Eglise enseignée. C'est aux théologiens, d'ailleurs, qu'est revenue la tâche, singulièrement délicate en la conjoncture, d'éclairer la dévotion et de montrer que l'Immaculée Conception ne soustrait pas Marie à l'universelle Rédemption, mais que, par un effet anticipé des mérites du Christ, Marie a été immunisée de la faute originelle. A l'instant même de sa Conception, Marie est touchée de la grâce rédemptrice. Rien ne s'opposait donc à ce que l'on reconnût, dans la dévotion persistante au privilège de Marie, le signe d'une vérité traditionnelle. Le déclarer infailliblement appartenait au Magistère, qui, si l'on peut dire, avait longtemps tenu le rôle de témoin muet : en 1854, Pie IX définit le dogme de l'Immaculée Conception.

C'est le magistère, qui, finalement juge. Seule l'Eglise, considérée dans sa fonction magistérielle, est mandatée par le Christ, pour s'acquitter de cette fonction, *tanquam auctoritatem habens*, et, dans le cas où elle engage cette autorité entière, d'une manière infaillible. Mais elle ne peut prêcher autre chose que ce qui est contenu dans la révélation entièrement achevée depuis les temps apostoliques. Dans son exercice ordinaire ou extraordinaire, le magistère est soumis à cette réalité divine, la parole de Dieu.

1. Cf. J.-V. Bainvel, *L'histoire d'un dogme*, Etudes, t. CI, 5 décembre 1904.

Souvent le magistère transmet de génération en
génération des vérités clairement affirmées... Souvent aussi il lui faut expliciter une vérité possédée
implicitement. La recherche même de ce qui est à
croire est, de soi, une fonction propre du magistère. Les théologiens sont à son service ; ils travaillent en son nom et sous son contrôle.

En fait, il arrive que la recherche soit entreprise
sur son invitation ; très souvent aussi, l'initiative
du magistère n'est pas aussi directe ; il se contente
alors, en quelque manière, de laisser faire l'enquête ; mais il est toujours là pour servir de guide
au moment opportun, et il veille attentivement sur
les manifestations de la foi du peuple chrétien, où
le divin se mêle trop souvent à l'humain [1].
Cependant, obligé de chercher comme le simple
théologien, le magistère est assuré, grâce au charisme de l'assistance du Saint-Esprit, de ne pas se
tromper, quand, après une lente maturation des
problèmes dans la conscience réfléchie ou spontanée, de l'Eglise, il décide après coup d'une question qui a fait l'objet de controverses, et déclare
au nom du Christ la Parole de Dieu [2].

Dans cet accord final, parfois laborieusement
établi, se manifeste l'unique tradition de
l'Eglise. Hiérarchie et fidèles ne constituent
ensemble qu'une Eglise, possédant indivisiblement la tradition unique. Les organes du magistère ne reçoivent pas une illumination spéciale,
bien que bénéficiaires du charisme de la vérité ;
comme les autres fidèles, ils doivent chercher,
et, eux aussi, croient à la vérité divinement
révélée qu'ils enseignent ou définissent. Le
peuple chrétien possède en lui-même, en chacun
de ses membres, l' « instinct de l'Esprit Saint »,
bien qu'il doive attendre du Magistère la proclamation et la formulation indiscutable de la Tra-

---

1. Les théologiens, aussi, peuvent se tromper, et favoriser,
par des justifications intempestives ou mal fondées, les écarts
de la piété populaire. L'encyclique *Humani generis* (1950) leur
rappelle fortement qu'ils sont, eux aussi, jugés et dirigés par
le magistère.

2. Ch. Baumgartner, art. cit. pp. 175-176.

dition. « Il n'y a qu'un corps, et qu'un esprit »,
et les membres du corps du Christ sont divers
et complémentaires. C'est dans cette unité que
vit et se développe la tradition.

★

La tradition est à l'œuvre dans le développement du dogme catholique. Sans avoir la prétention de reprendre ici ce sujet difficile, dont
les différents aspects, depuis une soixantaine
d'années, ont fait l'objet de pénétrantes études [1],
nous voudrions seulement signaler la place que
tient la tradition dans le développement du
dogme. C'est, pour ainsi dire, en prenant toujours
mieux conscience de sa propre tradition, elle-
même guide de sa lecture de l'Ecriture, que l'Eglise
déploie le donné intangible reçu des apôtres.

La simplicité de l'adhésion de la foi au mystère de Dieu, s'exprime nécessairement en propositions complexes : c'est par des énoncés multiples que la foi s'efforce de cerner, toujours
plus distinctement, son objet. Si la visée de la
foi, selon l'importante remarque de saint Thomas, « se termine, non à la proposition qui
l'exprime, mais à la réalité surnaturelle elle-
même, il reste que la multiplicité des « énon-
ciables », des propositions, est indispensable
pour rendre compte de la foi [2]. D'où l'appa-

1. Un des meilleurs livres sur le sujet demeure celui du
P. de Grandmaison : *Le dogme chrétien, sa nature, ses formules, son développement*, Beauchesne. Publié en 1928, il
réunit des articles écrits pour la plupart en pleine crise
moderniste. Sa sérénité n'en est que plus remarquable. On
connaît aussi le livre important, à sa manière tranchante et
unilatérale, du P. Marin-Sola, *L'évolution homogène du dogme
catholique*, 2 vol., Fribourg (Suisse), 1924, et les discussions
qu'il a suscitées. Dans un chapitre qui paraîtra dans le tome VI
de *Maria* (Beauchesne), nous avons essayé de reprendre l'ensemble du problème, en fonction du dogme marial.
2. II II, q. 1, a. 2, c. et ad. 2. Cf. M.-D. Chenu, La raison
psychologique du développement du dogme d'après saint Thomas, Revue des sciences philosophiques et théologiques, XIII,
1924, pp. 44-51.

rent paradoxe de l'unité de la foi et de la multiplicité des propositions qui l'expriment :

> Si l'objet de la foi, c'est-à-dire *ce que nous
> croyons,* dit saint Thomas, est envisagé en lui-
> même, il est *un,* pour nous comme pour nos pré-
> décesseurs. Mais si l'on envisage *la manière dont
> nous le connaissons,* il se multiplie en divers énon-
> ciables : diversité qui n'entraîne pas une diversité
> de foi [1].

Principe que le P. Chenu commente ainsi :

> Le dogme, à travers les âges et sous la même
> lumière d'une même réalité, s'énonce et se déve-
> loppe en des formules variées, multiples, lente-
> ment progressives, comme il s'énonce en proposi-
> tions complexes. Complexité et pluralité sont des
> notes essentielles de la connaissance de foi, parce
> qu'elles sont notes essentielles de la connaissance
> humaine. Ainsi le dogme a une histoire parce qu'il
> est sujet au progrès (homogène et infaillible de par
> l'assistance de l'Esprit Saint) de l'énoncé humain [2].

Ce développement du dogme n'est pas un
accroissement quantitatif de l'objet de la foi.
Sa substance est sans changement : « Tout ce
que croient les plus jeunes est contenu *implicitement* dans la foi de leurs pères ; mais, si l'on
parle de formulation *explicite,* il faut admettre
que les siècles postérieurs connaissent plus de
choses que ceux qui les ont précédés » [3].

Il ne s'agit donc pas d'un accroissement de la
révélation (close à la mort du dernier apôtre),
ni d'un progrès dans l'adhésion vivante à la
parole de Dieu, mais seulement d'un accroissement et d'un progrès dans l'expression de notre
foi au mystère, par multiplication des énoncés
dogmatiques qui traduisent notre effort pour le
cerner plus distinctement. Développement nécessairement homogène, non par addition d'éléments nouveaux, mais par déploiement du

1. *De veritate,* q. 14, a. 12.
2. M.-D. Chenu, art. cit. p. 47.
3. II II, q. 1, a. 7.

contenu invariant donné au départ. Le développement ne peut rien ajouter à la révélation, mais il l'explicite en l'exprimant distinctement.

L'histoire montre que ce développement s'est opéré selon un double processus convergent de distinction des dogmes et de formulation technique. La lumière éblouissante des premiers jours s'est comme réfractée à travers un prisme : sans s'amoindrir, elle s'est décomposée en rayons distincts. Le dogme unique du kérygme apostolique : *Jésus, fils de Dieu, Sauveur ressuscité*, sans changer de nature ni s'accroître, a été peu à peu analysé en dogmes différenciés. Et ceux-ci ont trouvé, non sans peine, leur formulation adéquate, leur « définition », c'est-à-dire le croisement de lignes intellectuelles, capable de circonscrire le mystère en un énoncé, qui en puisse exprimer spéculativement tous les aspects : une nature divine en trois personnes ; deux natures en l'unique personne du Verbe incarné ; conversion de la substance du pain consacré en la substance du corps eucharistique du Christ...

L'histoire montre aussi que ce développement s'est accompli sous l'action de deux facteurs paradoxalement associés : d'une part, l'œuvre des théologiens, qui, par approfondissement et rapprochement des concepts, aboutissent à des « conclusions théologiques » s'exprimant en nouvelles formules dogmatiques ; d'autre part, la « situation » qui fait dépendre, en quelque sorte, ce développement de contingences complexes, et parfois fortuites : crises de la vie intérieure de l'Eglise (schismes, hérésies...), influences de personnalités plus marquantes, mouvement spontané de la piété et de la dévotion. Ramener le développement du dogme à un seul de ces facteurs, se le représenter, soit comme une pure dialectique, soit comme un événement imprévisible, serait, pensons-nous, simplifier à l'excès cette complexité où se mani-

feste, en plénitude, l'action discrète et irrésistible de l'Esprit dans la vie de l'Eglise.

La tradition anime et informe ces processus.
Et cela, à un double niveau : au niveau de
l'objet, comme au niveau du développement
proprement dit. Ce qui se développe, se distingue
et se précise, cet objet d'une foi qui, à travers
des expressions de plus en plus distinctes, prend
conscience de ce à quoi elle croit, c'est la tradition (*quod traditum est*) : nous voyons, au
cours de vingt siècles d'histoire, l'Eglise faire un
inventaire toujours plus attentif et affectueux
du message apostolique qui lui est confié, qui
est son bien propre : elle détaille la richesse de
son héritage. Et, d'autre part, le principe du
développement, c'est le « dynamisme de la tradition », qui est fidélité inventive et initiative
respectueuse, qui, sur la piste tracée par les
générations précédentes, fait constamment découvrir ce nouveau qui est l'ancien mieux connu
et contemplé de plus près.

Ainsi que le notait le P. de Grandmaison, le
développement dogmatique est celui d'un *dépôt*,
fidèlement reçu, fidèlement transmis, et, pour
l'être fidèlement, sans cesse approfondi par les
générations succesives qui se le passent de main
en main : « O Timothée, garde le dépôt... Garde
le bon dépôt par le Saint Esprit qui habite en
nous... Tiens ferme aux enseignements que tu
as reçus et que l'on t'a confiés » [1]. Mais ce
dépôt est vivant, et il ne peut se conserver à la
manière d'une chose : la fidélité consistera à le
laisser se développer, tout en le préservant des
altérations et des dégradations.

Un dépôt minéral, écrit Mgr Journet, un lingot
d'or, peut se conserver tel quel. Un dépôt vivant,
un enfant que je vous confie, avant de partir pour
un long voyage, vous ne pourrez me le rendre tel

---

1. I Tɪᴍ., 6, 20 ; II Tɪᴍ., 1, 14 ; 3, 14. Cf. L. de Grandmaison, *op. cit.*, pp. 182, suiv.

quel, il aura grandi, il se sera développé. Dès lors, toute la question sera de savoir si le dépôt évangélique est confié à l'Eglise comme un trésor inerte ou comme un trésor vivant, s'il est pareil au grain de sénevé qui ne se conserve qu'en se développant. Dans ce cas, les nouveaux dogmes s'ajouteront au dépôt primitif non d'une manière extrinsèque et par voie de *juxtaposition,* mais d'une manière vitale et par voie de *désenveloppement,* comme les rameaux en fleur sortent de l'arbre au printemps [1].

Le développement du dogme est celui d'une semence qui s'épanouit en grand arbre. Il déploie largement le donné apostolique ; il n'y ajoute pas et ne le change pas. « Evolution homogène » d'un dépôt gardé par une tradition qui ne le conserve jalousement qu'en lui donnant toutes ses possibilités d'extension et de croissance. L'expression conceptuelle, par le réseau ferme de ses déductions, marque la continuité de ce développement. A l'homogénéité des formules, correspond, à son plan, l'homogénéité d'une histoire qui poursuit sa marche à travers mille aventures. Logique du raisonnement, au service du mystère, et continuité historique, sous les pressions antagonistes de la persécution, de l'hérésie, de la ferveur chrétienne, se conjuguent et s'appellent. L'une et l'autre signifient l'immutabilité du dogme en constant développement. Ce qui est conservé en étant approfondi, défini en demeurant mystère, réfracté en propositions sans cesser d'être une unique visée de foi, c'est le dépôt traditionnel que

1. Nova et vetera, Fribourg (Suisse), XXXIV, juillet-septembre 1959, pp. 163-164. Une connaissance plus distincte des « articles de la foi » (cf. II II, q. 1, a. 6-9) n'est pas une plus profonde « intelligence » du donné révélé : si les apôtres n'exprimaient pas leur foi en autant de propositions distinctes que l'Eglise d'aujourd'hui, qui oserait prétendre qu'ils eussent, moins que nous, l'intelligence du donné révélé qui leur a été confié ? « Ceux qui furent les plus proches du Christ, dit saint Thomas, ont connu avec plus de plénitude (plenius) les mystères de la foi. »

Paul confiait à Timothée, et, par lui, à l'Eglise.

Quant au mode de ce développement, il est également sous l'influence de la tradition. Travail de la foi du peuple chrétien, réfléchie et critiquée par le théologien, dirigée et sanctionnée par le magistère, le développement du dogme catholique est une lente prise de conscience de la tradition par elle-même. C'est la tradition qui dirige le dialogue, jamais terminé, entre le théologien, en qui s'exprime et se justifie la foi chrétienne, et le magistère, qui juge et dirige cette foi dans le sens même de la tradition apostolique.

Si le développement du dogme s'accomplit par l'œuvre collective, et souvent agitée de disputes, des théologiens, il ne saurait être uniquement attribué à l'effort déductif de logiciens exercés. Cette indispensable tâche, qui a trouvé dans le P. Marin-Solà son champion intrépide, représente davantage, semble-t-il, un contrôle et une recherche d'expression rigoureuse que le principe du mouvement.

Il faut chercher ce principe dans l'action du Saint Esprit, qui manifeste la tradition dans la foi vivante du peuple chrétien. Mais cette foi, qui demeure à l'état spontané chez les simples fidèles, doit être réfléchie par le théologien, à qui sa situation permet de mieux saisir le mode du développement dogmatique. Croyant lui-même, et appartenant d'ordinaire à l'Eglise enseignée, le théologien demeure, par fonction, en contact à la fois avec la tradition des siècles passés et les sources de la révélation, avec la foi actuelle de l'Eglise, qu'il partage et éduque en même temps, avec le magistère, au service duquel il travaille. Car le magistère, sans jamais se croire tenu d'obtempérer à ses avis, consulte le théologien, utilise ses recherches, et se renseigne auprès de lui pour confronter avec les témoins anciens de la tradition ce que lui apprennent ses relations pastorales avec le peuple chrétien. « La théologie positive, a-t-on dit, est la science de la tradition » [1]. Ce n'est pas par hasard que les Papes, pour préparer un Concile, convoquent les théologiens : saint Thomas mourut en se rendant au second concile de Lyon, à l'appel de Grégoire X, et saint Bonaventure, qui parvint au Concile, trouva, sur les rives du Rhône, le terme de sa carrière terrestre !

Témoin de la tradition, le théologien ne se contente pas de consulter les sources et les œuvres de ses devanciers ; il s'efforce de demeurer le témoin de la foi du peuple chrétien. Par lui, avec la rigueur critique que permet sa formation « scientifique », s'exprime cette « croyance actuelle de l'Eglise », où le P. Hugo Rahner voit « la dernière instance à laquelle il faut recourir pour savoir ce qu'est la tradition... La suprême garantie qu'on se trouve en présence d'une foi apostolique n'est ni la seule histoire, ni la philologie, ni la logique, quelles que soient par ailleurs l'utilité ou même la nécessité de ces branches du savoir, mais le seul fait de la croyance actuelle de l'Eglise » [2].

Au Magistère qui l'interroge et le met au travail, le théologien présente, de son mieux, la foi du peuple chrétien, en la confrontant avec les témoignages du passé qui manifestent en elle la permanence de la tradition. Mais le magistère, assisté de l'Esprit Saint dans sa tâche de juger et de décider définitivement, ne s'estime jamais lié par l'opinion des théologiens. Il peut demeurer sur la réserve, et laisser continuer les disputes de personnes ou d'écoles ; il peut aussi dépasser les prudentes hésitations de ses théologiens [3].

1. Y. Congar, D.T.C., XV, art. Théologie, col. 464.
2. Orientierung, 1949, p. 11 (à propos du dogme de l'Assomption).
3. Depuis le Moyen Age, l'Assomption corporelle de Marie apparaissait aux théologiens comme une « pieuse croyance » qu'il était *téméraire* de mettre en doute. A la veille de la

Le magistère, écrivait le P. Bainvel, à propos du dogme de 1854, n'est pas enchaîné au passé, il n'est pas l'esclave du document écrit. Le passé, le document, sont des témoins qu'il consulte. Mais ce qu'il veut, c'est voir clair dans la conscience de l'Eglise. Il interroge le passé, il fait parler les docteurs. Mais il les contrôle, en les écoutant ; il les juge, en les consultant ; on sent qu'il a un criterium supérieur. Ce criterium, c'est la pensée de l'Eglise. Saint Thomas le disait : Les docteurs n'ont autorité que par l'Eglise : aussi faut-il s'en tenir à l'autorité de l'Eglise plus qu'à celle d'Augustin, ou de Jérôme, ou de tout autre docteur. C'est elle-même, c'est, pour ainsi dire, sa conscience qu'elle consulte en les consultant, dont elle cherche à dégager la voix obscure et profonde en les écoutant. Quand elle s'entend en eux, quand leur parole éveille en elle un écho de sa propre pensée, elle reconnaît en eux ses organes, et comme ses propres voix.

Quand leur parole ne répond plus à ce sens intime qu'elle a de sa propre pensée, quand elle le contredit, elle les laisse : ce ne sont plus pour elle que des hommes qui expriment des idées personnelles. Il arrive parfois que la contradiction même sert à éveiller en elle ce sens intime, à lui faire prendre conscience de sa pensée — et c'est ainsi que les disputes et les hérésies tournent au profit de la foi, font progresser le dogme... [1].

La parole attendue par la foi des fidèles, correctement exprimée et justifiée par la compétence du théologien, il appartient au seul magistère de la prononcer. Et, si l'Esprit Saint le suggère, cette parole pourra être une « définition » infaillible. Alors, il deviendra indiscutable — au

définition de 1950, plusieurs, tout en reconnaissant que cette « croyance » pouvait être définie, discutaient encore sur les modalités, comme sur l'opportunité, d'une définition dogmatique. Cf. Cl. Dillenschneider, c. ss. r., *L'Assomption corporelle de Marie*. Etat actuel de la question et positions à son propos de la théologie contemporaine. Bulletin de la Société française d'études mariales, 1948, pp. 13-55.

1. *L'histoire d'un dogme*. Etudes, t. CI, 5 décembre 1904, pp. 623-624.

point que le mettre en doute serait s'écarter de
la foi catholique — que cette « opinion » chère
au peuple chrétien fait partie du dépôt révélé.
Elle est vérité de foi. Car elle appartient à l'authentique tradition de cette Eglise qui se reconnaît elle-même, comme Epouse du Verbe
incarné, en possession de la totalité de la révélation, dont les apôtres lui ont transmis et confié
le dépôt.

CHAPITRE V

TRADITION ET FOI CHRÉTIENNE

« QUAND ils considèrent la tradition comme le donné objectif que la succession apostolique conserve et transmet, les Pères la nomment volontiers enseignement ecclésiastique, règle de la vérité apostolique. Mais quand ils l'envisagent sous son aspect subjectif d'intelligence du dépôt de la foi, sous la conduite de l'Eglise assistée du Saint Esprit et pourvue du charisme de la vérité, ils la présentent comme conscience de la foi, sens de l'Eglise, lumière de la foi inscrite dans les cœurs » [1]. C'est à cet aspect « subjectif » de la tradition que nous voudrions maintenant réfléchir, en montrant la dimension traditionnelle de la foi chrétienne.

La tradition, en effet, n'est pas seulement règle de foi au dehors, par application extrinsèque, pour ainsi dire, de son pouvoir normatif à la foi du croyant. Elle est, à l'intérieur de la foi, la présence de ce lien vivant qui nous unit aux apôtres, et, par eux, au Christ Jésus. La foi chrétienne, dans l'Eglise, est *apostolique :* elle

---

1. J.-V. Bainvel, *De magisterio vivo et traditione*, Beauchesne, 1905, p. 40.

est adhésion à l'enseignement des apôtres, et
participation à leur foi : car, si nous croyons sur
la parole des apôtres, nous le faisons en com-
muniant à la foi qu'ils nous transmettent. Recevoir le témoignage des apôtres, c'est accepter de
s'associer à la manière dont ils voient la personne et les gestes de Jésus-Christ : dans leur
témoignage, la personne du témoin et ses attitudes sont inséparables de l'objet de ce témoignage : « Ces choses, dit saint Jean au terme de
son Evangile, ont été écrites, afin que vous
croyiez » : saint Jean veut que nous partagions
sa foi...

La foi est adhésion au Christ, tel que l'ont
connu les apôtres, et tel qu'ils l'ont fait connaître à l'Eglise, de qui nous recevons, finalement, leur témoignage. Ces médiations, qui ne
sont pas des écrans, des apôtres et de l'Eglise,
sont constitutives de la foi chrétienne : croyant
dans « la foi de l'Eglise », nous croyons dans
la foi des apôtres. Si la tradition est la présence
de l'autorité apostolique dans l'Eglise, elle est,
pour la foi personnelle du chrétien, le lien
vivant qui lui permet de retrouver le jaillissement initial, de remonter à la source, de
rejoindre Jésus en se faisant contemporaine des
premières communautés. Par la tradition, s'accomplit une sorte de récapitulation, dans la foi
du chrétien du XXe siècle, de toutes les générations qui le lient aux apôtres ; son adhésion à
la foi apostolique n'est pas, en effet, une aboli-
tion du temps qui le sépare des « témoins choisis d'avance » pour annoncer la résurrection,
mais une assomption de ce temps, dans le mystère de la transmission du message apostolique,
conservé intact par l'Eglise et cependant enrichi,
sans altération, par toute l'intelligence de vingt
siècles de vie de l'Eglise, de prédication et de
méditation.

Nous étudierons ce caractère traditionnel de la
foi chrétienne, en montrant d'abord que nous

croyons « selon la foi de l'Eglise », en insistant ensuite sur le catéchuménat, qui introduit le néophyte dans cette foi et le prépare à la confesser, en montrant enfin, dans l'expression liturgique de la foi, la part de la tradition.

★

Au terme d'un petit volume où il analyse avec profondeur « la structure personnelle de la foi », M. Mouroux souligne l'aspect ecclésial de cette foi : « Notre foi porte sur tout un corps de paroles humaines, prononcées par le Christ, répétées par les apôtres et recueillies dans l'Evangile. Mais cette parole humaine est, strictement, *parole de Dieu :* parce qu'elle vient de Dieu et qu'elle est un don du Père des lumières ; parce qu'elle révèle Dieu, en tenant la place de l'intuition qui ne nous est pas donnée, et qu'elle nous raconte ce que nous ne pouvons pas voir ici-bas ; parce qu'elle est dite par Dieu même... par celui qui est *la* Parole de Dieu... Ce mystère se prolonge dans l'Eglise... L'Eglise prêche la parole parlée : elle la garde, la propose, l'explique, la défend... Pour le catholique, la foi la plus personnelle se fonde sur la Parole de Dieu transmise par l'Eglise... Il n'y a de foi que par accueil de la parole de Dieu : mais cet accueil ne se réalise en plénitude — au plan de l'intelligence, de l'amour, de la vie — que dans l'Eglise de la Parole de Dieu » [1].

L'Eglise n'est pas seulement « la gardienne et la maîtresse de la Parole révélée » selon les mots du Concile du Vatican, elle en est aussi la bénéficiaire. L'Eglise, témoin et éducatrice de la foi, est l'Eglise qui croit : son témoignage, qui prolonge le témoignage apostolique, est un

1. J. Mouroux, *Je crois en Toi,* coll. Foi vivante, Editions du Cerf, pp. 112-115.

témoignage de croyant. Aussi bien est-ce dans « la foi de l'Eglise » que nous croyons. Car, en nous apprenant à croire, l'Eglise nous communique sa propre foi : elle nous engendre et nous éduque dans son attitude croyante, inspiratrice de ces mères chrétiennes qui savent donner à leur enfant, tout ensemble, la vie humaine et la vie surnaturelle, en les présentant, dès la naissance, au baptême.

L'Eglise nous donne la foi ; elle nous la transmet, à la fois au plan intérieur et proprement surnaturel de la vie théologale, et au plan extérieur et visible de l'éducation.

Il est remarquable que c'est dans une perspective pédagogique que saint Thomas parle de la « foi de l'Eglise ». D'abord à propos du baptême des enfants. A l'objection que « les petits enfants n'ont pas l'usage de la raison, et donc sont incapables de confesser une foi qu'ils ne possèdent pas, ce qui les rend incapables du baptême », saint Thomas fait la réponse connue :

> Quand il est baptisé, le petit enfant ne croit pas par lui-même, mais par les autres. Aussi n'est-il pas interrogé personnellement, mais par autrui. Et ceux qui sont interrogés confessent *la foi de l'Eglise* au nom de l'enfant (in persona pueri), qui est agrégé à cette foi par le sacrement de la foi [1].

Mais cette « foi de l'Eglise », à laquelle le petit enfant est agrégé par le baptême, il convient qu'elle lui soit proposée, enseignée. Qu'il la reçoive, afin, l'âge venu, de la confesser à son tour. Saint Thomas traitant de ce que nous appelons « l'instruction religieuse », recourt à la comparaison de la science enseignée, par celui qui la possède, à l'apprenti et à l'élève [2]. Comparaison éclairante : pour que la foi soit pos-

---

1. *Somme théologique*, III, q. 68, a. 9 ad 3. Cf. q. 69, a. 6.
2. *De Veritate*, q. 14, a. 10.

sédée, il faut qu'elle soit transmise et reçue, à la manière d'une science, d'une technique, ou d'un art. Reprenant plus brièvement ce thème dans la *Somme,* saint Thomas écrit :

> Pour que quelqu'un reçoive la foi, il est néces-
> saire qu'il soit instruit de la foi, selon la parole de
> saint Paul : Comment croiraient-ils en Celui dont
> ils n'ont pas entendu parler ? Comment en enten-
> draient-ils parler si on ne le leur annonçait ? [1].

L'éducation chrétienne est présentée par saint Thomas comme la communication de la tradition au néophyte ou à l'enfant baptisé.

Mais il y a plus : à la suite des Pères, les scolastiques aiment à distinguer, parmi les chrétiens, deux catégories au regard de la foi : les *maiores* et les *minores.* Distinction fondée non pas sur un degré différent de grâce, mais sur une différence de connaissances religieuses. Les *minores* en restent, selon le mot d'Augustin, « à la foi simple des enfants, non pas incertaine ou trompeuse, mais fermement appuyée sur l'enseignement des prophètes et de l'Evangile » [2]. tandis que les *maiores* « croient explicitement tous les articles de la foi » [3]. Cette distinction, qui peut nous paraître curieuse, mais qui est classique chez les scolastiques, ne vise pas à promouvoir parmi les chrétiens une caste de Gnostiques ou d'illuminés ; elle vise un service de la communauté. Les *maiores,* en effet, parmi lesquels saint Thomas range « les prélats et tous ceux qui ont charge d'âmes » ne sont « davantage compétents » (*eruditiores fidei*) que pour instruire leurs frères : « Ils sont mis à leur tête

---

1. *Somme théologique*, III, q. 71, a. 1.
2. *De Genesi ad litteram*, II, 1, 4, P.L. 34, 264. Nous ne prétendons pas étudier ici la question des *minores* dans l'Eglise, mais seulement utiliser cette distinction, que les scolastiques ont reçue de la patristique, pour marquer la place de la tradition dans l'éducation de la foi.
3. *De Veritate*, q. 14, a. 11.

pour leur instruction religieuse (*ad erudiendum in fide*) » [1].

Enfants parvenus à l'âge de raison, *minores* qui doivent être instruits par ceux qui sont en possession d'une « science » théologique et catéchétique plus étendue, reçoivent des éducateurs que leur donne l'Eglise la tradition qui soutient et alimente leur foi. Mais ce qui leur est donné a été d'abord reçu par leurs maîtres. En cet échange incessant, par lequel, dans l'Eglise, s'accroît la vie de la foi, passe la tradition. Si le mot n'est pas prononcé, la réalité est constamment présente.

Précisément parce qu'elle est vécue dans la communauté chrétienne, reçue, transmise, communiquée, la foi chrétienne est traditionnelle. Les modalités de sa manuduction, si l'on peut dire, dans l'Eglise, sont la réalisation concrète des formules du Concile de Trente, évoquant « ces traditions qui, des apôtres, comme de main en main, sont venues jusqu'à nous ».

A cette transmission de la vérité chrétienne répond, nous l'avons déjà dit, l'objet de la foi : ce qui est enseigné, pour être cru, c'est l'enseignement même reçu des apôtres, *leur tradition*. Il faut remarquer ici qu'en aucun cas l'objet de la foi ne peut dépasser ce qui nous est donné par le témoignage des apôtres. Il n'y a pas, et il ne peut y avoir d'*au-delà* de l'expérience apostolique, d'*au-delà* de cette connaissance du Christ qu'ils ont eu. Saint Irénée déjà l'affirmait contre les Gnostiques, dont la prétention voulait dépasser ce qui leur semblait un enseignement commun, réservé au vulgaire, mais destiné à être remplacé, pour les « pneumatiques », par une connaissance supérieure. Illusion dangereuse, toujours combattue et refrénée à travers l'histoire de l'Eglise !

L'expérience spirituelle du chrétien, fut-il un

1. *Ibid.*

grand mystique, ne dépasse pas celle des apôtres,
et elle manifeste leur tradition. Car c'est finalement leur expérience qu'ils nous ont livrée,
dont ils ont fait confidence à l'Eglise. « Ce que
nous avons vu de nos yeux, ce que nous avons
contemplé, ce que nos mains ont touché du
Verbe de Vie... » Et le fait que toute « expérience personnelle de l'Esprit est insérée dans
celle de l'Eglise, et reçoit d'elle sa garantie » [1],
l'inscrit dans la tradition et lui donne d'être un
élément vécu de cette tradition, à laquelle elle
appartient, dont elle dépend et qu'elle assume.

La foi est personnelle et communautaire. Loin
de s'opposer, ces deux caractères s'appellent
l'un l'autre ; au simple plan philosophique déjà,
il n'est pas de conscience personnelle sans
conscience de relation à autrui, et pas d' « inter-
subjectivité » sans conscience personnelle. Au
plan de la foi, nous n'atteignons personnellement le Christ que par et dans l'Eglise ; et nous
ne sommes membres de l'Eglise que dans notre
relation personnelle à la Tête. La tradition est
à la fois la présence en moi de la foi apostolique,
à travers le grand courant ecclésial qui m'y
relie, et mon insertion dans la foi apostolique
vécue par l'Eglise. Elle situe ma foi dans la foi
de l'Eglise, et la foi de l'Eglise en cette adhésion
qui me fait disciple du Christ, à la suite des
apôtres et dans leur sillage.

« Comment croire sans entendre ? Et comment entendre sans prédicateur ? » (Rom. 10,
14). La foi catholique est normalement *transmise,* c'est-à-dire annoncée et reçue. Ceci apparaît notamment dans les cérémonies préparatoires au baptême.

Parmi celles-ci, telles qu'elles se pratiquaient

---

1. J. Mouroux, *op. cit.* p. 121.

à Rome aux IVe et Ve siècles, une attention particulière doit être accordée à la *traditio symboli*
et à la *redditio symboli*.

Durant les quarante jours de préparation
immédiate au baptême, de nombreuses instruc-
tions étaient données aux catéchumènes. Avec
les lectures des stations de Carême, dont la plupart avaient été choisies dans ce but, elles
visaient à donner une sérieuse préparation doctrinale. « Mais une période spéciale s'ouvrait au
moment où le symbole de foi était *livré* solennellement aux « élus » (au Ve siècle, le cinquième
dimanche de carême), et elle prenait fin le matin
du samedi-saint, quand chaque candidat « *rendait* » ce symbole par la profession solennelle
qu'il en faisait devant l'assemblée chrétienne.
Avec la livraison du symbole, l'instruction doctrinale des élus atteint son sommet, car le symbole est expressément présenté comme la quin-
tessence de l'Evangile par l'instruction qui
ouvrait la cérémonie de la tradition » [1].

Cette « profession de foi » (*redditio symboli*)
était à Rome, au Ve siècle, entourée d'une certaine solennité. On connaît le récit que saint
Augustin, dans ses *Confessions,* nous a laissé de
la profession de foi du vieux rhéteur Victorinus,
que lui avait racontée Simplicianus :

Enfin l'heure est venue de la profession de foi.
La coutume à Rome veut que les aspirants à ta
grâce récitent sur une estrade, à la vue du peuple
fidèle, une formule consacrée, apprise par cœur.
Les prêtres, disait Simplicianus, proposèrent à
Victorinus de la réciter plutôt dans l'intimité :
offre courante avec les gens qui, intimidés, pen-
sait-on, éprouveraient de la gêne. Mais lui, il aima
mieux faire sa profession de salut à la vue de
l'assemblée sainte. Le salut, ah ! ce n'est pas ce
que, rhéteur, il enseignait, et il avait néanmoins

---

1. A. Chavasse. L'initiation dans l'Antiquité, dans *Communion solennelle et profession de foi*, coll. Lex orandi, N° 14.
Editions du Cerf, 1952, p. 25.

fait en public profession de rhéteur. Si, quand il
parlait de son cru, des légions d'insensés ne l'in-
timidaient pas, combien moins devait-il, en débitant une parole de ton fonds, être intimidé par ton
docile troupeau. Il monta donc pour réciter. Aus-
sitôt, bourdonnement général : de l'un à l'autre,
quiconque le connaissait (et qui, sur place, ne le
connaissait ?) chuchote son nom, et tous, chucho-
tant, de se féliciter. Toutes les bouches en liesse, la
rumeur se fait plus bruyante : Victorinus ! Victorinus ! A la prompte rumeur, dans l'allégresse de
le voir, succéda, dans le désir de l'entendre, un
prompt silence. Lui, d'un ton clair et uni, débita
sa profession de foi loyale. Tout le monde aurait
voulu l'enlever avec soi dans son cœur, et, de fait,
comme des mains pour l'enlever ainsi, l'amour et
la joie l'enlevaient [1].

Ce rite, dont la récitation du *Credo* dans l'actuel rituel du baptême représente un vestige,
marque bien que la foi chrétienne est reçue par
celui qui accède au baptême : on la lui livre,
et il doit témoigner de son acceptation. La
forme presque juridique des rites, avec leur
double mouvement d'accueil et de reddition, met
l'accent sur le caractère de *dépôt* confié par les
prêtres, au nom de l'Eglise, à celui qu'ils pré-
parent à y entrer. Lorsque, du reste, il s'agira
du baptême d'enfants en bas âge, on prévoit
l'intervention d'un parrain, qui recevra au nom
de son filleul le dépôt de la foi, déclarera l'as-
cepter, et, par là même, s'engagera à veiller à
son éducation chrétienne, c'est-à-dire à ce que
l'enfant, quand il aura atteint l'âge, fasse sienne,
en l'apprenant et en la vivant, la foi reçue au
baptême : « Dans la régénération spirituelle du
baptême, dit saint Thomas, il est requis que
quelqu'un prenne en charge l'enfant, à la fois
père nourricier et pédagogue, qu'il s'engage à
le former et à l'instruire comme un novice dans

---

1. *Confessions*, livre VIII, trad. L. de Mondadon, Edit. de
Flore, 1947, pp. 169-170.

la foi, des choses qui regardent la foi et la vie
chrétienne... Il faut donc que quelqu'un prenne
l'enfant sur les fonts baptismaux pour veiller à
son instruction et à sa garde... » [1].

« Tradition » du symbole, qui signifie la
« tradition » de la foi par l'Église à ses nouveaux membres. Elle s'accompagnait de la
redditio symboli, dont cherchent à s'inspirer nos
modernes « professions de foi » [2].

Ce rite marque que la foi *reçue* doit être *exprimée, confessée* par une déclaration explicite et
publique. On ne reçoit pas la « tradition » passivement, on témoigne qu'on l'a reçue, on en
donne, pour ainsi dire, une « décharge ».

La profession de foi, exigée des nouveaux
fidèles, a une double signification : elle marque
que la foi n'est pas seulement un assentiment
interne, une simple adhésion du cœur, mais
qu'elle doit se traduire par un acte extérieur et
public. L'expression qui notifie une décision
interne, le geste qui l'accomplit, ne sont pas
quelque chose de facultatif : par là, le mouvement intime prend consistance et réalité. Quand
il s'agit de la foi, la profession extérieure l'inscrit dans l'ordre de l'Incarnation ; elle la fait
participer à l'accomplissement du dessein du
Père, qui, « caché depuis les siècles », a été
révélé en Jésus-Christ. Et, par là, apparaît
l'autre signification, non plus personnelle, mais
ecclésiale, de la profession de foi : c'est dans
l'Église que nous croyons, de cette foi qui nous
est transmise par l'Église, pour être vécue en
elle. Dans la communauté croyante le chrétien
vit de sa foi : celle-ci, qui l'agrège au nouveau
peuple de Dieu, ne trouve sa vraie dimension,
son déploiement et son exercice pléniers que
dans l'Église. Aussi bien importe-t-il que le catéchumène, avant même de recevoir le baptême,

1. *Somme théologique*, III, q. 57, a. 7.
2. Cf. *Communion solennelle et profession de foi*, *op. cit.*

rende compte à l'Eglise — témoignant à la face
de l'Eglise par sa profession de foi — qu'il a
bien reçu le dépôt confié.

D'où l'*engagement* que, selon les remarques
du P. Roguet, comporte la profession de foi baptismale : « La foi est fidélité. Sans doute, la
fidélité, cette foi qui persévère, dépend de Dieu
comme la foi initiale, mais elle dépend de
l'homme aussi : elle est appel de Dieu et en
même temps réponse de l'homme... Nous rejoi-
gnons une vérité évangélique : le royaume de
Dieu est établi dans le dynamisme de la vie, de
la durée et de l'espérance. C'est une eau vive qui
jaillit, une semence qui germe et se développe,
une poignée de levain qui va soulever toute la
pâte, une lampe qu'il ne faut pas laisser
s'éteindre, un talent qu'il ne suffit pas de
conserver, mais qu'il faut exploiter, un figuier
qui ne doit pas se contenter de porter des
feuilles, une guerre qu'il ne suffit pas d'entre-
prendre, une tour dont il ne suffit pas de com-
mencer la construction. Un mot pourrait résumer tout cela : le chrétien doit porter du fruit.
Aucun volontarisme extrinsèque ici, mais le
dynamisme essentiel de la foi et de la vie » [1].

Fidélité à la tradition reçue au baptême et
professée devant la communauté ; fidélité dans
la tradition. Cette fidélité, impliquée par la profession de foi baptismale, qui est engagement
dans la vie chrétienne, intègre, pour ainsi dire,
le nouveau baptisé dans la tradition de l'Eglise.
Il en fait désormais partie, il en est citoyen.
Car cette tradition qu'il reçoit est en même
temps tradition de foi et tradition de vie, tradition de vérité et tradition morale, adhésion à la
Parole de Dieu et conformation des attitudes à
ce que Dieu exige de ceux qui sont devenus ses

---

1. Que signifient les engagements du baptême et la profession de foi ? dans *Communion solennelle et profession de
foi*, pp. 149-150.

fils adoptifs. « Du moment que vous êtes ressuscités avec le Christ, recherchez les choses d'en-haut, là où se trouve le Christ assis à la droite de Dieu. Songez aux choses d'en-haut, non à celles de la terre... »

La « tradition » et la « reddition » du symbole expriment que le catéchumène reçoit la foi de l'Eglise, et s'engage à vivre selon la foi de l'Eglise. Formules expressives de l' « engagement » ecclésial, ces rites marquent l'entrée dans l'Eglise, et donc l'acceptation pleine et consciente de sa tradition doctrinale et morale. Dès lors, le nouveau chrétien sera, dans la communauté qui l'accueille, conduit et mû par la « force de la tradition ». Son jugement, spéculatif et pratique, s'il est fidèle, sera sous l'influence de cette tradition : par une sorte d'instinct surnaturel, il pensera, jugera, réagira selon l'esprit de l'Eglise : *sentire cum Ecclesia.* Par la profession de foi, structurée selon les deux temps des anciens rituels, *traditio* et *redditio,* le nouveau baptisé reçoit une tradition selon laquelle il s'engage désormais à vivre sa vie de membre de l'Eglise. Il entre donc librement, consciemment, dans la foi et l'espérance, sous la mouvance de la tradition catholique.

Ces réflexions sur la dimension traditionnelle de la foi chrétienne doivent être complétées par un regard sur la liturgie catholique. On peut dire que la liturgie est en même temps le lieu de la tradition et le lieu de la foi : en elle, tradition et foi se rencontrent et s'accordent, l'une comme enseignement et animation, l'autre comme adhésion vitale et expression spirituelle.

Que la liturgie soit « traditionnelle », il est à peine besoin d'y insister. C'est là, nous l'avons dit, une remarque constante de l'histoire des religions. Les rites se transmettent de généra-

tion en génération, et leur hiératisme immuable,
ou du moins permanent à travers le temps,
permet aux adeptes d'aujourd'hui de retrouver
et de refaire l'expérience religieuse des anciens.
Forces de stabilité et de permanence, les rites
conservent la tradition, et y font participer les
plus jeunes, instituant entre eux une « communion » de croyances et de gestes qui en sont
l'expression concrète.

Dans le catholicisme, la liturgie retrouve les
gestes instaurés par les premières communautés
chrétiennes pour vivre le mystère de Jésus. Institués par le Christ, ou par les apôtres, en exercice de la mission confiée par Jésus, ces gestes
« représentent » — rendent présentes — les
attitudes mêmes du Verbe incarné, porteuses de
vie divine. Autour de ces gestes fondamentaux,
eux-mêmes centrés autour de la Cène eucharistique, que sont les sacrements de l'Eglise, la
liturgie a organisé un réseau complexe et très
ancien de prières, d'offrandes, d'implorations et
de bénédictions, dont le ritualisme précis se
transmet depuis des siècles. Le double caractère
si apparent de la liturgie catholique : l'extrême
précision de ses ordonnances, qui ne laissent
rien à l'imprévu, et l'archaïsme de ses attitudes
montre qu'en elle se traduit l'exigence de la tradition. Le moindre changement dans le détail
demande de longs délais et s'impose pour des
siècles. A travers ce rubricisme, dont il faut
comprendre le sens, une fidélité s'exprime, qui
marque non seulement la continuité mais encore
l'apostolicité du culte catholique. Que l'on songe
à notre messe actuelle, si proche des origines, et
où persistent encore des traces visibles d'usages
judaïques conservés par les premières générations...

D'autre part, la liturgie est l'expression de la
foi. La prière chrétienne formule, traduit, interprète ce qui est cru dans la communauté chrétienne. D'où l'importance de la prière chrétienne,

des fêtes, du culte, des dévotions pour connaître
la foi des chrétiens : témoignage auquel la bulle
Munificentissimus par exemple fait appel, pour
montrer que la croyance en l'Assomption corporelle de Marie, attestée par la très ancienne fête
du 15 août, fait partie du dépôt révélé [1].

Quel que soit le sens originel de l'adage de
saint Prosper : *Legem credendi statuat lex supplicandi* [2], il est sûr qu'il exprime les rapports de la liturgie et de la croyance. La liturgie
est un témoin vivant et permanent de l'adhésion
catholique à la vérité dogmatique.

Mais cette adhésion, manifestée par ce témoin
privilégié, se trouve par là mise en rapport avec la
tradition, mieux encore encadrée et informée par
la tradition Ce n'est pas par hasard, en effet, que
la liturgie est l'expression de la foi. Si la liturgie
était instable et soumise au flux et reflux des
émotions, elle n'aurait d'autre signification que
d'être un test intéressant de croyances mou-
vantes. Mais, parce qu'elle est constitutionnelle-
ment marquée par la tradition, elle révèle le
caractère traditionnel de la foi qu'elle exprime.
Et que cette foi trouve dans la liturgie son
expression privilégiée parce qu'elle est elle-
même traditionnelle.

Liturgie et foi chrétienne renvoient ensemble
à l'Eglise, et à l'expérience fondamentale, dont

---

1. Cf. Denz. 2332.
2. Dans son livre, *Liturgie und Glaube* (Freiburg, Schweiz,
Paulusverlag, 1950), K. Federer a montré que la formule de
saint Prosper avait un sens et une portée antipélagiens. *Lex
supplicandi* n'est pas la liturgie, mais l'obligation (*lex*) de
prier pour obtenir la grâce, et cette nécessité de la prière
implique celle de croire (*lex credendi*) en la nécessité de la
grâce divine. L'origine de cet argument serait saint Augustin,
notamment dans l'épître 217. Ainsi la célèbre formule aurait
un sens très différent de celui, valable en soi, que lui a
donné la tradition. Dom Capelle accepte cette interprétation,
et la trouve « si évidente, après la démonstration de M. Federer, qu'il s'étonne qu'elle ne se soit pas imposée plus tôt » :
Bull. de théologie ancienne et médiévale, 6, N° 1326,
pp. 391-392.

jamais l'Eglise ne saurait se détacher : celle des premières générations qui sont les générations apostoliques. Sa foi comme sa liturgie y trouvent leur source, et expriment une dépendance radicale, voulue et aimée, de cette origine. Car, par les générations apostoliques, l'Eglise a contact avec Jésus-Christ, et ce contact est, pour ainsi dire, sa seule raison d'être et le principe même de sa vie.

Mais il faut remarquer que la liturgie actualise, rend immédiat, en le rendant présent, ce que la tradition, en tant que telle, aurait tendance à étendre à travers le temps. De soi, l'idée de tradition évoque la continuité d'un processus temporel, envisagé dans son étalement ; alors que la liturgie contracte le temps en l'immédiateté du geste repris. Cette tension est sensible quand on réfléchit sur le mystère eucharistique ; et elle se retrouve dans le texte paulinien du chapitre 11 de la première Epître aux Corinthiens : en tant qu'acte liturgique, la consécration eucharistique est, comme l'expriment les formules de la messe romaine, l'acte même du Christ consacrant et changeant le pain en son corps, le vin en son sang, qui s'accomplit actuellement : le prêtre « représente » si bien le Christ qu'il prononce ses propres paroles, accomplit son acte propre, disparaît en quelque sorte pour laisser parler par ses lèvres, agir par ses gestes le Christ dont il *raconte,* chaque fois qu'il célèbre, la dernière Cène : *Qui pridie quam pateretur...* En tant que « tradition », la consécration eucharistique de la messe d'aujourd'hui se situe au terme d'une longue transmission. Paul déjà transmettait aux Corinthiens ce qu'il avait lui-même reçu...

Comme nous l'avons déjà noté, la tradition vécue est attentive à la présence actuelle du donné autant qu'à sa transmission : aussi bien la tradition eucharistique concentre-t-elle également notre regard sur la présence du sacrifice

du Christ à la messe et sur la chaîne des
témoignages qui nous donnent cette certitude.
Mais la présence apparaît comme immédiate
par le rite eucharistique. En d'autres termes,
c'est dans la liturgie, pénétrée de tradition, que
la tradition prend tout son sens et sa valeur ;
le rite lui donne la plénitude de sa signification.
Paul, il nous l'affirme, a reçu ce qu'il nous
transmet ; et, de Paul à nous, des milliers d'intermédiaires s'interposent, qui relient sûrement
notre foi à celle des apôtres, témoins de la sainte
Cène. Celle-ci, cependant, est accomplie parmi
nous, dans la tradition, par le rite eucharistique.

La foi, qui s'enracine dans la tradition de
l'Eglise, trouve ainsi son accomplissement dans
et par la liturgie. Et celle-ci lui donne d'être
pleinement traditionnelle, au sens où, nous
l'avons dit, la tradition représente une totalisa-
tion du passé dans notre expérience actuelle.
Historique par la tradition, qui la fait baigner
dans le courant de la foi ecclésiale, « meta-historique » par le rite, qui est actualité du geste
du Christ, la foi chrétienne est cette rencontre
du Christ qui dépasse le temps sans l'abroger.
Elle s'épanouit dans sa dimension ecclésiale, où
nulle distance ne l'éloigne du Christ, où, cependant, vingt siècles d'Eglise sont présents, sans
interposer de séparation ni d'écartement temporel.

★

Ainsi, la tradition n'éloigne pas du Christ,
mais elle manifeste que nous ne connaissons le
Christ que par et dans l'Eglise. Par elle, si la
description esquissée en ces pages est exacte,
nous pouvons saisir comment ces deux points
de vue, apparemment inconciliables, s'accordent
dans le mystère : notre foi nous unit directement au Christ, et par lui à son Père, nous donnant de vivre de la vie des fils adoptifs ; notre
foi, reçue de l'Eglise, naît et grandit nécessaire-

ment en elle, au point que, hors de la médiation maternelle de l'Eglise, il n'est pas de foi chrétienne concevable. La tradition, c'est le lien qui unit l'Eglise au Christ, et qui rend présent dans l'Eglise le Christ du témoignage apostolique. Car la tradition, c'est finalement la parole des apôtres, toujours proche et toujours vivace, qui s'efface dans leur témoignage, afin de laisser transparaître le visage du Seigneur. Ceux qui entendaient Pierre, Jean ou Paul n'avaient-ils pas la certitude que le Seigneur était au milieu d'eux, tandis que la foi des apôtres exerçait sur eux sa bienfaisante emprise ? Or, par la vertu de la tradition, nous sommes vraiment, hommes du XXᵉ siècle, les auditeurs de Pierre, et de Jean et de Paul. Car « la tradition qui vient des apôtres existe dans l'Eglise et se maintient parmi nous » [1].

1. Saint Irénée, *Adv. Haer.*, III, 5, 1.

Chapitre VI

ÉCRITURE SAINTE ET TRADITION

LE problème des rapports entre l'Ecriture sainte et la tradition, comme sources de la foi, revêt, depuis la Réforme, une importance telle qu'il semble parfois polariser de manière privilégiée, sinon exclusive, l'attention, dès qu'il est question de la tradition catholique. Certains lecteurs, sans doute, s'étonnent que nous ayons tant tardé à l'aborder. Mais nous avons pensé non seulement qu'un exposé irénique de la conception catholique de la tradition devait précéder la discussion de ce litige toujours actuel, mais surtout qu'un tel exposé éclairait d'avance la solution que nous avons à présenter, en sorte qu'elle apparaisse non pas une tardive réponse aux objections protestantes, mais au contraire le corollaire nécessaire de ce qu'a toujours reconnu, depuis l'âge apostolique, l'Eglise catholique dès qu'elle réfléchit sur l'intelligence que lui donne, de l'Ecriture inspirée, le Saint Esprit.

La question, du moins, demeure ouverte, et irritante aujourd'hui encore, dès qu'une conversation s'engage avec nos frères réformés. « S'ensuit-il (des indices de rapprochement entre catholiques et protestants que l'auteur vient de

reconnaître et d'énumérer) que le problème
Ecriture sainte et tradition soit, entre protestants et catholiques, un problème, sinon résolu,
du moins un problème qui va vers sa solution ?
écrivait récemment M. Roger Mehl, dans un
petit livre qui cherche à demeurer objectif. Nous
ne le croyons en aucune façon » [1]. Et l'auteur
oppose la conception catholique de la tradition
(à vrai dire, vue du dehors et présentée comme
l'*adjonction* d'une *autre* source de la vérité
révélée à l'Ecriture) et le net refus du protestantisme : « Depuis le début de son histoire, le
protestantisme n'a cessé d'opposer à Rome son
principe invariable : *sola scriptura* » [2]. Et il
termine son étude comparative par ce paragraphe décisif :

> L'Eglise catholique connaît à l'heure actuelle un
> renouveau biblique incomparable. Nous nous en
> réjouissons pleinement. Nous maintenons que ce
> renouveau ne portera tous ses fruits que lorsqu'elle
> aura aussi redécouvert le sens et la valeur du prin-
> cipe scripturaire. Il est difficile qu'elle les retrouve
> tant qu'elle restera *embarrassée et alourdie par
> son idée de tradition* [3].

M. Mehl cite le professeur O. Cullmann et
s'appuie sur les études réunies dans son petit
volume consacré à *la Tradition* [4]. En exégète
loyal, M. Cullmann, nous l'avons dit, reconnaît
l'importance de la tradition aux origines du
christianisme : cette tradition, qui conserve et
transmet l'enseignement vivant du Christ prêché

---

1. Roger Mehl, *Du catholicisme romain. Approche et interprétation*. Cahiers théologiques de l'actualité protestante, Nº 40.
Delachaux et Niestlé, 1957, p. 25.
2. *Ibid.*, p. 31.
3. *Ibid.*, p. 37 : les derniers mots sont soulignés par nous.
4. O. Cullmann, *La tradition*. Cahiers théologiques de l'actualité protestante, Nº 33. Delachaux et Niestlé, 1953. Réunit
des articles parus dans la Revue d'histoire et de philosophie
religieuse (Strasbourg) et dans Dieu vivant. Ce dernier article
a été l'occasion d'une discussion avec le P. Daniélou, discussion que poursuit le présent ouvrage.

par les apôtres, a d'abord existé seule, et ce n'est que peu à peu qu'elle a fixé les éléments majeurs du dépôt révélé dans ce que nous appelons le Nouveau Testament : « La tradition orale des apôtres précède les premiers écrits apostoliques. La tradition orale antérieure aux premiers écrits était certainement quantitativement plus riche que la tradition écrite »[1]. Mais, estime Cullmann, parlant maintenant en théologien réformé, la décision qu'ont prise les apôtres « de donner à cette tradition la forme écrite » rend caduque, à partir du moment de la fixation du canon du Nouveau Testament, toute tradition considérée comme véhicule de la Révélation. Il ne reste, dès qu'existe objectivement le Nouveau Testament, que l'Ecriture pour nous enseigner la Parole de Dieu. La tradition est seulement tradition de l'Eglise : respectable, mais humaine, utile, mais contingente, la tradition postérieure au second siècle chrétien, fut-elle contresignée par l'autorité d'un Magistère, « n'est plus un critère de vérité. (Car l'Eglise) a mis un trait sous la tradition apostolique. Elle a déclaré implicitement qu'*à partir de ce moment-là* (vers 150, estime Cullmann) toute tradition ultérieure devait être soumise au *contrôle* de la tradition apostolique. En d'autres termes, elle a déclaré : voilà la tradition qui a *constitué* l'Eglise, qui s'est imposée à elle. Elle n'a certes pas voulu par là mettre fin à la continuation de l'évolution de la tradition. Mais, *par un acte d'humilité*, pour ainsi dire, elle a soumis toute tradition ultérieure élaborée par elle-même au critère supérieur de la tradition apostolique codifiée dans les saintes Ecritures »[2].

Avant de discuter la position intéressante, mais foncièrement fidèle à la « tradition » de la Réforme, prise par Cullmann, et afin de le faire

1. P. 42.
2. P. 44.

de façon équilibrée, nous essaierons de voir, dans un premier paragraphe, comment les premiers réformateurs [1] ont été amenés à s'en remettre à l' « Ecriture seule » et donc à refuser toute tradition ecclésiastique ; nous dirons ensuite comment Tradition et Ecriture s'appellent et se conjuguent nécessairement pour donner à la foi du chrétien le fondement de la Parole révélée ; nous essaierons enfin la mise au point qui s'impose pour répondre de manière valable aux difficultés actuelles de nos frères protestants [2].

Quand le corps revêt des habits consacrés, comme font les prêtres et les gens d'Eglise, l'âme n'en tire aucun profit, non plus que quand il réside dans les églises et les lieux consacrés ou s'occupe d'objets consacrés, ou si, matériellement, il prie, jeûne, se rend en pèlerinage, accomplit toutes sortes de bonnes œuvres, qui, de toute éternité, peuvent s'accomplir par le corps et en lui. Ce qui doit apporter à l'âme et lui conférer intégrité et liberté doit être encore d'une tout autre nature. Car tout ce que nous avons dit jusqu'ici, toutes ces œuvres, et ces rites, un homme mauvais, un hypocrite ou un cagot peut les accomplir ou s'en acquitter ; en se livrant à de telles pratiques, les hommes ne peuvent devenir autre chose que de véritables cagots... [3].

Ainsi s'exprimait Luther dans son traité de la *Liberté du chrétien*. Par cette dénonciation des usages et des dévotions du catholicisme, qui n'est pas isolée dans son œuvre, on le sait assez,

1. Nous avons cité quelques textes caractéristiques dans notre 1re partie, ch. 4, pp. 96-98.
2. Nous aurons le plaisir de constater que la position que nous tenons est, en substance, celle à laquelle se rattachent d'actuels théologiens orthodoxes.
3. *De la liberté du chrétien.* § 4, trad. M. Gravier, dans *Martin Luther, Les grands écrits réformateurs*, Aubier, 1954, p. 257.

il entendait attaquer *les traditions* de l'Eglise de son temps. Sa réaction, violente et sans appel, porte directement et indistinctement, contre les pratiques qu'il estime indûment ajoutées, par l'Eglise, à l'enseignement de l'Ecriture. Les indulgences en sont un exemple ; très vite, le Réformateur généralisera et s'en prendra à tout ce qui lui paraît « œuvres humaines ».

Cela, au nom d'un double principe, fondamental dans sa théologie : d'une part, le principe de l'inutilité, et même de la nocivité, des *œuvres :* seule la foi apporte la justification. Faire le moindre crédit aux œuvres, c'est faire injure à la grâce du Christ, et retomber dans le péché des juifs que dénonce saint Paul dans l'Epître aux Romains. D'autre part, il faut s'en tenir strictement à ce qui est enseigné par l'Ecriture, parole de Dieu, et refuser les « inventions humaines » qui, sans cesse, prétendent y ajouter. Ces deux principes conjugués le conduisent à affirmer la totale suffisance de ce qu'on pourrait appeler la *foi scripturaire*, c'est-à-dire la foi par laquelle le chrétien adhère au salut du Christ annoncé dans l'Ecriture.

Le pessimisme de Luther, sa défiance spontanée de tout ce qui est « addition des hommes » à la Parole de Dieu, le poussent à opposer constamment la Parole de Dieu aux paroles humaines, qui, en croyant la servir, lui font obstacle.

Dès l'abord, et en toute chose, il faut distinguer entre la parole de Dieu et les paroles des hommes. Une parole humaine n'est qu'un pauvre bruit, qui s'envole dans l'air, et qui bientôt s'efface. Mais la parole de Dieu est plus considérable que le ciel et la terre, même que la mort et l'enfer. Car c'est une des forces de Dieu, et elle est éternelle. Et si c'est la Parole de Dieu, il faut la tenir pour telle et croire que c'est Dieu qui s'adresse à nous... [1].

1. *Propos de table*, trad. L. Sauzin, Aubier, 1953, p. 48.

L'aversion que Luther, et ses disciples, professent pour la tradition est comme l'envers de leur vénération pour la Parole de Dieu. Aussi bien ne trouvons-nous guère, chez Luther lui-même, de dénonciation de *la* tradition apostolique. Son tempérament de polémiste, et l'ardeur combative de sa foi, accrochée, pour ainsi dire, au littéralisme biblique, le portent à prêter surtout attention à l'Eglise de son temps. Qu'y trouve-t-il ? Non seulement des abus, qu'il ne se fait pas faute de dénoncer, mais, lui semble-t-il, une infidélité généralisée à la Parole de Dieu, pratiquement enfouie sous l'amas des pratiques, des doctrines, des législations et écrasée par cette autorité des hommes d'Eglise, qui épaississent, comme à plaisir, l'écran qui sépare l'humble fidèle de la Parole de Dieu. Réformateur radical, Luther, à grands coups, fait tomber tout l'échafaudage. Il veut rétablir, dans sa pureté, la Parole de Dieu. Donc, *seule l'Ecriture,* principe et fondement de sa foi, doit demeurer pour le chrétien. Le reste est balayé, comme par une tornade.

L'Ecriture seule : ce cri de bataille inclut nécessairement le rejet de la tradition. Mais ce rejet, pour Luther, est davantage impliqué que formellement proclamé. Il est impliqué par la « suffisance » de l'Ecriture à nous donner le salut, et à nous le manifester : car, pour Luther, la parole de Dieu s'impose directement et immédiatement à l'âme. On sait le principe de discernement de la vérité révélée proposé par Luther : le chrétien, prétend-il, reconnaît l'inspiration d'un livre par une sorte d'instinct infaillible, qui manifeste que ce livre « prêche le Christ » : « Tous les livres authentiques de la sainte Ecriture concordent en ceci que tous ils traitent du Christ et prêchent le Christ. Et c'est cela la vraie pierre de touche pour éprouver tous les livres. Tout ce qui n'enseigne pas le Christ n'est pas apostolique, quand saint Pierre et saint Paul

l'enseigneraient. Inversement, tout ce qui prêche
le Christ est apostolique, quand ce seraient
Judas, Anne, Pilate et Hérode, qui l'auraient
fait » [1].

Dès lors, l'Ecriture *suffit* : « Nous devons être
certains que l'âme peut se passer de toutes
choses, sauf de la Parole de Dieu, et, faute de
la Parole de Dieu, rien ne peut l'aider à subsis-
ter. Mais quand elle a la Parole, elle n'a besoin
de rien autre, elle trouve au contraire dans la
parole sa suffisance, sa nourriture, sa joie, sa
paix, sa lumière, sa science, sa justice, sa vérité,
sa sagesse, sa liberté et tous les biens surabon-
damment » [2].

Luther reconnaît la légitimité d'usages et de
traditions ecclésiastiques, du moins quand elles
remontent aux premiers temps du christianisme.
Son agressivité contre les traditions de l'Eglise
contemporaine disparaît quand il est question
d'anciennes traditions : ainsi il se réfère au
symbole, dont il semble tenir l'origine matériellement apostolique : « Je crois, disait-il, que les
paroles de notre symbole de la foi chrétienne
ont été composées dans l'ordre où nous les
avons par les apôtres réunis, qui ont fait cet
admirable symbole aussi bref et aussi lourd de
consolations que possible » [3]. Contre les ana-
baptistes, il argumente à partir de la tradition
de l'Eglise, notamment en ce qui concerne le
baptême des enfants. Ses polémiques autour de
l'eucharistie ne négligent pas l'argument de tradition... Mais il ne faut pas se tromper : pour
Luther, il s'agit de traditions ecclésiastiques, respectables, utiles, normatives, et qu'on ne peut
changer sans graves raisons. Elles concernent
l'ordre ecclésiastique, mais elle ne sont pas porteuses de la Parole de Dieu. Elles ressortissent

1. Cité dans D.T.C., XIII, art. Réforme, col. 2042.
2. *De la liberté du chrétien*, § 5, trad. cit. p. 257.
3. *Propos de table*, trad. cit. p. 428.

à ce qu'on peut appeler la sociologie ecclésiastique, elles ont valeur empirique dans la société religieuse qui a besoin de règles et de continuité ; elles viennent *des* hommes et non pas de Dieu.

Il en est de même de l'interprétation que les Pères ont donnée de l'Ecriture. Elle peut rendre service, et Luther ne se prive pas de recourir à certains des grands commentateurs de l'antiquité, quand ils vont dans son sens, saint Augustin surtout. Mais comme à des maîtres humains, comme à des docteurs privés. Non pas comme aux témoins d'une tradition ecclésiale, qui expriment la foi de l'Eglise et, à ce titre, sont vraiment nos pères dans la foi. Il serait, certes, injuste de résumer la position de Luther par rapport aux Pères commentateurs de l'Ecriture dans un propos ; cependant la boutade assez lourde qu'il rapportait du moine augustin Andreas Proles, son ancien maître, et qu'il prenait à son compte, est révélatrice :

> Ce même Andreas Proles, quand on voulait expliquer et interpréter l'Ecriture à l'aide des gloses des Pères, avait coutume de dire : Quand on va la chercher chez les Pères, l'Ecriture me rappelle du lait qu'on aurait passé en se servant pour crible d'un sac à charbon, qui ne peut nous donner que du lait tout noir et gâté. Par ces mots, commentait Luther, il voulait dire que la parole de Dieu est en soi *suffisamment pure et limpide, transparente et claire*. Quant à la doctrine que les Pères nous offrent dans leurs livres et leurs écrits, elle ne fait qu'assombrir, falsifier et gâter l'Ecriture [1].

Si Luther rejette résolument la tradition, c'est, en dernière analyse, parce qu'elle lui paraît un écran humain entre l'âme et Dieu, qui parle immédiatement par l'Ecriture. Dans l'aversion de la tradition, qui se manifeste moins par une condamnation explicite que par une attitude d'ensemble, toute la théologie de Luther est

1. *Ibid.*, pp. 416-417.

engagée. Primat de la foi, alors que *les traditions* sont d'ordinaire relatives aux œuvres de pénitence et de dévotion ; sentiment que la justification vient d'une rencontre personnelle, sans intermédiaire aucun, avec le Seigneur, qui nous parle dans une Ecriture « parfaitement pure et limpide », et donc intelligible à tout lecteur éclairé par le Saint Esprit.

Même attitude de la part des autres réformateurs. Ce qu'ils refusent essentiellement, sous le nom de traditions, ce sont les institutions ecclésiastiques : « Traditions humaines, dit la confession d'Augsbourg... opposées à l'Evangile et à la doctrine de la foi. » Et l'on cite : « Les vœux et les traditions sur les aliments, les jours à observer, etc... institués pour mériter la grâce et satisfaire pour les péchés » [1]. Toujours la critique des « œuvres » dont Calvin dira qu'elles sont « des cordeaux pour estrangler les povres âmes... qu'elles oppriment tyranniquement les consciences » [2]. La critique fondamentale que leur adresse Calvin est d' « ajouter à la loi de Dieu » :

> Le Seigneur, dit-il, a tellement comprins en sa Loy tout ce qui appartenoit à la reigle parfaite de bien vivre, qu'il n'a rien laissé aux hommes à y adjouster : ce qu'il a fait pour deux causes. La première est, que d'autant que toute saincteté et justice est située en cela, que nostre vie soit rengée à sa volonté, comme à une règle unique de toute droiture, c'est bien raison que luy seul ait la maistrise et le gouvernement sur nous. La seconde est qu'il a voulu monstrer qu'il ne requiert rien de nous plus qu'obéissance.

Obéissance au Seigneur, et non point aux hommes : quand le Pape impose *sa* tradition, il fait injure à Dieu et mérite le reproche que fai-

---

1. Cité dans D.T.C., XV, art. Tradition, col. 1309.
2. *Institution chrestienne*, édit. 1650, IV, ch. 10, § 1. Edit. Béroud, Genève, 1888, p. 543. Edition de la Société calviniste de France, Genève, Labor et Fides, IV (1958), p. 172.

sait Jésus aux Pharisiens : « Assavoir que l
commandement de Dieu est mesprisé et anéanty
pour garder les préceptes des hommes » [1].

Par rapport aux « traditions des Pères »,
c'est-à-dire des anciens docteurs, le jugement de
Calvin, comme celui de Luther, est plus nuancé :
il faut, estime-t-il, les recevoir ou les rejeter,
selon qu'elles nous conduisent à mieux honorer
Dieu. Mais ce discernement montre bien qu'il
voit là encore des traditions humaines, dont le
chrétien demeure juge, et non pas l'expression
d'une tradition apostolique, au sens où le catholicisme entend ce mot.

Toujours le même affrontement aux yeux des
Réformateurs : une rivalité entre l'honneur de
Dieu et l'entreprise des hommes, qui le mena-
cent et le mettent en péril, commande tout le
problème de la tradition et des traditions. Qu'il
s'agisse d'intelligence de la Bible, de pratiques
de dévotion, de soumission à l'autorité du Pape,
le problème capital est de « sauver » l'honneur
de Dieu contre l'Eglise, « laquelle en outrepas-
sant les limites de la parole de Dieu, s'esbat à
faire nouvelles loix et inventer nouvelle façon de
servir Dieu. Car ceste loy qui a été une fois
enjointe à l'Eglise ne demeure-t-elle pas éter-
nellement ? Tu prendras garde de faire ce que
je te commande : tu n'y adjousteras rien et n'en
diminueras. Et, derechef, tu n'adjousteras à la
parolle du Seigneur et n'en diminueras ; afin
qu'il ne t'accuse et que tu ne sois trouvé men-
songer » [2].

Le refus des premiers réformateurs porte
donc immédiatement sur les traditions de

1. *Ibid.*, § 7-10 : Béroud, pp. 546-547 ; Société calviniste,
pp. 178-181.
2. *Ibid.*, § 17 (citant DEUT., 12, 32 ; PROV., 30, 6) : Béroud,
p. 550 ; Société calviniste, p. 185.

l'Eglise. A travers cette dénonciation des jeûnes, vœux monastiques, dévotions et pratiques de piété, comme « œuvres » surérogatoires et prétentions à substituer une discipline humaine à la Loi de Dieu, une fin de non-recevoir, décidée et massive, s'exprime à l'égard de l'Eglise. Prétendant trouver Dieu et entendre sa parole sans l'Eglise, le protestantisme, par la logique même de son attitude, en est vite arrivé à chercher Dieu *contre* l'Eglise.

Cependant, le problème précis de la tradition porteuse de la révélation n'est guère envisagé de plein fouet par la polémique protestante. Il est noyé dans la dénonciation des traditions disciplinaires et liturgiques, qui, sans doute, ne sont pas sans rapport avec la tradition des apôtres, mais demeurent cependant, dans leur diversité, leur multiplicité, leur caractère contingent, et parfois empirique, distinctes de la « règle de foi apostolique ».

Le Concile de Trente, nous l'avons vu, affirme la valeur des traditions comme authentique transmission du message des apôtres, et impose salutairement aux catholiques de les recevoir avec un respect identique à celui qu'ils rendent aux Ecritures inspirées [1]. Mais, un peu bousculé peut-être et pris de court par l'offensive protestante, il n'a pas suffisamment distingué entre les traditions et la tradition proprement dite, qui est communication à l'Eglise de la révélation reçue par les apôtres. Le Concile a posé un principe ; il n'a pas pu (il a intentionnellement réservé à plus tard la définition ou l'énumération des traditions dont il affirmait la valeur et prescrivait le respect) traiter à fond le problème des rapports de la tradition et de l'Ecriture sainte.

Ce problème, c'est le suivant, auquel, depuis

---

1. Conc. Trid., session IV, Denz. 783 ; cf. 1re partie, ch. 4, p. 93, suiv.

le XVIe siècle, théologiens catholiques et protestants, chacun selon son optique, réfléchissent en
reprenant inlassablement une querelle qui est
loin d'être aujourd'hui terminée : que représente, comme organe normatif de transmission
de la révélation reçue par les apôtres, la tradition *par rapport* à l'Ecriture inspirée ?

A ce problème, trois solutions principales sont
apportées : d'abord, la solution protestante, qui
consiste en un rejet de la tradition comme transmission de la révélation apostolique. Celle-ci,
disent-ils, ne se trouve que dans l'Ecriture inspirée du Nouveau Testament : *Scriptura sola !*

> S'il avait plu à Dieu de constituer la tradition
> non écrite en canon de l'Eglise, écrit Karl Barth,
> ce canon se fût aussi peu distingué de la vie même
> de l'Eglise que le sang de nos pères qui coule dans
> nos veines peut se distinguer de notre propre sang.
> Autrement dit, l'Eglise serait de nouveau seule,
> abandonnée à elle-même... L'Eglise qui repose sur
> sa propre tradition n'est plus interpellée de l'exté-
> rieur ; elle est abandonnée à son dialogue avec
> elle-même [1].

Ensuite, la solution des « deux sources »
exposée avec force par saint Robert Bellarmin :
Ecriture et tradition apparaissent comme deux
sources parallèles et complémentaires de la
règle de foi. L'Ecriture ne contient pas toute la
révélation ; elle doit être « complétée » par la
tradition des apôtres [2].

Enfin, la solution plus nuancée proposée par
Moehler et assez universellement reçue aujour-
d'hui : la tradition, écho de l'enseignement
vivant des apôtres, est comme le milieu vital où
est née l'Ecriture du Nouveau Testament. Elle
demeure le contexte indispensable pour la comprendre, au point que, comme le disait Irénée,

---

1. *Dogmatique*, 1/1, trad. française, Genève, Labor et Fides,
1953, p. 101.
2. Cf. supra, 1re partie, ch. 4, pp. 105-109.

l'Ecriture ne peut se lire, sans risque grave d'incompréhension, hors de l'Eglise apostolique ; la Bible n'est pour nous l'authentique transmission du message apostolique que si nous la lisons sous la conduite des successeurs des apôtres, dans les églises apostoliques :

> Si l'on prend la tradition dans le sens de l'Evangile vivant, prêché dans l'Eglise avec tout ce que cet enseignement comporte (ce que saint Irénée appelle « la pédagogie de l'Eglise »), nous ne comprenons par l'Ecriture sans elle [1].

Il ne sera pas inutile à l'approfondissement du problème de réfléchir un instant sur l'origine du canon du Nouveau Testament, à laquelle, à juste titre, O. Cullmann accorde grande importance.

Tout le monde aujourd'hui s'accorde à reconnaître que le Nouveau Testament est né dans la communauté primitive, qu'il surgit, pour ainsi dire, lentement, progressivement, et apparemment sans plan concerté, de la tradition apostolique. « Les apôtres ont prêché, disait Irénée, ensuite ils ont écrit ou fait écrire. » Fixation plus ou moins tardive, plus ou moins organisée, à partir sans doute de collections de *logia* et de courts récits de miracles, déjà patinés par l'usage liturgique, et des souvenirs vivants, non seulement des témoins choisis par Dieu, mais de leurs secrétaires et premiers auditeurs : ainsi se sont constitués nos Evangiles. sans qu'il soit, du reste, possible d'assigner un ordre indiscutable à la composition définitive des synoptiques. En même temps que commençaient à se constituer ces « traditions » relatives à la vie de Jésus, sous l'influence conjuguée de la prédication et du culte, saint Paul, selon les urgences, au

---

1. A. Moehler, *De l'unité dans l'Eglise*, I, ch. 2, § 16, trad. Lilienfeld, coll. Unam Sanctam, p. 50. Cf. 1re partie, ch. 5, pp. 117-122.

rythme difficile de ses voyages et de ses difficultés d'aller dans telle Église, où sa présence était réclamée, écrivait en hâte, bousculé, et s'y reprenant à plusieurs fois, ses admirables Epîtres. L'opposé de la situation actuellement faite à l'écrivain, ou même à l'évêque qui compose, ou fait écrire, ses lettres pastorales... Impression d'une sorte de prolifération confuse, mais qu'inspire l'Esprit Saint, avec ses tâtonnements, ses reprises, ses multiples collaborations : si tous ces écrits, que nous reconnaissons comme Ecriture inspirée et Parole de Dieu, n'avaient été portés par la tradition de la prédication et du témoignage apostolique, auraient-ils été reçus par les communautés, conservés avec respect, et seraient-ils parvenus jusqu'à nous ?

Il faut aller plus loin et reconnaître loyalement le caractère littérairement douteux de l'attribution de certains écrits inspirés à l'apôtre dont ils portent le nom : l'épître aux Hébreux par exemple, ou la seconde Epître de Pierre. Ces écrits sont apostoliques, parce qu'ils émanent de la tradition apostolique, beaucoup plus que parce qu'il est indubitable que leur auteur soit l'apôtre auquel ils sont attribués.

Cela, Cullmann le concède loyalement ; mais il estime que, si ce genre de réflexions est valable jusqu'en 150 environ, il perd subitement tout intérêt à partir de cette date : « La tradition orale avait valeur normative du temps des apôtres, des témoins oculaires ; elle n'en avait plus en 150, après avoir passé d'une bouche à l'autre »[1].

Singulière affirmation de la part d'un excellent connaisseur de l'exégèse et de l'histoire primitive de l'Eglise ! Est-ce qu'en 150 notre canon du Nouveau Testament était si bien fixé qu'aucune hésitation n'était dès lors possible, et que, plus jamais, on ne mettra en doute une liste

1. *La tradition*, p. 44.

ne varietur ? L'Epître aux Hébreux, cependant, sera encore longtemps l'objet de discussions, et sa canonicité ne s'imposera sans conteste, en Occident du moins, qu'au temps de saint Jérôme. L'Apocalypse, admise par Irénée comme écrit johannique, subira le contrecoup des critiques faites au millénarisme et l'on constate qu'au IVᵉ siècle nombre de Pères orientaux : Cyrille de Jérusalem, Grégoire de Naziance, Jean Chrysostome, Théodoret... ne comptent pas ce livre parmi les écrits du *Nouveau Testament* [1]. Par ailleurs certains apocryphes, des écrits non canoniques, comme le *Pasteur d'Hermas*, ou les lettres d'Ignace d'Antioche, seront considérés par nombre d'églises, même après 150, comme faisant partie du canon du Nouveau Testament. Quelle est donc, en dernière analyse, l'autorité qui juge — sans qu'on puisse assigner de date terminale à ce mandat — de la canonicité des livres du Nouveau Testament, qui reconnaît et impose comme inspirés tous les livres où nous savons trouver la Parole de Dieu, et eux seuls, sinon la tradition de l'Eglise ? Loin d'avoir « capitulé » devant le canon sorti un matin tout constitué, la tradition, lentement, progressivement, avec les flux et reflux que nous pouvons mieux déterminer aujourd'hui, a porté, avec une certitude grandissante, ces messages divins qu'elle avait, pour ainsi dire, amenés à l'existence.

Ils jaillissent d'elle, ces livres inspirés, et la tradition les authentique, en les reconnaissant comme Parole de Dieu. Elle s'incline devant eux, elle entend en eux la voix vivante des apôtres, qui sont ses propres instaurateurs. Pour comprendre les rapports de la tradition primitive avec l'Ecriture du Nouveau Testament, il importe de ne jamais oublier que tout s'est passé comme une mutuelle reconnaissance : la

---

1. *Introduction à la Bible*, II, Desclée, 1959, p. 740.

Tradition apostolique s'est reconnue dans les
écrits des apôtres, parce qu'ils lui renvoyaient
sa propre voix, et les écrits apostoliques ont dit
à la tradition son propre message : ils lui ont
permis de lire ce qu'elle savait déjà, et ce qu'elle
découvrait avec d'autant plus d'émerveillement,
sous ces mots humains où elle reconnaissait la
voix de l'Esprit, que c'était, depuis les premières
prédications des apôtres, sa propre certitude,
son lumineux « kérygme » de salut. Symphonie,
si l'on veut, ou dialogue à deux voix, mais qui
se redisent constamment un texte unique, une
découverte bouleversante toujours ancienne et
toujours nouvelle, une « révélation ».

Toujours ancienne, car ce dialogue de la tradition et de l'Ecriture, dans les premiers siècles
de l'Eglise, intègre tout l'Ancien Testament —
né lui-même dans la tradition vivante du peuple
de Dieu — interprété comme annonce de Jésus-
Christ. Quand Irénée parle de la lecture de
l'Ecriture dans l'Eglise, il songe principalement
à celle de l'Ancien Testament, envisagé, à la
suite de saint Paul, comme révélation du plan
divin s'accomplissant dans le Christ. Et cette
intelligence de l'Ecriture, fruit de la tradition,
découvre aux chrétiens le vrai sens de l'Ancien
Testament, caché aux juifs comme aux Gnostiques :

Toute prophétie, avant de s'accomplir, est une
énigme et une ambiguïté pour l'homme. Mais,
quand vient le temps et que s'accomplit la prédic-
tion, alors elle paraît claire et facile à comprendre.
C'est pourquoi la Loi exposée aux juifs d'aujour-
d'hui ressemble à une fable ; *car ils n'ont pas
l'explication de l'ensemble,* laquelle est l'avènement du Fils de Dieu. Mais, pour les chrétiens qui
la lisent, elle est le trésor caché dans le champ,
mais révélé sur la croix, et dont l'explication enri-
chit l'intelligence humaine, en montrant la sagesse
de Dieu, manifestant son plan salvifique à l'égard
de l'humanité, préformant le royaume du Christ,
annonçant par avance l'héritage de la sainte Jéru-

salem, et révélant que l'homme qui aime Dieu parviendra à le voir [1].

La tradition, en effet, permet seule de *comprendre* l'Ecriture. Et c'est là son rôle décisif. L'Ecriture, on risque de l'oublier, n'est pas un *en soi* qui demeurerait à la disposition de n'importe quel lecteur, et pourrait par lui être compris sans autre préparation qu'une élémentaire bonne volonté. C'est le livre d'un peuple, d'une communauté. Et, depuis le Christ, nous savons que c'est le livre des chrétiens, disciples de Jésus et de ses apôtres — donc le livre de l'Eglise du Christ. Certes, et nos frères protestants n'ont garde de perdre de vue cette essentielle affirmation de la foi, c'est l'Esprit qui seul peut donner l'intelligence surnaturelle de l'Ecriture. Mais cet Esprit n'est pas reçu, en plénitude, immédiatement par tout croyant ; il reste dans l'Eglise, et c'est par elle qu'il nous éclaire. Si bien que, loin de mettre une opposition entre l'Esprit et l'Eglise, il faut au contraire tenir fortement que normalement c'est dans l'Eglise, et en elle seule, que nous recevons de l'Esprit la lumière qui permet de comprendre l'Ecriture. « Le vrai disciple de Jésus, disait Origène, est celui qui entre dans sa maison, c'est-à-dire dans l'Eglise. Il y entre en pensant suivant l'Eglise, en vivant suivant l'Eglise ; et c'est ainsi qu'il comprend sa Parole. C'est de la tradition de l'Eglise qu'il faut recevoir, comme du Seigneur lui-même, l'intelligence des Ecritures » [2].

Pour comprendre le livre du peuple de Dieu, il faut le lire dans le peuple de Dieu. C'est le rôle de la tradition de nous donner de lire l'Ecriture dans le climat qu'elle exige :

Il n'est donné à personne, écrit le professeur Paul Evdokimov, de s'introduire dans les Ecritures

---

1. *Ad. Haer.*, IV, 26, 1.
2. H. de Lubac, *Exégèse médiévale*, I, Aubier, 1959, p. 58.

d'emblée, sans s'approprier leur interprétation vivante à travers l'histoire où l'Esprit Saint a parlé sans cesse par les prophètes et les saints. Il fallait être illuminé et guidé pas à pas pour passer du « Royaume de Dieu » des synoptiques, de la « vie éternelle » de saint Jean, de la « christologie » de saint Paul, à la théologie patristique de la Trinité. Il fallait surtout être incorporé par l'Esprit au plérôme charismatique de l'Eglise, communion du ciel et de la terre. Ainsi, quand le monde judéo-païen menaçait l'Eglise des apôtres, celle-ci n'a pas opposé des arguments spéculatifs pour contredire les gnostiques, mais, avant tout, a avancé toute la réalité immédiate et palpitante encore du Verbe incarné. Les « pères apostoliques » et les apologistes entretenaient la mémoire vivante du Seigneur. Et, à leur suite, Origène, Irénée et Athanase ne détenaient pas des « textes » mais la foi même, et transmettaient, sans en renverser une seule goutte, ce calice de vie à l'âge d'or des Conciles [1].

Ce que fut la tradition pour les premiers siècles chrétiens, elle le demeure aujourd'hui : le principe de l'intelligence de l'Ecriture. D'une intelligence toujours plus précise, analytique, enrichissante, qui, sans pouvoir jamais égaler la plénitude des apôtres (car ils étaient les témoins et les messagers, alors que nous ne sommes que leurs pauvres auditeurs), ne cesse jamais d'approfondir, sous la conduite de l'Esprit, la plénitude de la révélation donnée par le Verbe de Dieu et transmise intégralement par les apôtres.

Tradition *apostolique* : ce n'est pas par hasard qu'à la suite de saint Irénée et du Concile de Trente, pour ne mentionner que ces sommets d'une longue histoire, nous tenons à joindre constamment l'adjectif au substantif. Notre tradition catholique est celle des apôtres, parce qu'elle nous maintient dans le sillage des apôtres, parce qu'elle nous relie directement à

---

1. *L'orthodoxie*, Delachaux et Niestlé, 1959, p. 8.

eux. Seule l'Eglise des apôtres peut comprendre leur message, parce qu'elle est leur Eglise. L'Eglise qu'ils ont fondée visiblement, et où, de leurs chaires, par leurs successeurs authentiques, ils continuent de nous donner l'intelligence de leur enseignement.

La tradition de l'Eglise est, selon un mot heureux de P. Evdokimov, « la sphère vivante où il faut écouter l'Ecriture, qui constamment renvoie à la tradition : la continuité de l'amour et de la fidélité devient la continuité d'interprétation et de discernement » [1].

Interprétation et discernement : la primauté reste donc à l'Ecriture, puisque la tradition demeure à son service [2]. Mais la tradition est normative de notre intelligence de l'Ecriture, par la discrimination nécessaire qu'elle impose entre la véritable intelligence de l'Ecriture, selon la pensée de ceux que l'Esprit Saint a inspirés, et toutes les fausses interprétations ruineuses qu'on peut tirer de leurs textes, s'ils sont coupés de la relation vivante que la tradition maintient entre leurs auteurs et l'Eglise [3].

Ainsi tradition et Ecriture se distinguent nettement, et se situent l'une par rapport à l'autre. Non en simple parallélisme, comme deux canaux qui ne se rencontreraient qu'au départ, ni en annexion. Mais en conjonction et en mutuelle dépendance : car si l'Ecriture est née de la tradition, elle est aussi cette Parole de Dieu à laquelle la tradition est soumise, et dont elle assure le constant service. En dernière analyse, c'est l'Ecriture qu'il faut lire, mais lire dans la tradition ; c'est l'Ecriture qu'il s'agit de comprendre, mais cette intelligence ne s'opère que

1. *Op. cit.* p. 195.
2. Cf. M. J. Congar, *La suffisance des Ecritures d'après les Pères et les théologiens médiévaux* : dossier de textes, Istina, 1959, pp. 297-304.
3. Nous discutons ici les réflexions de O. Cullmann, *op. cit.* pp. 45-48.

dans la tradition ; c'est par l'Ecriture que le
message de Dieu nous parvient, mais cette Ecriture, confiée à l'Eglise, ne peut être le livre du
peuple de Dieu que s'il est ouvert par les chefs
du peuple de Dieu, selon la tradition des apôtres.
Car ce sont les apôtres qui nous enseignent par
la bouche de leurs successeurs, de ceux à qui ils
ont confié leurs églises, comme dit saint Irénée.
Les apôtres se commentent eux-mêmes : leurs
écrits, ce sont les livres inspirés du Nouveau
Testament ; leur parole vivante, c'est la tradition. Mais écrits et paroles sont d'un même
apôtre. Et il n'y a d'apôtre que pour une communauté chrétienne. Finalement, la tradition,
c'est la communauté fondée et enseignée par les
apôtres qui continue de lire les écrits de ces
apôtres, leurs souvenirs sur Jésus et leurs enseignements sur le salut apporté par le Verbe
incarné.

Le rôle essentiel de la tradition n'est donc pas
d'ajouter à ce que nous enseigne l'Ecriture
d'autres vérités qui viendraient grossir le dépôt.
Mais de donner *la clé* de l'Ecriture, en l'éclairant du dedans et en illuminant les yeux de
celui qui la lit. Quand un saint Athanase, un
saint Basile lisent l'Evangile de Jean, ils rencontrent ces versets que les Ariens utilisent en
faveur de leur théologie d'un Verbe créé et ayant
commencé d'exister. Matériellement, si l'on peut
dire, ces versets peuvent avoir le sens que leur
donne l'Arianisme ; une pure interprétation
grammaticale ou philologique ne s'y oppose pas
formellement. Qu'est-ce qui a incliné nos Pères
dans la foi, à lire dans le quatrième Evangile la
foi qu'ils nous enseignent, sinon la lumière intérieure de l'Esprit, à laquelle les témoignages de
la Tradition les rendaient accueillants ? Quand,
plus tard, saint Augustin discute avec les Péla-
giens, à quelle autorité, en dernière analyse,
fait-il appel pour montrer que l'Ecriture enseigne
le péché originel, et donc fait une obligation du

baptême des enfants, sinon à cette tradition que manifeste l'usage de l'Eglise : « Ce que l'Eglise a toujours fait, nous estimons que c'est là tradition apostolique » [1].

L'intelligence de l'Ecriture, dans l'Eglise, est toujours communautaire. Car l'Eglise a reçu de la synagogue que la Parole de Dieu, adressée à un peuple, ne peut se comprendre que dans ce peuple, à l'intérieur de cette communauté, suscitée et habitée par la présence divine. Dès le jour de la Pentecôte, s'instaura parmi les chrétiens une manière de lire l'Ancien Testament, qui est celle des apôtres, découvrant dans les prophéties l'annonce de Jésus-Christ et le prêchant à partir de ces prophéties. Aux nouveaux chrétiens, de proche en proche, avec la bonne nouvelle du salut en Jésus ressuscité, on communique cette intelligence de tout l'Ancien Testament. C'est là un des objets majeurs de l'enseignements des apôtres. Quand Paul, captif, parvient à Rome, il rassemble autour de lui les juifs demeurant en la ville et « leur expose de façon pressante le Royaume de Dieu, s'efforçant de les convaincre au sujet de Jésus en invoquant la loi de Moïse et les prophètes, depuis le matin jusqu'au soir » [2]. Cette interprétation christologique de l'Ancien Testament, c'est déjà la tradition des apôtres ; elle sera conservée dans les églises, et commandera l'exégèse patristique de la Loi et des prophètes.

Mais, autour des écrits apostoliques eux-mêmes, peu à peu conservés et groupés, se crée spontanément une tradition, qui les éclaire et en assure la correcte interprétation. C'est d'autant plus normal que ces écrits de circonstance (qu'on pense aux lettres de Paul, empêché de se rendre à Corinthe ou à Thessalonique), ou que ces résumés forcément schématiques destinés à

1. De baptismo, IV, 31 : P.L. 43, 174.
2. ACTES DES APOTRES, 28, 23.

guider les prédicateurs nouveau-venus, prolongent ou remplacent l'enseignement oral de l'Apôtre. Leur contexte naturel, c'est, pour ainsi dire, ce contact que les communautés auxquelles ils parvenaient ont conservé avec l'apôtre fondateur. Dans la seconde moitié du second siècle, nous voyons encore Irénée faire appel, pour commenter les textes johanniques, aux souvenirs des vieux presbytres qui avaient connu l'Apôtre bien-aimé.

La tradition apparaît ainsi le principe chrétien d'intelligence des Ecritures. Elle est une sorte d'instinct de la foi guidant l'Eglise dans sa lecture de la Parole divine, consignée dans les livres inspirés. Héritage vivant conservé dans les églises, et transmis, de génération en génération, par les successeurs des apôtres fondateurs.

Car il est indispensable et voulu de Dieu qu'une telle tradition soit gardée par des responsables, qu'elle soit conservée attentivement par les évêques, dont elle inspire l'enseignement. La fonction de l'évêque, n'est-ce pas, principalement — comme le montre l'exemple des Pères de l'Eglise, si attentifs à prêcher devant leur peuple et à lui commenter l'Ecriture — de rompre aux fidèles le pain de la Parole de Dieu, en même temps qu'il les nourrit du pain eucharistique ? Commentateurs infatigables des livres saints, les Pères de l'Eglise, constamment guidés par une tradition dont ils sont à la fois les témoins et les guides, manifestent ce qu'est la tradition : le climat ecclésial où se lit l'Ecriture, et qui, seul, lui permet de révéler sa plénitude de sens, sa force et son secret : la tradition, c'est dans l'Eglise, la reconnaissance de Jésus-Christ annoncé par toutes les Ecritures.

Pris à sa source, à sa source permanente, écrit le P. de Lubac, l'essentiel de l'enseignement chrétien consiste toujours à expliquer l'Ecriture, ainsi

que l'a fait Jésus, en la rapportant toute à Jésus.
Il consiste à faire valoir les deux Testaments l'un
par l'autre, en montrant le Nouveau dans l'Ancien.
C'est un ferment qui fait lever toute la pâte de
l'Ecriture. C'est la vertu et la puissance de la prédication évangélique.

Telle était la pensée de saint Irénée lorsqu'il se
réclamait lui-même de la « tradition » ou de la
« prédication des apôtres ». Telle était pareillement celle d'Origène : Les chrétiens, disait-il, sont
ceux qui reçoivent l'intelligence des Ecritures suivant le sens des apôtres, ceux qui sont enseignés
par leur contemplation mystique de la Loi et des
prophètes [1].

Et, avec son admirable connaissance de
l'histoire et de la théologie, le P. de Lubac
montre que cette idée de la tradition répond
bien à l'enseignement du Concile de Trente, si
on le comprend au terme du mouvement très
ample dont il est le couronnement :

Que l'Ecriture contienne toute la révélation, ce
fut, au sens que l'on va dire, la thèse à peu près
unanime jusqu'à la veille de la Réforme. Elle était
donc *le* lieu théologique, et non pas seulement *un*
lieu théologique de la plus haute importance. Saint
Anselme venait de le redire : Nous ne prêchons
rien d'utile pour le salut, que la sainte Ecriture,
fécondée par le miracle de l'Esprit Saint, ne contienne et n'affirme. Rupert, Honorius, Anselme de
Laon, Arnaud de Bonneval et d'autres le redisent.
Sans l'Ecriture, tout le siècle serait plongé dans
l'obscurité des ténèbres. Aussi posait-on l'équivalence : « Selon la foi catholique, ou selon la sainte
Ecriture », et proclamait-on simplement : L'Ecriture sainte, maîtresse de notre foi.

Sans doute, on admettait bien, depuis toujours,
qu'il existait des traditions, universelles et locales,
et que ces traditions pouvaient faire loi. Nul,
cependant, ne parlait de deux « sources » de la
foi qui eussent été parallèles et radicalement distinctes — et, quoi qu'en disent les auteurs qui
lisent trop précipitamment les textes, le Concile

1. *Exégèse médiévale*, II, Aubier, 1959, p. 672.

de Trente ne l'a pas fait davantage. Il rappelle, en termes tout à fait évangéliques et traditionnels, que le Christ a ordonné de prêcher l'Evangile à toute créature comme *la source* de toute vérité révélée.

Les négations protestantes ont seulement amené la théologie catholique à déplacer un accent dans l'exposé de la doctrine ancienne, afin d'en maintenir la plénitude et l'authenticité menacées. Ainsi devait être explicité avec plus de soin, parallèlement au concept d'Ecriture, celui de tradition. Mais il n'en résulterait aucun changement essentiel. Car, dans l'Ecriture, telle qu'elle avait toujours été comprise, il ne s'agissait pas des livres saints considérés comme des documents humains, dans leur pure matérialité, pour ainsi dire, et livrés à l'examen — religieux ou scientifique — de quiconque, sans aucune référence. Dès le premier siècle de l'Eglise, dès la première génération chrétienne, il s'agissait de l'Ecriture lue ou de la Parole de Dieu entendue dans l'Eglise et interprétée par la tradition — la « tradition des apôtres » — ainsi qu'Irénée, puis Origène, l'ont dit avec une force incomparable : ce qui revient exactement à *l'Evangile* du Concile de Trente. Il s'agissait du « pain de vie » rompu pour nous, et comme déjà « mâché » par les dents de la tradition apostolique. C'est à cette tradition qu'il fallait adhérer, c'est elle qu'il fallait recevoir, comme du Seigneur lui-même, l'intelligence des Ecritures [1].

A cette présentation de la tradition, qui lui apparaît insuffisamment reconnaître la valeur normative de l'Ecriture et, pour ainsi dire, son primat incontesté, M. O. Cullmann fait diverses objections. Elles peuvent se grouper autour de trois idées : autorité des apôtres, multiplicité des traditions, autorité doctrinale du Magistère. Réfléchissons brièvement sur chacun de ces points.

1. *Ibid.*, I, pp. 56-58. Cf. Y. Congar, *Sainte Ecriture et Sainte Eglise*, Revue des sciences philosophiques et théologiques, XLIV, 1960, pp. 81-88.

L'originalité de M. Cullmann est d'accepter la tradition, de lui reconnaître une valeur normative, de voir en elle un canal privilégié par quoi nous vient la révélation... mais seulement à l'âge *apostolique*. Il n'accorde crédit qu'à la tradition des apôtres, non parce que tradition, mais parce qu'apostolique — n'ayant pas encore été recueillie dans une Ecriture :

> Il n'y a pas, écrit M. Cullmann, d'un côté le Credo des apôtres, de l'autre côté leurs écrits. Mais les deux forment bloc en tant que tradition apostolique vis-à-vis de la tradition postapostolique. La règle de foi *apostolique,* voilà la tradition dont parlent les Pères du second siècle. Qu'elle ait été transmise d'abord par la voie orale, ce n'est pas ce qui importe, mais la conviction que son texte a été *fixé* — tout comme celui des livres canoniques du Nouveau Testament — par les apôtres [1].

M. Cullmann a raison d'affirmer que les apôtres sont les pères de notre foi, que leur témoignage a non seulement valeur privilégiée, mais valeur de fondement : ils ne sont pas seulement les premiers maillons d'une chaîne homogène, ils sont les auteurs de la tradition. Et nous sommes d'accord avec Cullmann pour dire que si la tradition n'était pas apostolique, elle serait simplement humaine, et donc que l'Eglise aurait tort de lui reconnaître une autorité normative pour sa foi. Car les apôtres, qui ont vécu avec Jésus, sont plus que des témoins mieux placés et dignes de créance : ils ont reçu du Seigneur directement, avec la promesse de l'assistance du Saint Esprit, mission et pouvoir de « faire des disciples, leur enseignant tout ce que le Seigneur avait prescrit ». En ce sens, il n'y a pas de commune mesure entre les apôtres et leurs successeurs immédiats ou lointains : la révélation est close à la mort des apôtres, et

---

1. *Op. cit.* pp. 48-49.

toute l'Eglise, jusqu'à la parousie, ne fera que redire, garder et transmettre cette « nouveauté » apportée par les apôtres. La foi chrétienne est la foi apostolique, et serait une trahison, une infidélité, coupable et exécrable, si elle s'écartait le moins du monde de la foi des apôtres. Aussi bien admettons-nous la distinction sur laquelle insiste Cullmann : distinction entre la tradition apostolique, qui est révélante et normative de la foi ecclésiale tout entière, et la tradition de l'Eglise, qui est réception de ce message des apôtres.

Est-ce à dire que cette suprématie incommunicable des apôtres rende caduque toute tradition « post-apostolique de l'Eglise » ? Oui, si cette tradition prétendait s'égaler à la tradition des apôtres, se donner la même importance et la même autorité, se présenter « comme une dernière page à ajouter au Nouveau Testament »[1]. Mais qui prétendrait cette énormité ?

Non, si la tradition de l'Eglise est simplement la transmission de la tradition apostolique, à laquelle elle n'ajoute rien, pour la bonne raison qu'elle est avant tout la fidélité à conserver, si l'on peut dire, l'optique apostolique dans la lecture de l'Ecriture.

Si la tradition est ce que nous avons essayé de dire : une intelligence de l'Ecriture apprise à l'école des apôtres, et conservée de génération en génération dans un souci primordial de continuité et de dépendance — nous lisons l'Ecriture comme les apôtres nous ont appris à le faire — il est clair que la tradition « continuative », pour parler le jargon de la théologie, n'est pas une autre tradition, rivale ou concurrente, que la tradition « constitutive », la tradition apostolique. Celle-ci demeure vraiment normative, et seule normative, puisque l'Eglise, où elle s'épanouit, ne fait pas nombre avec les apôtres, mais est l'Eglise apostolique, et ne peut être

---

1. O. Cullmann, *op. cit.* p. 50.

elle-même qu'en le demeurant sans défaillance.

Il n'y a pas, à proprement parler, diversité de traditions, mais, comme dit saint Irénée, la tradition « une et identique ». Au plan géographique, sans doute, dans l'Eglise une dispersée à travers la terre : c'est ce à quoi pensait d'abord l'évêque de Lyon. Mais aussi au plan de la succession temporelle : de proche en proche, d'évêque en évêque, de génération en génération, comme « de main en main », c'est la tradition des apôtres, inaltérable, qui vient jusqu'à nous. Et cette tradition guide l'Eglise, dans le même sens, dans la même perspective, en son incessante lecture de l'Ecriture.

Aussi avouons-nous ne pas comprendre la crainte qui se révèle dans des phrases comme celles-ci :

> Nous avons dit que l'Ecriture a besoin d'être interprétée. L'Eglise doit se sentir responsable de cette interprétation. Elle doit prendre position, lorsque cela s'impose, vis-à-vis de certaines explications bibliques proposées par ses docteurs, ou par des savants indépendants de son temps. Mais sa responsabilité, dans ce cas, consiste, comme nous l'avons vu, précisément à se prononcer dans l'humble soumission à la norme apostolique du Canon. Cela implique deux choses : d'une part qu'elle n'impose pas aux générations futures l'obligation de prendre pour point de départ et comme norme de leur interprétation du même texte la décision qu'elle se croit obligée de prendre, mais qu'elle reste consciente de la supériorité de l'Ecriture, témoignage immédiat de la révélation divine, sur l'interprétation qu'elle-même croit devoir en donner et qui ne peut être qu'un témoignage dérivé où l'élément humain a une plus grande part ; d'autre part qu'elle-même prenne sa décision en se plaçant en face du texte biblique lui-même, confiante dans le témoignage interne du Saint-Esprit, et ayant recours à la tradition seulement comme à une source secondaire, à un guide qui peut nous éclairer, à condition précisément que nous ne le placions pas au-dessus de la parole

des apôtres et que nous soyons prêts, le cas
échéant, à nous en dégager [1].

Si nous comprenons bien ce texte, il manifeste la crainte que la tradition de l'Eglise n'em-
piète sur l'Ecriture, et finalement sur « le témoignage interne du Saint-Esprit ». L'affrontement
est pensé en termes de rivalité. Les apôtres sont
mis du côté de l'Ecriture, reconnus principalement comme « auteurs » des livres inspirés du
Nouveau Testament. Si bien que demeurent face
à face, d'une part, l'Ecriture et les apôtres,
d'autre part une Eglise, qui va interposer *sa* tradition entre le croyant et l'Ecriture. Si l'Eglise
veut rester fidèle à l'Esprit, elle doit constamment se défier de sa tradition, « où l'élément
humain a une plus grande part », et la maintenir en constante tutelle, « prête, le cas échéant,
à s'en dégager ». A cette condition, l'Eglise sera
fidèle à l'Ecriture, à la Parole de Dieu. Mais
attention que cette Eglise ne se laisse pas
emporter, que sa tradition, de servante, ne se
fasse maîtresse : il importe d'être sans cesse sur
ses gardes !

Le Seigneur, qui lui a promis et envoyé son
Esprit, aurait-il, à ce point, oublié son Eglise,
qu'elle doive céder, en ce qui concerne sa foi, à
d'humaines appréhensions ? « Que votre cœur
cesse de se troubler, lui a dit Jésus au soir du
jeudi-saint. » Pour recouvrer la sérénité, il suffit
de remarquer deux choses, déjà bien souvent
soulignées : les apôtres ne sont pas seulement
(ni principalement) des « auteurs » de livres
inspirés, ils sont d'abord les fondateurs de
l'Eglise, en qui leur esprit et leur enseignement
demeure, en vertu de la promesse même du Seigneur : « Voici que je suis avec vous jusqu'à
la consommation du siècle. » Donc, par voie de
conséquence, ce sont eux qui par leur tradition,
enseignée par leurs successeurs, suggèrent à

1. *Ibid.*, p. 51.

l'Eglise comment lire l'Ecriture — leur Ecriture du Nouveau Testament, comme les livres et l'histoire de l'Ancien Testament. La tradition de l'Eglise est celle des apôtres, permanente en l'Eglise. Ce n'est donc pas une « source secondaire », mais un principe sans cesse à l'œuvre d'intelligence de l'Ecriture. Nul conflit n'est à craindre, puisque c'est la tradition des apôtres, témoins et fondateurs, qui dirige, aujourd'hui encore, la lecture que l'Eglise poursuit de l'Ecriture inspirée. Bien loin qu'il nous faille choisir entre l'Ecriture et la tradition, nous devons reconnaître que c'est dans la seule tradition — ecclésiale, évidemment, puisque apostolique — que nous pouvons lire, comprendre et recevoir comme règle de vie les saintes Ecritures.

Mais ici, surgit une nouvelle difficulté : les traditions, dans l'Eglise, et dès ses origines, ont été nombreuses et parfois contradictoires. Au second siècle déjà, un discernement s'imposait, et ce fut, notamment, l'œuvre de saint Irénée, que de refuser les traditions gnostiques et de leur préférer, lucidement et résolument, les traditions de la grande Eglise. Il y a donc traditions et traditions — des traditions secrètes, que la Gnose prétendait faire remonter aux apôtres, et des traditions connues de tous les chrétiens, publiquement enseignées. Ce fait ne montre-t-il pas que, loin de se confier à la tradition, il importe de juger la tradition, de la confronter à l'Ecriture, afin de séparer le valable de l'irrecevable :

Il suffit de lire les évangiles apocryphes... ou bien les nombreux Actes apocryphes, pour comprendre que la tradition, dans l'Eglise, n'offrait plus aucune garantie de vérité, même lorsqu'elle se réclamait d'une chaîne de transmissions. Car on justifiait toutes ces traditions par l'établissement des chaînes remontant aux apôtres. Papias, lui aussi, s'en réclame lorsqu'il dit qu'il s'est informé auprès de gens qui ont été en contact avec les apôtres. Le magistère de l'Eglise à lui seul ne suffisait pas pour sauver la pureté de l'évangile [1].

Ce texte fait allusion à des faits bien connus ; mais il semble qu'il simplifie un peu le problème. Irénée, qui connaissait bien l'existence de traditions secrètes chez les Gnostiques, et qui est une de nos sources principales sur ce point, ne raisonnait pas d'une manière aussi radicale. Il fournit un double critère de discernement des authentiques traditions apostoliques : la continuité et la publicité. Continuité, puisque l'enseignement donné dans les églises remonte notoirement aux apôtres fondateurs, et l'on peut s'en assurer en consultant les listes d'évêques qui assurent cette continuité, alors que les « transmissions » des gnostiques faites de bouche à oreille, sont privées de cette garantie. Publicité, car la tradition authentiquement apostolique se rattache à l'enseignement que Jésus a donné devant de nombreux auditeurs, comme il le dit lui-même à Caïphe [2] ; cet enseignement, dès la Pentecôte, a été publiquement transmis par les apôtres, à Jérusalem d'abord, et ensuite à toutes les chrétientés du monde méditerranéen. Il ne s'agit pas de « secrets chuchotés dans les coins », mais d'un message transmis au grand jour. Les traditions que reconnaît la grande Eglise, et dont elle fait état, possèdent donc, en elles-mêmes, des critères suffisants, et accessibles à tout esprit de bonne foi, de leur authenticité apostolique : ils manifestent qu'elles procèdent de ce qu'ont dit, effectivement et notoirement, les apôtres ; « elles ont laissé des traces visibles dans l'histoire » [3]. Inutile, pour les discerner, de faire appel à autre chose qu'à elles-mêmes.

C'est du dedans, par une critique intrinsèque,

1. *Ibid.*, p. 44.
2. Jo., 18, 20-21.
3. H. Cornélis et A. Léonard, *La gnose éternelle*, coll. Je sais — je crois, A. Fayard, 1959, p. 109.

pour ainsi dire, que l'on doit discerner les véritables traditions. Assurément, l'histoire manifeste que, dès le début, des traditions douteuses ou franchement pernicieuses interférèrent avec le legs véritable des apôtres. D'où des confusions, auxquelles on dut vite porter remède. Mais cela n'est pas de nature à jeter le discrédit sur la tradition comme telle, au point qu'il faille faire appel à l'autorité extrinsèque de l'Ecriture (dont le canon, d'ailleurs, à cette époque, n'avait pas toute la fixité qu'on lui suppose), pour valoriser une tradition incertaine et confuse. Il existe une tradition qui s'impose d'elle-même par sa continuité apostolique, et cette tradition, l'Eglise la « possède » incontestablement. L'obligation que lui fait l'hérésie de justifier ce droit, et de refouler des contrefaçons, ne suffit pas à l'historien moderne pour mettre en doute l'existence d'une tradition apostolique dont témoignent, de manière non équivoque, Irénée et Tertullien.

Et c'est cette tradition qui guide l'Eglise dans sa lecture de l'Ecriture. Loin d'être discernée par l'Ecriture (car elle se discerne elle-même par ses caractères de notoriété et de permanence, depuis la fondation des églises), c'est elle qui discerne le sens véritable de l'Ecriture. Aux exégèses aventureuses de la Gnose, Irénée oppose sans se lasser l'interprétation traditionnelle — traditionnellement apostolique — de l'Ecriture, au point de dire que seule la lecture ecclésiale de l'Ecriture, sous la conduite des successeurs des apôtres et selon la tradition dont ils sont dépositaires, est « sans danger » :

Dieu, dit saint Paul, a établi dans l'Eglise, d'abord les apôtres, puis les prophètes, enfin les docteurs... Là donc où se rencontrent les charismes du Seigneur, c'est là qu'il faut apprendre la vérité, auprès de ceux qui ont reçu dans l'Eglise la succession des apôtres et dont la vie est pure et sans reproche, dont l'enseignement est sans erreur et

sans corruption. Ce sont eux qui conservent notre foi
en un seul Dieu qui a tout créé, qui augmentent notre
amour pour le Fils de Dieu, auteur de toute l'économie du salut, *qui nous expliquent sans danger les
Ecritures,* sans blasphémer Dieu, sans déshonorer
les Patriarches, sans mépriser les prophètes [1].

Mais ici, Cullmann nous arrête et formule le
troisième point de son objection : aux temps
proches des apôtres, quand il était clair que leur
tradition, et elle seule, inspirait l'enseignement
des évêques, reliés aux apôtres par de vivants
souvenirs (comme Irénée, qui, par Polycarpe,
touchait encore à saint Jean), la norme scripturaire et la norme traditionnelle se confondaient
en quelque sorte. Mais, depuis lors, les siècles
ont passé. Un magistère ecclésiastique s'est développé, dont les décisions et les définitions ten-
dent à constituer une tradition autonome, supérieure et étrangère à l'Ecriture. N'y a-t-il pas là
une infidélité foncière au critère de foi que
l'Eglise avait posé en recevant le canon du Nouveau Testament ?

En posant le principe d'un canon, l'Eglise du
second siècle n'a pas seulement pris parti à l'égard
des difficultés surgies à ce moment-là, surtout en
face du gnosticisme. *Elle a pris une décision engageant l'avenir de l'Eglise.* Elle n'a pas fixé une
norme pour les autres, mais elle a fixé une norme
à elle-même, et elle a soumis l'Eglise de tous les
siècles à venir à cette norme. Elle n'a pas privé
par là l'Eglise de son magistère. Mais elle a donné
à ce magistère son caractère précis : il sera vraiment magistère de l'Eglise seulement dans la
mesure où il prendra son point de départ dans
l'acte de soumission à la norme ecclésiastique du
Canon. Il tire son efficacité de cette soumission.
Le Saint-Esprit sera à l'œuvre dans cette soumission même. *Dans ce cadre,* l'inspiration continuera
à être accordée à l'Eglise [2].

1. *Adv. Haer.*, IV, 26, 5.
2. O. Cullmann, *op. cit.* p. 45 : les mots soulignés le sont
par l'auteur.

Il y a là encore un certain nombre de confusions qu'il importe de relever, afin de discuter dans la clarté, et non dans l'à-peu près. Disons de suite que le magistère de l'Eglise ne prétend en aucune façon se mettre au-dessus de l'Ecriture, mais qu'il professe cette docilité à la Parole de Dieu révélée qu'on se donne bien du mal à lui recommander. Et c'est pourquoi il refuse, pour lui-même, toute « inspiration » : ce charisme est accordé aux auteurs des livres reconnus et reçus dans l'Eglise comme « ayant Dieu pour auteur ». Il leur est réservé, et le magistère de l'Eglise catholique prétend si peu être « inspiré » que le Concile du Vatican a déclaré solennellement, au moment même où il va définir l'infaillibilité personnelle du Souverain Pontife, jouissant de l'infaillibilité que le Christ a promise et donnée à son Eglise. dans l'acte même où, comme chef de cette Eglise, il définit un point de doctrine concernant la foi ou les mœurs :

> L'Esprit Saint n'a pas été promis aux successeurs de Pierre, pour que, éclairés par sa révélation (eo revelante), ils manifestent une nouvelle doctrine, mais pour que, avec son assistance (eo assistente), *ils gardent saintement et exposent fidèlement la révélation transmise par les apôtres,* ou, comme on dit, le dépôt de la foi [1].

L'assistance que le Saint-Esprit accorde « aux successeurs de Pierre » a donc seulement pour effet de leur permettre de garder et d'enseigner exactement « la tradition des apôtres » : c'est cela, ni plus ni moins, leur charge et leur charisme. Loin d'innover, ou de « faire la tradition », le Magistère de l'Eglise transmet à son tour ce qu'il a lui-même reçu des apôtres. Et cette tradition, nous l'avons dit. n'est pas la propriété exclusive du Magistère. Elle appartient à l'Eglise tout entière, elle est portée par la foi des fidèles, approfondie et tirée au clair par le travail des

---

1. Conc. du Vatican, session IV, ch. 4, Denz. 1836.

théologiens. Le rôle propre du Magistère est de
la discerner, de la reconnaître, de la proclamer,
et, dans son exercice extraordinaire (par une
définition d'un Concile œcuménique ou d'un Pape
parlant *ex cathedra,* dans la plénitude de son
pouvoir doctrinal de chef visible de l'Eglise universelle) de l'imposer distinctement à la croyance
de tous les fidèles de l'Eglise du Christ.

Le Magistère n'est donc pas au-dessus de la
tradition, pas plus qu'il n'est au-dessus de
l'Ecriture. Il se veut au service de l'une et de
l'autre. Mais c'est dans la tradition, comme toute
l'Eglise, qu'il lit l'Ecriture, et qu'il se soumet à
la Parole révélée. Le Magistère ne crée pas une
tradition qui serait indépendante, à la fois, des
apôtres et de l'Ecriture ; mais il reçoit, de la
tradition apostolique, et dans la tradition apostolique, cette Ecriture dont il est l'interprète
authentique, par l'assistance du Saint-Esprit. Ce
que le magistère catholique enseigne, c'est, en
dernière analyse, ce que Jésus a enseigné, et que
les apôtres ont reçu mission d'enseigner à leur
tour. Car il n'y a pas addition d'un Magistère à
la tradition apostolique, mais continuité stricte,
par le fait que la tradition apostolique est
confiée au Magistère, jusqu'à la fin des siècles.
Le pouvoir doctrinal du Magistère est celui-là
même que les apôtres ont laissé à leurs successeurs immédiats, leur livrant, comme Jésus
l'avait fait pour eux, « tout ce que le Père a
donné aux hommes », la plénière révélation
faite par le Christ. La mission de la hiérarchie
catholique est celle des apôtres ; ils continuent
d'enseigner par l'enseignement du collège apostolique réuni autour du successeur de Pierre.
Et celui-ci n'enseigne pas autre chose que la tradition des apôtres. L'Eglise est si loin de « s'accorder une place de révélatrice dans l'histoire du
salut »[1], comme on l'en accuse à tort, qu'elle

1. R. Mehl, *Du catholicisme romain,* p. 35.

demande seulement à tout homme de bonne foi
de la reconnaître comme « celle qui garde et
enseigne la parole révélée » [1].

Au cœur de cette discussion, il faut reconnaître, sans se payer de mots, que nos frères
protestants redoutent la tradition catholique, et
craignent ses empiètements parce qu'ils ont
peur d'une mainmise humaine sur la Parole de
Dieu :

> Le souci catholique, écrit M. R. Mehl, c'est d'en-
> serrer, d'enchâsser le contenu de l'Ecriture dans
> une doctrine élaborée par la tradition ecclésias-
> tique. Par là même (le catholicisme) prive la révé-
> lation scripturaire de son actualité, de sa qualité
> de Parole du Dieu vivant [2].

La théologie catholique de la tradition leur
apparaît une tentative de confiscation par une
Eglise humaine, par son magistère, son développement dogmatique, ses dévotions, de la révélation toujours actuelle dans l'Ecriture, et qui
nous atteint immédiatement par l'Ecriture, si
nous consentons à nous laisser interpeller par
elle, et à accepter qu'elle n'ait d'autre interprétation qu'elle-même.

A cette opposition quasi-radicale entre Dieu
et l'homme, entre la Parole de Dieu et la parole
humaine, à ce souci d'éviter autant que possible
l'humain, afin de mieux recevoir le don de
Dieu [3], nous devons avoir la loyauté de poser

1. Conc. du Vatican, session III, ch. 3, Denz. 1793.
2. *Op. cit.* p. 37.
3. « Puisqu'il a plu à Dieu de *réserver* la transmission de
l'Evangile du Christ à cette seule catégorie de contemporains
de Jésus (que furent les apôtres), pour *réduire au minimum*
sa déformation par l'élément humain, l'Eglise ne doit-elle pas
tout faire pour respecter à son tour cette mise à part ? »
O. Cullmann, *op. cit.*, p. 34 : les mots soulignés le sont par
l'auteur.

une double question. La Parole de Dieu révélée n'est-elle pas une parole humaine : Dieu n'a-t-il pas voulu se servir de mots humains, de métaphores humaines, d'un langage humain et faire dire par des hommes — les prophètes, les auteurs inspirés, et, finalement, le Christ Jésus — son message ineffable ? Les lois du langage, et les modes de communication existant sur notre terre postulent que Dieu agisse ainsi : comment Dieu aurait-il pu « parler aux hommes », se faire entendre d'eux sans utiliser leur langage, leurs mots, leur manière de s'exprimer, leurs « genres littéraires » ? Et le fait de l'Incarnation rend non seulement plausible, mais nécessaire qu'il en soit ainsi : c'est en se faisant homme que le Verbe a pu nous dire, en notre langue d'hommes qu'il a lui-même parlée, avec des métaphores et des analogies humaines, son propre mystère. Pourquoi donc avoir tant peur *de l'homme,* lorsqu'il s'agit de la révélation divine ?

S'il en est ainsi, et si l'ordre de l'Incarnation s'impose absolument au théologien, faut-il s'étonner que Dieu ait confié à une Eglise, assurément composée d'hommes, mais assistée indéfectiblement par son Esprit, cette Parole exprimée en mots humains ? Non pour la travestir, la déformer ou y ajouter, mais au contraire, selon le mot du Concile du Vatican, « pour qu'elle soit saintement gardée et fidèlement transmise ». Gardée et transmise non à la manière d'un dépôt soigneusement enveloppé, et que l'on se garde d'inventorier de peur de l'évaporer, mais comme un bien de famille que l'on ne conserve vraiment qu'en le montrant sans cesse dans l'intimité des proches assemblés, des amis réunis. L'Eglise respecte infiniment la Parole de Dieu, mais ce respect la porte à s'efforcer de la comprendre toujours mieux, d'en approfondir sans cesse le sens, de s'en nourrir pour en vivre plus intensément. Cette lecture que fait l'Eglise de la Parole de Dieu, c'est la tradition des apôtres qui la guide : non comme une nouvelle révélation surajoutée, mais comme un principe d'intelligence de l'unique Parole divine, de la révélation accomplie à laquelle on ne peut rien ajouter, et qu'il faut cependant toujours pénétrer davantage.

Si l'ordre de l'Incarnation demande que la grâce nous soit donnée par et dans une Eglise, il est normal qu'en cette Eglise une tradition vivante préside à la lecture de la Parole de Dieu.

Avec l'âge apostolique, écrit Paul Evdokimov, la révélation est close. Dieu n'ajoute rien au contenu objectif de sa Parole. Mais, le jour de la Pentecôte, commence le temps de l'Eglise et celui-ci postule une transmission, une *tradition*. Or, ce que l'Eglise transmet n'est pas une archive pour un musée, mais la Parole vivante et toujours actuelle : Dieu lui-même continue à la dire et à l'adresser aux hommes de toute époque. Ainsi la tradition est la conscience de l'Eglise d'être le lieu vivant de la Parole opérante, sans jamais épuiser ce qu'elle porte en elle de vie et de formes d'expression...

L'Ecriture donne des germes qui s'épanouissent dans la tradition... Pour comprendre et correctement interpréter les « paroles inspirées », il faut posséder l'identique inspiration de l'Esprit Saint, et c'est la tâche inhérente à l'Eglise, tradition vivante. Le passé ecclésial ne tue jamais le présent, mais l'inspire à progresser tout en se tenant dans le contexte de la tradition et dans sa norme intérieure : l'accord de la catholicité dans le même Seigneur, dans le même Esprit [1].

1. *L'orthodoxie*, 1959, pp. 195-196.

CONCLUSION

« D'UNE manière très paradoxale, grâce au
Témoin qui demeure, écrit Paul Evdokimov, la tradition est un accord avec
le futur qu'on trouve dans le passé. « L'Esprit
a parlé par les prophètes » et c'est dans cette
dimension prophétique de l'Eglise qu'il puise
en arrière, en Christ, ce qu'il annonce *en
avant* »[1].

La tradition de l'Eglise, c'est la présence d'un
passé qui n'alourdit pas, mais stimule et pousse
en avant. Elle est moins un souvenir qu'une
immédiateté : si l'Eglise se souvient sans cesse,
ce souvenir porte sur Celui qui demeure en elle,
par l'Esprit toujours actuel depuis le jour de la
Pentecôte : Jésus ressuscité n'est pas un être
du passé, mais celui qui demeure : « Il est le
même, hier et aujourd'hui et à jamais »[2]. Le
même, en la permanence de son état de ressuscité, vainqueur de la mort et de la succession
temporelle qui entraîne à la mort ; le même
pour son Eglise, Epoux toujours jeune qui aime
son Epouse, sanctifiée, purifiée, et constamment
parée du don qui lui a été fait dans le sang du
Christ.

1. *L'orthodoxie*, Delachaux et Niestlé, 1959, p. 196.
2. Hebr., 13, 8.

Paul Evdokimov a raison de marquer le lien qui unit la tradition à l'eucharistie. Par l'eucharistie, le Christ demeure en son église, « non comme un époux lointain, qu'on ferait descendre du ciel à grands cris, mais comme une présence dont l'Eglise prend conscience » [1]. « Dans l'eucharistie s'actualise le temps de l'Incarnation » [2]. Et, de même, dans la tradition, le Christ, comme sur la route d'Emmaüs, explique à l'Eglise les Ecritures qui parlent de lui, en guide la lecture, en donne l'intelligence, pour répondre aux questions que pose constamment le siècle instable et angoissé.

La tradition est à la fois, et sans rupture, une force de permanence et de nouveauté, « un devenir qui conserve le passé » [3].

Permanence, parce qu'en elle se conserve cet enseignement des apôtres, qui n'est pas seulement un début, une première leçon, mais la communication totale et définitive de la révélation. Les apôtres ne sont pas seulement les ancêtres-fondateurs, ils sont ceux qui, ayant vécu avec le Christ et reçu la totalité de son message, possèdent à titre incommunicable le droit d'enseigner à l'Eglise et au monde la Bonne Nouvelle. Aussi bien, la tradition catholique est-elle essentiellement apostolique. Une tradition humaine, si respectable qu'on puisse la reconnaître, demande à être jugée et mise au point — c'est-à-dire transformée et partiellement abandonnée — sous peine de devenir un poids écrasant, un obstacle paralysant. Mais la

1. Dom Vonier, *L'esprit et l'Epouse*, trad. française, coll. Unam Sanctam, Editions du Cerf, p. 182.
2. P. Evdokimov, *op. cit.* p. 197.
3. Karl Rahner, *Ecrits théologiques*, t. I, Problèmes actuels de Christologie, trad. M. Rondet, Desclée de Brouwer, 1959, p. 116.

tradition des apôtres, parce qu'en elle parle le
Verbe incarné, au-delà de qui il n'y a rien, ne
peut, en aucune façon, être dépassée. Elle
demeure et, si l'Eglise peut et doit l'expliquer et
la comprendre, elle ne saurait rien y ajouter.
Par la tradition des apôtres, l'Eglise reste fondée sur le fondement des apôtres, et repose sur
l'unique pierre angulaire qui est le Christ Jésus.

Cette permanence fondamentale de l'enseignement des apôtres, s'exprime en *traditions*,
en qui se particularise et se concrétise l'unique
tradition apostolique. Il ne faut pas confondre
les traditions et *la* tradition, mais il ne faut pas
non plus les juxtaposer, au risque d'une opposition ruineuse. C'est sur ce point qu'on achoppé
les Protestants, au siècle de la Réforme, et de
cette équivoque, ils ne parviennent pas à sortir.
Peut-être les apologistes catholiques de la
« Contre-Réforme » n'ont-ils pas, nous l'avons
suggéré, projeté sur ce problème toute la
lumière désirable [1]. La tradition des apôtres,
qui est « une et identique », comme dit saint
Irénée, s'exprime nécessairement, dans l'Eglise
composée d'hommes, et poursuivant sa course
à travers le temps des hommes, en traditions
multiformes, et de structure humaine : traditions liturgiques, cérémonielles, usages et comportements chrétiens, qui, nécessairement, va-
rient, selon les lieux et selon les époques. Saint
Augustin notait déjà cette variété, cette relative
instabilité des traditions, et recommandait, fort
sagement, de ne pas imposer universellement ce
qui n'était valable qu'en tel groupe d'Eglises.
Le Concile de Trente [2] a relu ces enseignements

1. Pas davantage P. Evdokimov, qui écrit trop rapidement :
« *A côté* des « traditions » plus ou moins humaines, il y a la
Tradition, la transmission de *la présence du Christ* « pleine
de la Trinité » : *op. cit.* p. 197.
2. Cf. dans la préparation de la session IV le rapport de
Seripando, général des Ermites de saint Augustin : Conc.
Trid., XII, pp. 517-524. Cf. Rech. de sc. relig., XLVII, 1959,
pp. 375-377.

et en a fait son profit. Les traditions ne sont pas la tradition, et demeurent des manifestations contingentes de la vie de l'Eglise. Le poids de leur permanence, qui, parfois s'apparente à la routine et se renforce d'un attachement sénile aux habitudes de la jeunesse, risque de les rendre encombrantes, sans profit réel. Durant les dernières années de son pontificat, Pie XII a insisté, à plusieurs reprises, sur la nécessité pour les instituts religieux féminins, de réviser les coutumes et traditions qui, sous couleur d'une fidélité littérale, gênent le véritable épanouissement de l'âme dans le chemin de la perfection évangélique. Et, s'adressant aux supérieures générales réunies à Rome en 1952, il ne craignait pas de leur dire :

> Veillez à ce que les coutumes, le genre de vie ou l'ascèse de vos familles religieuses ne soient pas une barrière ou une cause d'échecs. Nous parlons de certains usages, qui, s'ils avaient jadis un sens dans un autre contexte culturel, ne l'ont plus aujourd'hui, et dans lesquels une jeune fille vraiment bonne et courageuse ne trouverait qu'entraves pour sa vocation [1].

Ce détail est significatif de l'indépendance que veut garder l'Eglise à l'égard *des traditions :* la fidélité à la tradition véritable, celle qui, des apôtres, est venue jusqu'à nous, comme de main en main, demande que l'on reste libre à l'égard des traditions.

C'est pourquoi la hiérarchie catholique juge des traditions, afin de remplir sa charge de gardienne de la tradition. Pas seulement des traditions liturgiques ou disciplinaires, mais aussi des expressions contingentes, légitimes à leur niveau, mais toujours perfectibles, de la tradition doctrinale — thèses d'écoles, problémo-

---

1. Discours du 15 septembre 1952, dans R. Carpentier, *La Vie religieuse :* documents pontificaux du règne de Pie XII, Bonne Presse, 1959, p. 101.

tiques théologiques, interprétations des doctrines catholiques, justifications des dévotions.
La hiérarchie catholique, nous l'avons dit, possède, par l'assistance du Saint-Esprit, le pouvoir
de *discerner* où se trouve exprimée la tradition
véritable, et le droit, sans appel, si et quand
elle le juge opportun, de proclamer ou de définir
l'authentique tradition apostolique, conservée
dans l'Eglise à travers ses multiples expressions.

La tradition, redisons-le, n'est pas identique-
ment le Magistère, mais le Magistère reconnaît
la tradition, l'exprime et l'enseigne avec certitude. S'il ne faut pas ramener purement et simplement la tradition à l'enseignement du Magistère, il est nécessaire, selon la doctrine devenue
classique de saint Robert Bellarmin, de reconnaître que la tradition se trouve dans ce qu'enseigne le Magistère, et qu'il faut en chercher le
témoignage dans l'enseignement des successeurs
des apôtres. Non dans un enseignement clan-
destin murmuré en secret : les Apôtres n'ont
pas laissé de doctrine ésotérique, comme le prétendaient les Gnostiques : « Les chrétiens n'ont
pas de traditions cachées de leurs mystères »,
dit dans une formule vigoureuse Melchior
Cano [1]. La permanence de la tradition des
apôtres est manifestée et proclamée par l'enseignement continu du Magistère de l'Eglise.

Mais cette permanence du *passé* est un élan
vers l'*avenir*. La tradition est force propulsive,
et non pas frein ralentisseur. L'Esprit, qui conserve dans l'Eglise l'enseignement des apôtres,
lui donne constamment de le redécouvrir, dans
sa merveilleuse nouveauté. Car il est puissance
de renouvellement et non de stagnation : *Reno-
vabis faciem terrae.*

1. *De locis theologicis*, III, ch. 1. Opera, édition de Padoue,
1762, p. 80.

L'Eglise est apostolique : pas seulement l'Eglise en tant que fondée jadis par les apôtres, mais l'Eglise en qui perdure la vitalité des apôtres. La présence des apôtres dans l'Eglise ne suscite pas un repliement vers l'origine, mais une extension vers le terme, vers cette Parousie où ils nous accueilleront, entourant le Christ, et où ils nous mènent, en bons conducteurs de la caravane ecclésiale. Le sens authentique de la tradition est exclusif de toute nostalgie de l'âge apostolique, parce qu'il sait que l'âge apostolique, c'est encore notre église du XXᵉ siècle, elle aussi animée par l'Esprit Saint de la Pentecôte.

La conscience de l'Eglise apostolique n'est pas celle d'une vieille personne, qui devine que son temps est révolu, et revit dans son passé ce qu'elle sait ne plus pouvoir accomplir. Certaines amertumes, certains retours sur le passé, des gémissements et des indignations contre le « monde d'aujourd'hui », voire contre le « jeune clergé » et les catholiques qui sont trop favorables à notre temps, représentent dans le catholicisme contemporain cette note doloriste et ce regret du passé. C'est normal en tout groupe social, et, souvent, la tristesse qui se dissimule sous ces plaintes a des excuses respectables. Mais ce n'est là qu'une caricature de la tradition de l'Eglise apostolique.

La conscience de l'Eglise apostolique vit de l'expérience de vingt siècles, mais elle demeure toujours jeune, parce que l'Esprit de la Pentecôte la rajeunit sans cesse. Il conduit l'Eglise avec la même foi inconfusible et audacieuse, qu'aux jours du Concile de Jérusalem.

Comme alors, il y a des problèmes graves, et les solutions libératrices ne s'imposent pas d'emblée. La discussion d'Antioche se poursuit ; l'audace du baptême de Corneille, de l'accueil fait aux païens, comme les disputes des chrétiens de Corinthe et l'apostrophe cinglante de la folie de la croix continuent dans l'Eglise, dans

notre église du xxᵉ siècle, qui a sa part de sainteté, de médiocrité, d'erreur et de martyre, de
disputes pastorales, d'initiatives hardies et de
replis timorés. La conscience de l'Eglise est
celle d'un adulte, qui n'ignore pas le passé, et
s'appuie sur l'expérience déjà acquise, mais qui,
dans la force de l'âge va vigoureusement de
l'avant : « La tradition, écrit M. Blondel, anticipe l'avenir et se dispose à l'éclairer par l'effort
même qu'elle fait pour demeurer fidèle au
passé » [1]. La tradition est une fidélité, non
un regret. Même si plusieurs de ses enfants
commettent la confusion, l'Eglise, dans sa conscience d'être sa propre tradition — elle ne la
possède qu'en étant elle-même, devant l'imprévisible événement de chaque heure que Dieu lui
donne — entend bien demeurer fidèle au passé,
en inventant l'originale réponse d'un présent
toujours neuf.

La tradition ne peut être un répertoire d'attitudes déjà expérimentées, une jurisprudence qui
retrouve, quoi qu'il arrive, une solution antérieure qui fait loi. Et c'est pourquoi l'autorité,
dans l'Eglise, *dit* la tradition, et, en un sens, la
fait. Non par l'arbitraire d'un pouvoir discrétionnaire, mais en vertu de la continuité apostolique, assistée indéfectiblement de l'Esprit
Saint. Les successeurs des apôtres et de Pierre
ne sont pas d'autres apôtres, d'autres Pierre,
recevant, avec la fonction, une identité de droits
et de charismes : c'est l'erreur de l'optique protestante que de comprendre de la sorte la succession épiscopale et pontificale, et de la critiquer
comme si elle se ramenait à une substitution
pure et simple. En vérité, Pierre et les autres
apôtres demeurent parmi nous, et ce sont eux
qui nous parlent par la voix de nos chefs hiérarchiques. Malgré les apparences, et la tentation d'assimiler le gouvernement de l'Eglise à

---

1. *Les premiers écrits de M. Blondel*, P.U.F., 1956, p. 206.

celui des Etats, il faut *croire*, selon la belle formule de saint Léon, que Pierre nous parle par
la voix du Souverain Pontife [1].

La tradition, conscience de l'Eglise, s'exprime
dans « la conscience divinement assistée » [2]
de ceux qui reçoivent constamment la grâce de
guider notre pensée, notre action, notre réaction
à l'événement. Elle s'y concentre, pour ainsi
dire, comme un point où se rejoignent les
lumières surnaturelles de l'Esprit, les impul-
sions, par lui suscitées, de la foi des fidèles, la
réflexion des théologiens, les audaces et les pru-
dences, les prières, les désirs, les souffrances,
les impatiences diffuses de tout le peuple chrétien. De même que le Pape, dans l'exercice
suprême de son Magistère, jouit personnellement de l'infaillibilité de l'Eglise, de même, proportion gardée, il concentre en lui-même, et le
collège épiscopal avec lui, la tradition vivante
qui est le bien inamissible de toute l'Eglise.

Mais cette tradition, aussi bien dans le
domaine de l'apostolat que dans celui de l'expression théologique de la vérité révélée, définitivement transmise par les apôtres, est tout le
contraire d'un arrêt sur des positions acquises.

Ce qu'exprime, de manière pénétrante, Hans
Urs von Balthasar, au seuil de son étude sur la
philosophie religieuse de Grégoire de Nysse :

> Pour rester fidèle à elle-même et à sa mission
> (l'Eglise) a continuellement à faire un effort d'in-
> vention créatrice. Devant les Gentils qui devaient
> entrer dans l'Eglise héritière de la Synagogue, Paul
> a dû inventer. De même les Pères grecs en face de
> la culture hellénique, et saint Thomas en face de
> la philosophie et de la science arabes. Nous n'avons
> point autre chose à faire devant les problèmes
> d'aujourd'hui.

1. Ipsum vobis, cuius vice fungimur, loqui credite : *Sermo
3 de natali*, in anniversario die assumptionis ad summi pon-
tificatus munus, ch. 4 : P.L. 54, 147.
2. M. Blondel, *op. cit.* p. 205.

Etre fidèle à la tradition de l'Eglise, ce n'est donc point répéter et transmettre littéralement des thèses de philosophie ou de théologie, que l'on se figure soustraites au temps et aux contingences de l'histoire. C'est bien plutôt imiter de nos Pères dans la foi l'attitude de réflexion intime et l'effort de création audacieuse, préludes nécessaires de la véritable fidélité spirituelle. Si nous nous penchons sur le passé, ce n'est pas dans l'espoir d'y puiser des recettes vouées d'avance à la stérilité ou dans l'intention d'en réadapter les solutions périmées ; nous demandons à l'histoire de nous enseigner les gestes de l'Eglise qui, à chaque génération, présente le trésor toujours neuf et toujours inespéré de la révélation divine et sait, devant chaque nouveau problème, en faire valoir la fécondité avec une rigueur jamais lassée et une agilité spirituelle jamais engourdie. Comprendre toujours mieux la réalité intime de notre Mère, voilà ce qui attire les regards du théologien vers le passé de l'Eglise et le développement de son dogme. Tout le reste est l'affaire de l'historien. Ce reste ne nous intéresse que dans la mesure où il nous est nécessaire pour communier à la réalité de l'Eglise et apprendre d'elle à notre tour le geste unique requis par la situation de notre temps — geste que personne, absolument personne, n'inventera à notre place [1].

★

Pour le catholique, la tradition n'est pas quelque chose d'extérieur, *en face* de qui il faudrait se situer. La tradition n'est règle de la foi et de la conduite que parce qu'elle leur est, en quelque sorte, intérieure, comme une dimension nécessaire de l'être chrétien. Non pas le poids d'un passé qui freine ou alourdit, mais la richesse d'une expérience qui permet l'audace, d'une hérédité qui pousse à continuer dans la ligne des ancêtres.

Le catholique ne subit pas la tradition, il l'ac-

1. *Présence et esprit.* Essai sur la philosophie religieuse de Grégoire de Nysse, Beauchesne, 1942, avant-propos, p. X-XI.

cueille et l'assimile, à la fois comme un récon-
fort et une salutaire exigence. *Filii sanctorum
sumus.* Dans l'héritage apostolique, nous recevons la foi des docteurs et des Pères, la ferveur
des saints, la longue fidélité de nos pères et
mères dans la foi. La tradition, c'est ce bien
commun dont le baptême nous rend partici-
pants, nous faisant les enfants d'une Eglise
vieille et toujours jeune ; et tout ce passé de
témoignage, de prière, de zèle, cet approfondissement complexe et multiforme de l'unique révélation, cette imitation aux mille aspects de
l'unique Seigneur Jésus, tout cela est à nous, et
tout cela nous stimule, avec la grâce, à continuer
sur la voie que nous ont tracée les saints. Leur
exemple ne nous lie pas, mais il représente un
appel toujours renouvelé à faire ce qu'ils ont
fait : non pas, matériellement, comme ils l'ont
fait, mais comme nous devinons que le Seigneur
nous demande de le faire.

Une attitude maussade, résignée, ou mécon-
tente, vis-à-vis de la tradition, manifesterait une
incompréhension de sa vraie nature. Ce serait
une rébellion d'adolescent impatient contre la
tyrannie des générations antérieures. Ce ne
serait pas l'attitude adulte du chrétien qui sait
qu'il ne peut être lui-même — comme le Seigneur veut qu'il soit — que dans la tradition
vivante de l'Eglise apostolique. On peut se révol-
ter contre la tradition humaine, et parfois on le
doit, quand elle est un empêchement ou une
nostalgie débilitante. Mais, nous l'avons assez
dit, la tradition catholique n'est pas une tradition humaine ; elle est cette présence parmi
nous de l'Esprit qui toujours rajeunit et toujours innove.

Le théologien catholique aime retrouver, à
chaque nouveau problème, le témoignage de la
tradition. Il le cherche, le poursuit dans la lecture des Pères et des grands scolastiques, dans
l'étude, si enrichissante, des expressions de la

foi et de la piété antiques. C'est la grandeur de
la théologie positive d'être cette incessante étude
de la tradition, qui manifeste comment, de siècle
en siècle, a été comprise l'Ecriture, et comment,
peu à peu, se sont élaborées ces expressions dogmatiques qui nous sont familières. Et cette étude
de la tradition — de la vraie tradition, qui ne se
confond pas avec les usages de la génération
immédiatement précédente ; la tradition n'est
pas nécessairement ce qui se faisait ou se disait
il y a cinquante ans : l'Eglise a une autre lon-
gévité ! — donne souvent au théologien le
plaisir de la « découverte » : telle perspective,
qu'on serait tenté de qualifier de « novatrice »
et d'écarter à ce titre, est plus souvent qu'il ne
semble celle même des Pères de l'Eglise.

La tradition se rit de ces épithètes faciles.
Elle n'a ni la coquetterie de « faire neuf », ni la
crainte de s'écarter des voies bien assurées. Son
seul souci est de demeurer dans la ligne apostolique, et cette attentive fidélité, si elle la préserve de l'erreur, la préserve également des
timidités peureuses et des routines paresseuses.
La tradition est humble, mais elle n'est pas
timorée. Elle est vigoureuse, en même temps que
prudente, car la force et la prudence sont dons
de l'Esprit Saint. Priante et pastorale, sans être
pragmatique, la tradition est ce don que ne
cesse de faire l'Esprit Saint à chaque génération
chrétienne, lui apprenant à lire dans l'Ecriture
le message de salut qu'elle doit annoncer à toute
créature.

Le temps de l'Eglise, suspendu entre l'Incarnation et la Parousie, n'est pas un temps
linéaire, où le passé s'éloigne au fur et à mesure
de notre marche en avant. Dilatation de la présence de Celui qui demeure jusqu'à la consommation du siècle, par l'Esprit qui est dans
l'Eglise force de croissance incessante, sans

relâcher l'unité de l'instant définitif où toute préparation s'est achevée, où la Plénitude nous est donnée dans l'avènement du Fils bien-aimé, le temps de l'Eglise est comme la projection vers le futur d'un passé toujours actuel. Le Seigneur n'est pas en arrière, il est là, avec nous. Et, paradoxalement, il est en avant, au terme vers lequel il nous fait nous hâter. L'Eglise, comme l'Epouse du Cantique, tient son Bien-Aimé et ne le quitte pas, et pourtant, elle appelle ardemment son retour. *Veni, Domine Jesu,* disent l'Esprit et l'Epouse. Mais elle sait qu'elle ne lui demeurera fidèle qu'en continuant d'écouter la voix qui a retenti en Galilée, il y a vingt siècles, et dont l'écho ne s'est pas éteint, car il a été annoncé par les apôtres, envoyés par toute la terre.

La conscience de l'Eglise, en ce siècle dangereux, et pourtant affermi par la foi et l'espérance, où elle poursuit sa course terrestre, c'est la tradition. La tradition, qui lui permet de lire le livre de la Parole de Dieu, où tout le message de vie est contenu, mais qui n'est intelligible qu'à la lumière de cette tradition. Seul le regard des apôtres, enseignés par le Christ, déchiffre l'Ecriture et y découvre ce que Dieu a voulu nous dire : pour marcher selon l'Evangile, seule interprétation valable de l'Ancien Testament, il faut suivre l'enseignement des apôtres, qui nous ont laissé leur Evangile et n'ont pas su confier autre chose que ces simples souvenirs du Jésus de Nazareth dont ils furent compagnons et confidents. Hors de ce contexte vivant, qui est leur tradition, conservée dans l'Eglise catholique, exprimée par sa hiérarchie et son magistère, toutes les fantaisies sont permises, dans la lecture de l'Ecriture, toutes les aberrations possibles : les sectes actuelles en sont un exemple tératologique !

La tradition de l'Eglise est comme un jaillissement constant, par l'Esprit Saint, de l'ensei-

gnement apostolique. Mais ces pauvres Galiléens
illettrés n'ont pour nous d'importance que parce
que par eux le Verbe incarné a parlé au monde,
que parce que, par eux, a retenti, à travers la
terre, le message de vie et de salut. Leur voix ne
s'est pas tue. Elle continue de nous interpeller
et de nous faire entendre, en nous expliquant les
Ecritures, la voix humaine du Verbe incarné.
« Celui-ci est mon Fils bien-aimé : écoutez-le. »
Mais comment l'écouter, si, constamment, ses
témoins ne nous parlent, et si nous ne savons
d'où vient l'autorité de leur parole apostolique ?
« Qui vous écoute, m'écoute », a dit Jésus...

Par la tradition, le Père nous parle en son
Fils, par l'enseignement des apôtres, que conserve fidèlement et que transmet sans erreur
l'Eglise du Verbe incarné.

« La tradition est dans l'Eglise, écrivait
M. Blondel en ses notes intimes, ce que, au sein
de la Trinité, est le perpétuel engendrement du
Verbe. En vivant parmi ce qui passe, l'Eglise se
renouvelle par une transfusion incessante de vie,
et elle fait passer le périssable de la nature à
l'immortalité divine de la grâce et de la gloire.
La tradition est une sorte d'autogénéra-
tion » [1].

1. Notes inédites, publiées par *Etudes*, mai 1960, p. 147.

TABLE DES MATIÈRES

LA PRÉSENTE ÉDITION (1er TIRAGE)
A ÉTÉ ACHEVÉE D'IMPRIMER
EN OCTOBRE 1960 PAR
L'IMPRIMERIE DE LAGNY
EMMANUEL GREVIN ET FILS

Dépôt légal : 4e trimestre 1960.
No d'Édition : 1453. — No d'Impression : 6261.